CARLO FRUTTERO
FRANCO LUCENTINI

L'AMANTE
SENZA FISSA DIMORA

OSCAR MONDADORI

© 1986 Arnoldo Mondadori Editore S.p.A., Milano

I edizione Varia di letteratura ottobre 1986
I edizione Bestsellers Oscar Mondadori novembre 1989

ISBN 88-04-32577-1

Questo volume è stato stampato
presso Mondadori Printing S.p.A.
Stabilimento NSM - Cles (TN)
Stampato in Italia. Printed in Italy

Ristampe:

11   12   13   14   15   16   17   18

2004   2005   2006   2007   2008

www.librimondadori.it

L'AMANTE
SENZA FISSA DIMORA

Waterfall

I
QUANDO MR. SILVERA SI DECIDE INFINE

1.

Quando Mr. Silvera si decide infine (look, look, Mr. Silvera!) ad allentare la cintura di sicurezza e a protendersi sopra i suoi vicini per sbirciare dall'oblò, Venezia è ormai sparita; non vede che un lontano frammento di mare color alluminio e un immediato, massiccio trapezio d'alluminio, l'ala.

– The lagoon! – ripetono i turisti della sua e delle altre due comitive che riempiono il volo Z 114, – La lagune! A laguna!...

Come sempre, è per loro indispensabile nominare, più che vedere, le città e i templi e le statue e gli affreschi e le cascate e le isole e tutte le terre e le acque che pagano per visitare. Look, look, the Coliseum, the Sixtine Chapel, the Casbah, les Pyramides, la Tour de Pise, the lagooon... Sembrano invocazioni per suscitare cose immaginarie, farle esistere per pochi istanti prima che si ritraggano dal cerchio magico. In cinque o sei, cercano naturalmente di trattenere per sempre la laguna, con le loro cineprese e macchine fotografiche.

Indifferente a queste illusioni, Mr. Silvera si risistema al suo posto, le lunghe gambe tese di sghembo nel passaggio tra i sedili, un sorriso benevolmente automatico pronto a scattare. Visto di profilo è un uomo sui quarant'anni, alto e magro, con una nitida testa da medaglia, le spalle leggermente curve di uno sportivo, per esempio un accanito giocatore di tennis, che a un certo punto, per una certa ragione, abbia smesso completamente; oppure invece di uno scacchista, piegato da lunghe meditazioni sull'alfiere. Le sue mani sottili, delicate e nervose fanno pensare al poker e alla roulette, ma anche a sapienti contatti con porcellane, pergamene, strumenti musicali; e con calze femminili, con sete e pizzi e ardui fermagli di collane.

Un uomo insolito, che fa blandamente (stoicamente?) un mestiere per lui un po' incongruo, un po' meschino. Capocomitiva. Accompagnatore e animatore turistico. Di solito li scelgono più giovani, gli altri due gruppi del volo Z 114 hanno per guida una ragazza che ride sempre e una specie di tozzo contadinello con un ciuffo biondissimo sugli occhi.

Silvera ha preso in consegna la sua comitiva stamattina alle 6 e 15, davanti alla sede della Imperial Grand Tours, l'agenzia londinese di viaggi per la quale lavora da qualche tempo. Gli è bastato il tragitto in pullman fino all'aeroporto di Heathrow per far conoscenza con queste 28 persone, o piuttosto, per incasellarle nella sua memoria, che è notevole e abituata a classificazioni istantanee. Solita gente, solita clientela dell'Imperial, pensionati, piccoli bottegai, piccoli impiegati, artigiani, di nazionalità ricorrenti: inglesi e francesi in maggioranza, ma anche sudamericani e canadesi, qualche scandinavo, due giamaicani, due indiani, un portoghese con la figlia adolescente che non stacca mai da Mr. Silvera i suoi grandi occhi notturni. Anche i nomi sono sempre gli stessi, Johnson, Torres, Pereira, Petersen, Singh, Durand...

Il volo Z 114 ha fatto scalo due volte, a Bruxelles e a Ginevra, raccogliendo le altre comitive; a Ginevra ha imbarcato anche tre passeggeri in lista d'attesa, il cui volo per Venezia e Atene era stato cancellato. Due uomini d'affari greci e una donna italiana, che ora siede alla stessa altezza di Mr. Silvera, dall'altra parte del passaggio centrale.

Una hostess dai larghi fianchi percorre in fretta questo corridoio, cerca gli ultimi bicchieri di carta da portar via, e Silvera ritira di scatto le sue lunghe gambe, le sorride. Ma lei resta col suo broncio appuntito, assorta in congetture amorose o, più probabilmente, in rancori sindacali.

Silvera si stringe di un filo nelle spalle, fa ruotare di un niente il suo sorriso, e l'italiana, dall'altra parte del passaggio, glielo ricambia. Sono finiti – si dicono i loro occhi maliziosi, rassegnati – i tempi in cui i passeggeri venivano trattati con riguardi da grande albergo, con premurosità da asilo nido; e d'altra parte, che cosa si può pretendere con dei passeggeri, con delle imbarcate di turisti di questo genere? È già tanto che li facciano arrivare fino a Venezia, per quello che hanno sborsato.

L'apparecchio tocca terra, frena in un gran soffio rabbioso, rallenta lungo l'orlo della laguna.

– Well, – mormora alzandosi Mr. Silvera, – well...

L'alta statura sembra dargli una vaga superiorità, smentita dalla giacchetta di tweed molto liso, dai piccoli buchi bruciacchiati sul davanti dell'impermeabile che sta infilando. La ragazza che ride sempre già si affanna con la sua comitiva; il contadino biondo raccomanda la disciplina e la calma al suo branco, che è il più numeroso.

– Well, – sospira Mr. Silvera tirando giù la sua borsa.

S'accorge che anche la sua vicina italiana sta cercando di arrivare a un suo valigiotto e lo tira giù lui, glielo porge cavalleresco.

– Thank you, – dice la donna.

– Ah, – dice Mr. Silvera, gli occhi lontani.

Poi viene inghiottito dal suo gruppo, please, please, Mr. Silvera, ci sono soprabiti e sciarpe da recuperare, sacche da estrarre dai ripostigli, pacchi dimenticati sotto i sedili, e gl'impazienti da trattenere, i ritardatari da pungolare. La figlia del portoghese lo segue a capo chino fissandolo di sotto le bellissime ciglia nere, e viene "contata" in fondo alla scaletta di sbarco, dove Mr. Silvera e i due altri capigruppo sono fermi nel vento a dividere le loro genti.

Ma non è a lei che Mr. Silvera porge la mano per farle scendere l'ultimo scalino. L'omaggio (eseguito con malinconico distacco, con un'indefinibile ombra di complicità) è per la signora italiana.

9

– Thank you, – ripete lei, seria.

– Ah, – mormora, senza guardarla, Mr. Silvera.

Se ne va verso l'aerostazione alla testa dei suoi, che tutti camminano voltati verso il vasto alluminio della laguna perché neppure un centesimo di quella tariffa economica vada perduto. Il gruppo della ragazza francese li ha preceduti al controllo passaporti e alla dogana, ma poi le cose scorrono via senza inciampi, nessuno in realtà controlla niente, e al di là delle barriere ecco già Mr. Silvera che coagula ancora una volta i suoi 28, gl'impedisce di disperdersi fra gabinetti e bar.

– No, no, – dice indulgente, – no cappuccino, please, no vino.

Di nuovo escono nel vento, e sul piazzale alcuni pullman sono in attesa. Ma loro sbandano verso la laguna, che comincia a pochi metri sulla sinistra e svanisce laggiù, contro un orizzonte lanuginoso. Attraccati a un pontile dondolano in mezzo ai gabbiani quattro o cinque snelli motoscafi, con bandierina a poppa.

– Taxi? – chiede uno dei marinai. – Venedig, taxi? Taxì Venìse? – ripete indicando un punto lontano, di là dalle acque.

Poco più avanti, la comitiva del contadino biondo si lascia cadere con strilli e risate a bordo di un panciuto barcone cabinato.

Una protesta si propaga negli occhi dei 28. E noi?

– No boat, – dice risoluto Mr. Silvera, – no boat, no barco, sorry.

I prezzi che pratica l'Imperial, spiega, non consentono l'arrivo a Venezia per mare, attraverso la grigia laguna. Per l'Imperial c'è un bel pullman italiano, a fine italian coach, tutto rosso, che passerà sul famoso ponte.

– A famous bridge? – si consolano i 28.

Sì, il più lungo d'Europa, mente Mr. Silvera, respingendoli verso la terraferma. Lui resterà qui ancora un momento a controllare che i bagagli siano correttamente caricati sulla motobarca della cooperativa facchini, e correttamente avviati a destinazione.

Adesso è solo sul pontile e guarda la laguna come un principe, un condottiero che ne prenda infine possesso; o che invece si congedi da lei, che l'abbia perduta per sempre? Uno dei motoscafi si stacca da riva, traccia sull'acqua un'elegante parabola e punta veloce su Venezia fra le strida dei gabbiani. Vicino alla bandiera di poppa c'è, per l'ultima volta, l'italiana del volo Z 114, ci sono io.

– Ah, – mormora Mr. Silvera.

E non risponde al mio saluto, non alza la mano, mentre il suo impermeabile sbatte come un frusto vessillo grigio nel vento di novembre.

Così l'ho conosciuto, così l'ho visto per la prima e (credevo) per l'ultima volta.

2.

Io non avevo dato peso, allora, al fatto che Mr. Silvera facesse il capocomitiva, l'accompagnatore, l'animatore turistico o come altro diavolo si dica. In mezzo a quella plebe volante, l'avevo per forza notato alla prima occhiata e registrato con interesse quasi professionale, lui e il suo profilo da medaglia antica; ma senza incuriosirmene di più, senza starmi a chiedere come fosse finito con quegli abbrutiti che lo interpellavano in continuazione: Mr. Silvera, Mr. Silvera! L'avevo infilato in un immaginario, personale catalogo d'asta, con la definizione "viaggiatore insolito, perfino un po' misterioso", e m'ero poi rimessa a pensare agli affari miei.

Adesso naturalmente non so dire che impressione m'avrebbe lasciato, se l'avessi considerato innanzitutto sotto l'angolo di quel suo, chiamiamolo così, mestiere. Che va benissimo, intendiamoci, per studenti con pochi soldi che vogliano girare il mondo d'estate (il figlio di Rosy, una figlia dei miei cugini Macchi, l'hanno fatto per anni), ma che in novembre, praticato da adulti con comitive di quel livello, si può definire soltanto miserabile. È probabile che

11

mi sarebbe scaduto senza rimedio, il signor Silvera. L'avrei liquidato con un pensierino commiserativo del tipo: "guarda quel poveraccio, cosa gli tocca fare coi capelli grigi"; o forse, dato il cognome: "pensa te quel povero sefardita a cosa s'è ridotto per campare". Un fallito, un morto di fame, un *bum*. E da questo genere di prime impressioni un uomo non si rialza più. Quindi: *dopo*, le cose sarebbero andate in tutt'altro modo; anzi, probabilmente, non sarebbero andate da nessuna parte.

Invece, grazie a quella mia fortuita o un po' assonnata disattenzione, eccomi qui a riflettere sul *mio* mestiere, chiamiamolo così, e a trovargli significativi punti di somiglianza col suo. È un mestiere non meno vagabondo. Un mestiere in cui bisogna ingraziarsi allo stesso modo la clientela, mandar giù rospi e umiliazioni, sempre disposti a blandire, lusingare, placare, lisciare delle persone perfettamente orride. È un mestiere che ti porta a frequentare la bellezza, a cercarla, valorizzarla, illustrarla con assoluta indifferenza, senza in realtà più vederla. Forse esagero, ma l'unica differenza tra un accompagnatore turistico e me mi pare questa, adesso: che quello viene retribuito con un "fisso" ridicolo e qualche mancia meschina, mentre me mi pagano con crepitanti assegni su banche prestigiose.

Di lì la separazione: lui col suo gregge sul vaporetto, io in motoscafo al mio albergo sul Canal Grande, la finzione di un'accoglienza d'altri tempi: come sta, di nuovo veneziana, è andato bene il viaggio, ha visto che tempo, c'è un po' di posta per lei, le preparo un manhattan, un tè cinese? Cose così, dette con quella familiarità professionale destinata a farmi sentire "a casa mia" anche a distanza di mesi. E il vecchio valletto Tommaso, che manovra l'ascensore con la gravità e solennità d'un ciambellano addetto alla mongolfiera di Luigi XVI, sentenziando come tra sé: "Sempre più bella".

Sa fare il suo mestiere, ti dice una frase del genere ma lasciandoti capire che è la traduzione in lingua grandalberghiera di un vernacolare "urca", o d'una più cruda espressione che gli sale dai consunti lombi (ma sono poi tanto consunti?).

Io controllai di sfuggita nelle generose, onnipresenti specchiere dorate, constatando che anche loro sapevano fare il loro mestiere. Vidi (e subito catalogai, senza dimenticare la "bella cornice in stile coevo") un *Ritratto di giovane donna* assegnabile a "Maestro toscano o umbro del primo '500", con influssi botticelliani e lippeschi da una parte, perugineschi dall'altra. Raffaellino del Garbo? A prescindere dall'"ensemble de voyage" di scuola franco-giapponese (Isseymiyake), la ritrattata presentava infatti spiccate affinità con diverse Madonne di questo artista, oltreché con la bionda e avvincente *Dama di profilo* che il Berenson (seguito dal mio amico Zeri) gli attribuisce nella collezione della baronessa Rothschild a Parigi. Un ritratto tanto più soddisfacente in quanto, avendo Raffaellino, o chi per lui, cortesemente omesso l'"AETATIS SUAE XXXIV", gli anni si potevano senz'altro ricondurre a XXX e anche meno.

Sui folti tappeti incrociammo dei giapponesi procedenti in silenzio e in doppia fila, come educande. Tutti uomini, tutti vestiti di scuro.

– Almeno loro non fanno baccano, – osservò Tommaso con condiscendenza.

– Ne avete molti anche fuori stagione?

– Sempre di più, in tutte le stagioni. Mah? Dice che sono turisti, ma per me vengono qui a copiarsi Venezia. Vedrà che un giorno o l'altro si metteranno a fabbricarne una loro, un'imitazione perfetta.

Ma subito si pentì del suo scherzo, che del resto doveva aver già fatto con successo chissà quante volte.

– Venezia non si può imitare, – disse fieramente.

Eppure la sua è un'impressione che qualche volta ho anch'io, in questa città troppo guardata: come se quei milioni e milioni di pupille ammiranti avessero lo stesso impercettibile e perpetuo potere di erosione delle onde, ogni occhiata un granellino di Venezia rubato, succhiato via...

*
* *

Senza nemmeno disfare le valige, telefonai a Chiara per farmi confermare l'appuntamento del pomeriggio. Dovevo visitare una collezione di quadri antichi, ma di valore ancora non accertato, e cercare eventualmente di assicurarne la vendita a Fowke's, la casa d'aste per cui lavoro. Chiara è la nostra corrispondente locale e l'appuntamento me l'ero già fatto confermare due giorni prima. Ma a Venezia non si sa mai. In questa città dove la fretta è sconosciuta, tutto può sempre essere rimandato a lunedì prossimo.

– Pronto, Chiara? Ho rischiato di rimanere a terra ma sono qui. Allora va bene per le tre?

Stetti a sentire col previsto disappunto (il disappunto in questo mestiere è la regola) come le tre andassero sempre benissimo, ma non andassero affatto i quadri: altri l'avevano ormai vista, quella vantata "collezione Zuanich", e l'avevano trovata una mera raccolta di croste.

– Autenticamente sei o settecentesche, mi dicono, ma croste.

– Chi è che le ha viste?

– Un po' tutti, oramai. Anche dalla Sovrintendeza hanno mandato qualcuno, ma si sa già che non metteranno nessun vincolo, pare che sia proprio robetta, "quadri d'arredamento", come dicono loro. Il solo che adesso se ne stia interessando è Palmarin.

– Un viaggio sprecato, insomma.

– Ho cercato di avvertirti a Parigi ma eri già ripartita. Comunque, già che ci sei, non vuoi dare un'occhiata anche tu?

– Vada per l'occhiata.

– E poi c'è forse un'altra cosa, una segnalazione su una villa di Padova, che ci viene dallo stesso Palmarin. Con lui avremmo appuntamento per le cinque.

– Vada anche per Palmarin.

Disfeci le valige, passai sotto la doccia, poi telefonai per farmi invitare a casa da Raimondo, massimo amico veneziano.

– Divina, – disse, – una sogliola da me. Subito.

– Non posso, ho un appuntamento tra poco.

– Cena, allora.

– Ci contavo.

– La gioia immensa.

Dette dalla sua voce un po' chioccia e in tono accuratamente piatto, distratto, sbrigativo, le iperboli che usa continuamente non mancano quasi mai di farmi ridere. È una linguaccia pettegola e maligna, un feroce tagliatore di panni addosso; ma non contro di me, perché io conosco il suo segreto e sono in grado di ricattarlo. Fu quella volta che lo sorpresi mentre trascinava la pesante valigia di una vecchia turista tedesca in difficoltà su un ponticello, dalle parti dei Frari. Lui cercò di cavarsela sospirando:

– Cosa vuoi, a otto anni sono stato violentato da uno scout-master.

– No, caro, sei in mia mano, – gli sorrisi spietata, – adesso so che hai un cuore.

Il suo palazzetto in Ruga Giuffa, sempre pieno di ospiti multicolori, è forse la cosa meno lontana da quella che doveva essere la Venezia di un tempo.

Scesa al ristorante, ordinai per pigrizia una sogliola e mi guardai distrattamente intorno, constatando una volta di più come sia ormai impossibile, a Venezia, vedere persone che siano propriamente persone, individui. Tutti questi che mandavano giù dei manhattans o dei bellinis, me ovviamente compresa, avevano l'aria di essere qui per conto di qualche fondazione, università, associazione internazionale, grande industria, grande museo. Perfino dalle coppie di sposi in luna di miele c'era da aspettarsi il cartellino di riconoscimento appuntato sul bavero o le ricevute per la nota spese nella borsetta di Gucci.

Mentre là fuori, su e giù per il famoso canale, sfilavano le figurine turistiche incollate ai vaporetti come in un album di etnologia elementare – ecco un carico di biondi teutoni e scandinavi, ecco un grappolo di facce gialle, ecco i neri grumi spagnoli o greci – ogni comitiva stretta intorno al suo Mr. Silvera. Anche se, è onesto dirlo, io non pensai neppure di sfuggita a Mr. Silvera, e la cosa mi sembra inverosimile, imperdonabile, ora che di quelle ore senza storia (senza di me!) vorrei sapere tutto, pezzo per pezzo, istante per istante.

Ma si può immaginare. Si può in gran parte ricostruire.

3.

Quando ha controllato che anche l'ultimo dei suoi assistiti sia salito sul vaporetto ("Vite, vite, madame Dupont!"), Mr. Silvera si spinge avanti nella calca e viene a trovarsi dietro un gruppetto di russi dalle carnose, rasate nuche. Gli aderisce alle spalle la ragazza portoghese, che abbassa gli occhi arrossendo quando lui si gira a chiederle se tutto va bene, tudo okay?

In ogni comitiva c'è sempre un'adolescente che s'innamora di Mr. Silvera, sempre un paio di anziane signorine d'inesauribile energia, sempre una coppia di coniugi litigiosi, sempre un'ipocondriaca, sempre un pignolo saccente e scontento di tutto, sempre un ficcanaso pettegolo. È come viaggiare con un campionario, pensa Mr. Silvera, che nella sua viaggiante carriera è stato anche rappresentante di gioielli-fantasia. Cambiano di volta in volta pietre, modelli, metalli, ma le collane sono sempre collane, le spille, spille.

Nella sua veste di capocomitiva è già passato per Venezia più volte, ma conosce bene la città per esserci stato in precedenza e in circostanze meno superficiali. Tuttavia, di quelle altre sue Venezie Mr. Silvera non parla mai, le tiene rigorosamente in disparte, non se ne serve per il suo attuale lavoro. Potrebbe indicare ai 28 un palazzo meno ovvio, arricchire di un aneddoto un campanile, sottolineare un certo giardino, illuminare una certa cupola; ma si attiene al minimo indispensabile, ponte degli Scalzi, canale di

Cannaregio, Fondaco dei Turchi, Ca' d'Oro, ponte di Rialto... Omette la riva del Vin e, dopo un attimo di esitazione, anche palazzo Bernardo.

– Look, look, Mr. Silvera, a real gondola!

– Ah, – dice Mr. Silvera, – yes, indeed.

Conosce altri nomi di imbarcazioni locali (gondolino, caorlina, mascareta...) ma non li rivela. Perché sarebbe fiato sprecato, si dice, perché certe cose non interessano più nessuno e tanto meno i suoi 28.

Ma la verità è che quella sua latente Venezia di broccati, ori, porpore, cristalli, non si può nemmeno sfiorare senza pena, e soprattutto non c'entra niente con la Venezia schematica, impersonale dell'Imperial.

S. Angelo, S. Tomà, Ca' Rezzonico, Accademia. Il vaporetto passa dall'una all'altra sponda del Canal Grande, accosta, sbarca trenta danesi, imbarca trenta bambini che tornano da scuola, riparte verso il prossimo pontile con uno strappo prosaico, laborioso, da mulo d'acqua.

La comitiva deve scendere a San Marco, per visitare la piazza omonima, la basilica omonima e il Palazzo Ducale. Ma in primo luogo per mangiare. Mr. Silvera sa che se non mangiano all'ora stabilita diventano nervosi; guidati attraverso i secoli per assistere alla presa della Bastiglia, al sacco di Roma, alla battaglia delle Termopili, verso l'una comincerebbero nondimeno a dar segni d'inquietudine, a scambiarsi cenni significativi. Quando si mangia? Ma non si mangia? E ci sarebbe almeno una donna che si sente pericolosamente "vuota", e un'altra, più previdente, che aprirebbe la borsetta e le offrirebbe a biscuit, Mrs. Gomez? agradece un bombón, senõra Wilkins?

E tutt'e due rivolgono un'occhiata di rimprovero a Mr. Silvera, che guadagna qualche minuto col Ponte dei Sospiri e Giacomo Casanova.

Poiché i 28 confusamente credono che Casanova sia finito in questo carcere per questioni di donne e che ne sia evaso per amore di una donna, Mr. Silvera glielo lascia credere, mettendo in moto un gioco di effetto infallibile:

eleggere il Casanova del gruppo, qui, subito, adesso, sulla riva degli Schiavoni. Tra risate che allarmano i gabbiani, viene infine prescelto il señor Bustos, un vivace ometto sulla cinquantina, la cui moglie è inevitabilmente più lusingata di lui. Il gioco li divertirà fino a stasera, verrà ripreso saltuariamente nei prossimi giorni, conoscerà un breve ritorno di fortuna proprio alla fine del viaggio, e sarà poi rievocato con delizia dall'interessato. Di Venezia, tra mille anni, il señor Bustos ricorderà forse soltanto che qui effimeri compagni lo battezzarono Casanova, no less.

Mr. Silvera guarda il profilo delle isole vicine e lontane, i tratti d'acqua che, come oceani miniaturizzati, minuscole prue solcano in ogni senso, e pensa a voce alta, in spagnolo: mille anni, questa città ha mille anni.

Chi gli è vicino la scambia per una memorabile informazione turistica, e ripete impressionato, mil años! a thousand years!

– Look, look, Mr. Silvera! The pigeons!

– Seguiteli! – ordina pronto Mr. Silvera, che sa come trattare le sue comitive.

Ed ecco che seguendo il volo dei mille sbatacchianti piccioni si arriva in piazza San Marco ("Ooooh! piazza San Marcoooo!"); dove Mr. Silvera lascia tutti quanti ai loro reciproci riti fotografici per andarsi a occupare dell'unico pasto veneziano incluso nella "formula" dell'Imperial.

S'infila in un oscuro sottoportico chinando macchinalmente la testa, prende per due o tre callette sbagliando direzione una sola volta, scorge infine laggiù l'insegna della Triglia d'Oro, la trattoria-pizzeria in cui due lunghi tavoli, per complessivamente 28 coperti, dovrebbero già essere apparecchiati e in attesa. Ma capisce subito, a fiuto, che qualcosa non va; nella calletta stagnano odori di cucina vecchi di mille anni, d'un millennio di menù turistici, ma manca il pungente, fumigante, greve odore dell'immediato futuro.

La Triglia d'Oro ha cambiato giorno di chiusura, che è sempre stato il lunedì. Un cartello sbilenco sulla porta sprangata avverte: "Chiusura settimanale: martedì".

Non hanno avvisato, non hanno mandato un telex a Londra, un locale come la Triglia d'Oro non manda telex né a Londra né altrove.

Mr. Silvera resta un momento pensoso, alza gli occhi verso la pendula insegna, sopra la quale aleggia un gabbiano forse in cerca di rifiuti edibili.

Un passo concitato risuona nelle vicinanze, si ferma di colpo. Laggiù, a un imbocco della calletta, c'è la ragazza portoghese, immobile e scarlatta, le mani in mano, ma a testa alta.

– Ah, – mormora Mr. Silvera.

Bronzei e immobili coi loro lunghi martelli, i due Mori della Torre dell'Orologio sono in bilico tra l'una e le due. Comitive di ritorno dai luoghi di ristoro cominciano a riaffluire verso il Campanile, il Palazzo Ducale, la Basilica. Ma sbucando dal sottoportico nello schiaffo luminoso e ventoso della piazza, Mr. Silvera individua subito il suo gruppo, laggiù, sul lato opposto del colonnato. È raro che si avventurino e si perdano. Li tiene insieme l'incuriosità, la timidezza, l'ignoranza della lingua straniera (Mr. Silvera ne parla perfettamente un numero imprecisato, altre ne ha imparate, dimenticate) e in questo caso ciò che essi chiamano "fame".

Una specie di delegazione gli marcia incontro con aria torva, come di ammutinati; ma Mr. Silvera è pronto ad alzare le braccia mostrando i due grappoli di capaci, rigonfi sacchetti di plastica azzurra che gli pendono dalle mani.

– Food!... – grida. – Drinks!... Vino!...

Alle sue spalle, colorita, raggiante, avanza l'adolescente portoghese, che trasporta vino in fiaschi e altri due sacchetti stracolmi di panini, pizzette, lattine. Mr. Silvera ha approfittato di lei nel modo che lei, senza saperlo, desiderava di più: le ha svelato l'imprevisto inciampo organizzativo, le ha chiesto aiuto, consiglio, e insieme sono entrati in un

19

bar-rosticceria dove hanno comprato, col fondo d'emergenza dell'Imperial Tours, quanto più o meno basterà a rifocillare i viaggiatori.

– Picnic! – grida Mr. Silvera. – Picnic!

Senza dirlo, riesce a dare l'impressione che il picnic in piazza San Marco sia una bella sorpresa, un'originale variante espressamente programmata dall'agenzia. Qualcuno brontola, ma senza convinzione. L'idea piace, è una cosa che potranno poi raccontare.

Mr. Silvera sceglie come a caso (ma li ha già valutati, infallibilmente) due donne e un uomo, e affida loro la complicata spartizione dei viveri. Non diversi dai piccioni, i 28 si accoccolano quasi tutti sui gradini lungo il colonnato e cominciano a becchettare il pasto improvvisato. Chi cerca un tovagliolo di carta, chi si rovescia il vino o l'aranciata sui pantaloni, chi fotografa dal basso in alto la memorabile scena.

Mr. Silvera si appoggia a una colonna a qualche metro da loro. La ragazza portoghese gli si avvicina con un panino e una birra; ma Mr. Silvera le oppone un rifiuto soave, no, grazie, non ho fame, prenderò qualche cosa più tardi... Non le dice che la nutrizione gli appare in questo momento un processo disgustoso, disperato; e tuttavia la ragazza, mentre torna accanto a suo padre, addenta il panino di malavoglia, quasi stesse commettendo un tradimento.

II
IL PORTONCINO DI QUERCIA, CHE ERA

1.

Il portoncino di quercia – che era solo un portoncino di quercia incastrato ai piedi di una facciata alta e stretta, confusamente cosparsa di tutte le possibili sbiaditure del rosso veneziano – avrebbe potuto dare accesso a niente di più che a tre basse stanzette con un artigiano intento a riparare ferri da stiro sotto una lampadina nuda. Le sgangherate imposte di legno erano state verdi. Cornici di pietra ingrigita, porosa, inquadravano ogni finestra. E tutto il campiello, una dozzina di case senza ambizioni, aveva la stessa aria flaccida, inservibile, di un muscolo da gran tempo in atrofia.

Naturalmente il vero ingresso doveva essere dall'altra parte, sul canale, tra pali marci dove in anni lontani stava attraccata la gondola "di casata". Ma nessuno più, oggi, può permettersi simili lussi; nessuno, cioè, che sia veneziano. Qualche ricco forestiero, milanese, americano o svizzero, coltiva queste civetterie storiche per un paio di stagioni, poi le abbandona per il più pratico motoscafo o torna a servirsi di un portoncino di quercia.

L'impressione, quando si suona il campanello, è sempre che sia guasto da mesi, che anzi tutto l'impianto sia fuori uso da decenni. Nessun trillo o ronzio arrivò alle nostre orecchie quando Chiara premette il moderno rettangolino di plastica con sotto il nome Zuanich scritto a macchina; ma lo squillo aveva senza dubbio risuonato nella cavità più intima dell'edificio, facendo sussultare una vecchia domestica semisorda, che ora, con le sue gambe gonfie e il suo passo strascicato, si stava avvicinando per oscuri corridoi...

Sentimmo invece d'un tratto una precipitosa successione di tonfi, come di grossi cani lanciati in una corsa a ostacoli, e il portoncino venne quasi divelto da due ragazzi alti, biondi e bellissimi, in scarpe da jogging e maglione: i nipoti, con un padre morto e una madre risposata in America, mi aveva già spiegato Chiara. Studiavano a Milano, qui venivano a trovare la nonna, che era la proprietaria della collezione.

Ancora ansanti per la gara i due ragazzi rientrarono nel formalismo, inchinandosi per il baciamano. Il maggiore era rapato quasi a zero, l'altro era pieno di capelli, ciuffi instabili gli spiovevano da tutte le parti. Ci introdussero in un vasto atrio dove le continue irruzioni dell'acqua alta avevano dissestato i marmi del pavimento; e di lì, per uno scalone nobilitato da busti sette e ottocenteschi, salimmo all'atrio superiore.

Tra porte molto distanziate, sotto gli affreschi mitologici della volta, divani lunghissimi attendevano nella polvere la ripresa delle danze. Un gatto grigio stava sfilando lentamente, a coda dritta, sotto i bracci colorati dell'immenso lampadario di vetro, ma scappò via quando Chiara si chinò per accarezzarlo. Dopo un'altra rampa lo scalone si restringeva, i gradini diventavano di rozza pietra. Su un pianerottolo sostava una portantina scura, col cuoio a brandelli e lo sportello tenuto su con filo di ferro.

– Peccato, – disse Chiara sottovoce.

– Eh, lo so, – commentò il ragazzo maggiore con totale indifferenza.

Una porta qualsiasi dava su un corridoio dal soffitto bassissimo, lungo il quale si aprivano numerose finestrelle. Poi veniva una stanza da sgombero dov'erano accatastate sedie e seggioloni in un groviglio di gambe rotte e schienali sfasciati. E infine, oltre una tenda di pesante panno color pulce bucherellata dalle tarme, si scendevano due scalini e girando a gomito si entrava in un'altra specie di anticamera, senza finestre né lucernari, mediocremente illuminata da un lampadarietto centrale e arredata con un lungo tavolo e due panche di legno dipinto.

Intorno, alle pareti intonacate di giallo e percorse da una rete di crepe polverose, erano appesi i quadri della raccolta, una trentina, disposti su una fila o su due a seconda delle dimensioni, che del resto erano abbastanza uniformi variando da qualche decimetro a un metro al massimo di lato.

– Be', io torno giù dalla nonna, – ci salutò il rapato. – Lui, – disse accennando al fratello e a due lampade a piede, orientabili, collegate con lunghi fili a due prese d'angolo, – vi aiuterà a sistemare gli spot, se volete vederci meglio.

Lo ringraziammo, e mentre il capelluto s'immergeva nella lettura d'un suo fumetto, facemmo lentamente un primo giro.

Niente di sensazionale, almeno a prima vista. E tuttavia, sempre a prima vista, meno deludente di quanto le informazioni di Chiara avessero lasciato prevedere. Tardi e anzi tardissimi tizianeschi e giorgioneschi, tintoretteschi e veronesiani di ritorno, bassaneschi della terza generazione: ma tra i quali si sarebbe potuto celare, chissà, il dotato e industre Padovanino, il truffaldino ma a volte ispirato Pietro Liberi, l'estroso Pietro della Vecchia, o qualche altro non dissimile imitatore dei grandi cinquecentisti.

Oggi questa pittura di terz'ordine, che i suoi rappresentanti non avevano esitato a spacciare per "arte veneta del secolo d'oro" su mercati lontani e non troppo puntigliosi, stava riacquistando un discreto valore – tra i trenta e i sessanta, anche gli ottanta milioni – proprio sul più specializzato mercato italiano. Per l'asta di Fowke's a Firenze, un paio di "giorgioni" riveduti e corretti dal Della Vecchia, qualche tizianesca beltà rifatta dal Forabosco, sarebbero andati a pennello.

Senonché già al secondo giro, e senza neppure bisogno d'illuminazione supplementare, tutta quell'apparente produzione seicentesca travestita da Cinquecento cominciò a rivelarsi per un travestimento essa stessa. Una scipita Raccolta della Manna e un'enfatica, meccanica Estasi di Sant'Andrea; uno sgangherato Martirio di Santo Stefano tra due svolazzanti, caotiche Ascensioni; lussureggianti e imbellettati, o lividi e legnosi, ritratti di Dame e Gentiluomini; gonfie e rossastre nudità di Veneri e Susanne al bagno, in paesaggi dalle tinte porcellanose; un truce Muzio Scevola all'ara, tra annacquate Madonne di Loreto, del Parto, del Latte: tutte queste croste tradivano non più le ascendenze rinascimentali, ma la ripresa in chiave rococò e perfino neoclassica, da parte di rozzi mestieranti, di un ormai codificato gusto veneziano per la contraffazione, il plagio, l'inganno.

La sola cosa che si potesse ammirare nella raccolta era la coerenza del raccoglitore, un mercante arricchito probabilmente, prozio o bisnonno della nonna attuale, che nel formarsi una "quadreria patrizia" era stato guidato da un ferreo bigottismo estetico e da una sviscerata venerazione per l'"antico", non meno che da un innato senso del risparmio.

Il nipote capelluto s'accorse che c'eravamo fermate e alzò interrogativamente la testa.

– Vogliono più luce su qualche quadro? – chiese. – Accendiamo gli spot?

– Forse sarebbe meglio di no, – non potei trattenermi dal rispondere.

Lui alzò leggermente le spalle. Dai commenti di altri visitatori, doveva ormai aver capito che l'avita collezione valeva poco o niente.

– Però, – disse richiudendo il suo fumetto e alzandosi, – sono sempre quadri antichi. E la Sovrintendenza non ha messo vincoli. È tutta roba che si può portare all'estero.

La scettica implicazione, a cui era arrivato per sentito dire o forse anche da sé, era che roba simile si sarebbe venduta meglio in paesi quanto più lontani possibile. Ma dallo sguardo improvvisamente adulto e dal sorriso cùpido, bassamente reverenziale, che sottolinearono le parole *quadri antichi*, mi parve che non fosse un trisnipote ad accendere gli spot, ma lo stesso trisnonno, il commerciante e collezionista improvvisato, e rischiararci con lampade a petrolio la sua insalvabile "quadreria".

*
* *

Benché, tra il primo e l'ultimo giro, l'ispezione dei quadri non fosse durata più di un'ora, quando chiedemmo al ragazzo di riaccompagnarci eravamo completamente intirizzite.

Ma l'esposizione al freddo, alla polvere e al silenzio è il prezzo che quasi sempre si paga in questo mestiere, dove le cose vecchie – belle o brutte o indifferenti che siano – sembrano avere un loro influsso fisico, un loro potere permeante che a poco a poco ti penetra nelle dita, nelle gambe, nella pelle, ti fa condividere la rigidezza del legno, del ferro, il gelo del marmo, ti trasmette rugosità e screpolature di annose tele, di carte tarlate.

Muovendoci come burattini scendemmo dalla nonna. Chiara me l'aveva data per praticamente svanita e io m'aspettavo una larva rattrappita e balbettante, con l'occhio vacuo. Ma non poteva essere così, con due nipoti di quella prestanza. Anche seduta – davanti a un caminetto al minimo delle sue possibilità – la nonna manteneva un'imponenza cerimoniale, con spalle erette e piene sotto lo scialle scarlatto, un bel collo altero, bei capelli ondulati tra il biondo e il grigio, un viso roseo, paffuto, appena compromesso da rughe discrete.

– Sono venute anche loro per i quadri? – disse limpidamente. – Vadano, vadano pure di sopra, ci sono già altre due persone.

Un intero negozio di bigiotteria per turisti le pendeva dal collo, dalle orecchie, dai polsi. Cominciò a magnificarci la "collezione", che la famiglia aveva conservato con cura grandissima, trasportandola addirittura a Milano durante la guerra, perché a Venezia non c'erano cantine e comunque gli austriaci potevano rompere il fronte del Duca d'Aosta e arrivare fin qui da Caporetto, che si sentiva già il cannone. E così lei stessa, insieme col Domenico Sgravati, li aveva imballati uno per uno nella tela incerata e nelle casse, e con la gondola erano arrivati in terraferma, e di lì poi l'automobile dello zio Alvise...

– Metto un altro po' di legna, nonna? – chiese il nipote rapato.

– Se è per me, io non soffro il freddo, – disse lei condiscendente. – Ma se a voi fa piacere...

Il troppo calore, precisò, rovinava la salute e rovinava anche i quadri, che lei teneva di sopra in una stanza apposita, senza finestre, perché anche la luce era pericolosa, gli cambiava tutti i colori, era stato un parente di Trieste, uno che se ne intendeva, a darle il consiglio tanti anni fa. E lei da allora non li aveva più mossi di lì, ognuno al suo chiodo, ben conservato nell'ombra alla giusta temperatura.

– Ma noi non siamo mica quadri, – brontolò il rapato attizzando il fuoco. Il fratello aprì una piccola cassapanca mezza piena di legna, gettò tre o quattro pezzi nel camino.

– Eh, 'sti zóveni del dì d'ancuò... – sospirò la nonna.

La testa grigiobionda cominciò una lenta rotazione di bambola un po' difettosa, dirigendo gli occhi esageratamente aperti verso un tavolino ovale lì accanto: sul quale, entro cornici d'argento e di tartaruga, erano fotografati personaggi di varia età e abbigliamento, dalla fine dell'altro secolo alla metà di questo, ma tutti ormai troppo stinti, sbiaditi, perché se ne potesse ancora incontrare lo sguardo.

Chi traffica col passato si trova spesso davanti a queste pause di tristezza scarnificata, assoluta, che non è mai facile attraversare. S'inciampa e si resta impigliati in considerazioni che per essere ripetitive, ovvie, non per questo vi opprimono di meno.

Mi riscossi con un'occhiata al fuoco che scoppiettava e dissi alla nonna che la collezione l'avevo già vista, che avrei studiato ancora i miei appunti, e che se i quadri ci avessero interessato per l'asta di Firenze gliel'avrei fatto sapere.

– Bene, bene, brava, – assentì lei. – Hanno un grande valore, vengono qui a vederli perfino da Londra, da New

York. La pittura veneta è la più meravigliosa di tutte.

Il nipote rapato ci condusse al portoncino, riassumendoci la solita, complicata storia di tasse, passaggi ereditari, spese di manutenzione, per cui tutto il patrimonio se n'era andato pezzo per pezzo: le terre, la villa di campagna, i titoli superstiti, e ora la collezione, presto la casa stessa...

Lo stetti a sentire compunta. Ma mentre riattraversavo il campiello decrepito mi trovai a pensare con struggimento alle torri di cristallo di New York, che si specchiano nude, taglienti, compatte le une nelle altre, e il cui splendore è fatto di puro e infrangibile presente.

2.

Il Palazzo Ducale in complesso è piaciuto, li ha soddisfatti, anche se meno dell'angusto passaggio con finestrini laterali – un segmento di DC-9, in pratica – a metà del quale Mr. Silvera li ha fermati all'improvviso: sapevano dov'erano?

– No, no, where are we? Où sommes-nous? Donde estamos, Mr. Silvera?

Solo la ragazza portoghese (che si chiama Tina, o così almeno la chiama suo padre) ha mormorato a voce bassissima, dopo aver scrutato oltre i vetri incrostati di polvere:

– Talvez o ponte...

Proprio così: il celebre ponte dove sospiravano gl'infelici portati ai Piombi, e che altro è vederlo da fuori, altro è passarci dentro come se i condannati fossimo noi. On le goûte mieux, si gusta meglio, ha riconosciuto per tutti Mme Durand.

I Piombi stessi hanno invece un po' deluso, dopo questa introduzione, e così anche l'interno di San Marco, giudicato troppo buio. Perché non si provvedeva a un'illuminazione decente? Ma soprattutto la Pala d'Oro, sulla tomba del Santo, ha suscitato perplessità e dissensi, non essendo veramente tutta d'oro come il biglietto d'ingresso lasciava credere. I 28 ne discutono ancora puntigliosamente, mentre seguono il loro accompagnatore verso la tappa successiva.

Bisogna considerare prima di tutto il valore artistico, osservano i difensori della Pala; e del resto, benché la gran lastra sia d'argento, anche le sue lamine auree devono avere un bel peso, nell'insieme. Qui tuttavia i pareri si dividono e chi dice due, chi tre, chi perfino dieci chilogrammi. What do you think, Mr. Silvera?

Ma Mr. Singh e sua moglie, i due bengalesi o cingalesi che siano, continuano a sentirsi in qualche modo truffati, e il loro mugugno ostile si aggiunge a quello di altri che avevano già gradito poco il picnic, o lo stanno digerendo male adesso. Poi fa un freddo umido, con un vento che impedisce perfino a Mme Durand di gustare meglio la vista dei canali, dalle spallette dei piccoli ponti (troppi, con troppi scalini) che Mr. Silvera si ostina a traversare. Quant'è ancora distante, questo famoso campo S. Giovanni e Paolo? Non si poteva prendere un vaporetto? E se venisse a piovere?

Qualche cosa non sta andando come dovrebbe e la colpa, cominciano a pensare in diversi, è anche di Mr. Silvera, che non si preoccupa più di animarli, di tenerli su, e si distrae invece a guardare per conto suo delle cose che non interessano a nessuno: finestre dalle persiane ammuffite, portoni sbreccati, scalcinati muri da dietro i quali spuntano alberelli.

Traversano adesso il grande campo di S. Maria Formosa, sotto un cielo che, sebbene il pomeriggio non sia ancora avanzato, non potrebbe essere più disastrato e cupo, chiuso, di bassa stagione. Ma proprio questo fa risaltare il contrasto con altri gruppi di passaggio, meglio organizzati e guidati. Quello della ragazza francese per esempio, che arriva di buon passo dalla parte opposta, li incrocia allegro e animato, agitando variopinti pacchetti.

– Murano! – gridano. – Souvenirs!

Si tratterrebbero addirittura per mostrare gli acquisti fatti, se la loro accompagnatrice non li spronasse avanti, ridendo con le braccia alzate e battendo il dito sull'orologio:

– Vite, vite, les enfants!

La comitiva dell'Imperial ha rallentato e li guarda allontanarsi con invidia. Quelli là, la loro agenzia non solo li avrà fatti mangiare al ristorante, ma li ha anche portati alla famosa isola (dove si fanno gli acquisti migliori) invece che a questo S. Giovanni e Paolo che nessuno ha mai inteso nominare. La scura smorfia di Mr. Singh si fa più scura che mai, mentre i suoi occhi corrono da sua moglie, che ha cominciato a parlargli fittissimo in una lingua incomprensibile, a Mr. Silvera in testa al gruppo. E d'un tratto la sua protesta s'alza in un fiotto di sillabe ugualmente inestricabili, stridule, precipitate, ma tra le quali il nome di Murano spicca in tono di aperta rivendicazione e minaccia.

Mr. Silvera fa ancora qualche passo, poi si ferma e si volta.

– Ah, – mormora, – Mr. Singh.

Tutti in un istante sono fermi, nessuno si muove più, ma già il vuoto s'è fatto intorno a Mr. Singh. Perfino sua moglie gli ha lasciato il braccio. E la ragazza Tina, che ha lasciato quello di suo padre, è praticamente in ginocchio sull'umido campo, coi suoi levis azzurri e il suo trasparente impermeabile rosa, mentre Mr. Silvera continua pacato il suo rimprovero.

Abbi fede, dice in sostanza Mr. Silvera, e non dimenticare che tu e i tuoi compagni siete qui per poco. Ricordati che altri cieli, altri mari vi aspettano. Contentati per ora del campo intitolato ai SS. Giovanni e Paolo, con la sua chiesa famosa, la sua famosa Scuola Grande di S. Marco (ora Ospedale Civile), e l'ancor più famoso monumento al Colleoni. E non è detto che prima delle sei, quando dovremo assolutamente essere di ritorno alla riva degli Schiavoni, non potremo permetterci anche...

Il senso del discorso è così chiaro, luminoso per tutti, da oscurare per un momento il fatto che le parole non sono inglesi, né francesi, né portoghesi, né spagnole. Lo stesso Rae Rajanâth Singh, il bestemmiatore ora contrito e attonito, si rende conto soltanto alla fine che l'uomo dell'Imperial Tours gli ha parlato nella sua stessa lingua.

Ora sono tutti di nuovo in cammino per strade sempre più strette, scorciatoie che solo Mr. Silvera ha l'aria di conoscere. E quando sbucano di fianco alla grande chiesa dirupata, in vista del nero Condottiero a cavallo, neppure s'accorgono che s'è messo a piovere.

3.

Il commercio antiquario fiorisce sulle rovine, il dolore e la morte, mi disse solennemente e raucamente la vecchia Mandelbaum, una volta che ero andata a visitarla nel suo famoso ammezzato dell'avenida Quintana, a Buenos Aires. Ma Chiara non ha mai preso il tè con la Mandelbaum, non l'ha mai vista fumare i suoi sigari neri come i suoi pochi denti, e rifiuta di ammettere l'aspetto francamente un po' sciacallesco del nostro lavoro. Anzi, in opposizione a quello che lei chiama il mio cinismo, mette su volentieri certi suoi veli da missionaria, una sua nobile toga da giudice tutelare, come se i pezzi delle collezioni che disperdiamo fossero negretti o piccoli asiatici, scampati a massacri e carestie, che si trattasse di aggiudicare esclusivamente a musei bene attrezzati, galleristi integerrimi, collezionisti di provata onorabilità, non ad altro interessati che al loro bene.

Questa volta poi s'era tutta impietosita, pensando alla delusione che attendeva la proprietaria di quelle croste così amorosamente conservate.

– Fortuna che è mezzo rimbambita, – disse. – Lascerà fare ai nipoti e si rassegnerà al poco che ne ricaveranno.

A me non era parso che la vecchia signora fosse tanto rimbambita.

– Ho l'impressione che sia ancora lei a decidere tutto, – obiettai.

– Poveretta, in ogni modo. Chissà cosa credeva di avere. È sempre così con queste collezioni di famiglia: si montano la testa da una generazione all'altra, s'immaginano di avere la soffitta piena di Tiziano e Veronese... Per me è la cosa più triste, quando mi tocca spiegargli che il loro preziosissimo Lotto o Palma il Vecchio è solo una copia, e anche brutta, dipinta due secoli dopo. Mi fa veramente male al cuore.

Chiara è un'ottima persona e una collaboratrice e informatrice abbastanza in gamba, ma vive di queste – per così dire – emozioni dipinte due secoli dopo. I suoi pietismi, entusiasmi, sdegni, rapimenti, hanno tutti un po' l'aria della crosta, fanno parte della sua affollata rigatteria emotiva. Anche la "grande passione" che l'ha portata a stabilirsi a Venezia, a me non ha mai dato la sensazione di essere genuina, autografa al cento per cento.

Ha incontrato non so più dove questo pittore neo-qualcosa o post-qualcosa tedesco, questo suo Uwe, e ha piantato marito e figli piccoli, se n'è venuta qui a cercare casa in un'isola della laguna, non l'ha trovata, e ora abita in fondo alla Giudecca a un terzo piano, con l'artista che non vende, non fa mostre, non sta diventando nessuno, e secondo me non dipinge nemmeno più, lo mantiene lei, che è benestante di famiglia e qualcosa guadagna con me. Ce ne sono altri cento, altri mille di ménages come il suo, a Venezia: scultrici danesi, compositori inglesi, fotografi olandesi, poetesse messicane, romanzieri guatemaltechi, tutti accoppiati con qualche compagno d'arte e d'amore, che mantengono o da cui si fanno mantenere. Hanno lasciato "tutto" (che il più delle volte è niente) per venire a vivere il loro sogno nella città più romantica del mondo; e non la dimenticano un momento, vogliono, come i turisti, farla "rendere" fino all'ultimo centesimo: hanno pagato per essere qui, e Venezia gliene deve dare per i loro soldi, in suggestioni e ispirazioni, esaltazioni, sublimazioni varie.

Andando in giro per Venezia al fianco di Chiara mi sento sempre sbilanciata, è come camminare con una scarpa senza tacco (io) e l'altra con un tacco di quindici centimetri (lei). Non dico che abbia tutti i torti, ma è faticoso condividere le sue estasi per la minima vera di pozzo, altana, comi-

31

gnolo, o – come quel pomeriggio – per uno scorcio di S. Maria dei Miracoli.

– Stupenda. Stupenda. Incredibile, – esalò fermandosi commossa.

No, non ha tutti i torti, ma l'enfasi con cui lei e le persone come lei si compiacciono di questi miracoli finisce per darmi una reazione d'insofferenza verso la stessa Venezia.

A giustificazione di questa futile ripicca metto naturalmente il carattere orgoglioso e sbrigativo che mi sono sempre sentita rimproverare, la mia impietosa avversione per ogni forma di sdilinquimento, difetti ai quali non trovo rimedio. Ma metto anche l'autodifesa, la necessità di resistergli e di tenerlo a bada, questo famoso fascino del tempo che scorre e delle consunte pietre (di Venezia e non) che restano. Uno si deve per forza indurire, in questo mestiere felino dove bisogna essere sempre pronti al balzo, come il gatto che ora schizzava da un'inferriata della strettissima calle strappando a Chiara un "oh!" atterrito, anche questa essendo un'emozione "veneziana" da tesaurizzare.

E così di gatto in gatto, di canale in canale, di ponte in ponte, lei fluttuando sul suo altissimo tacco e io camminando terra terra sotto un cielo sgradevolmente piovigginoso, nel tetro rimasuglio a cui la luce s'era ridotta sull'orlo del giorno, arrivammo alla seconda visita di lavoro.

Ecco Palmarin nel suo elegante e ben fornito negozio di antichità in Calle Larga XXII Marzo. Ecco il suo impeccabile doppiopetto blu a righine bianche. Ecco le sue manine, le sue scarpe lucidissime.

Lo spiavamo dalla vetrina mentre si aggirava con un sorridente giapponese tra comò, specchiere, statue lignee, tavolini intarsiati. È un uomo di oltre sessant'anni ben portati, di media statura, sul rotondetto, coi radi capelli biondi spalmati contro il cranio e divisi da un'ampia, rigida scriminatura. Spera in tal modo, anche con l'aiuto degli occhi slavati, di aggiungersi una coloritura tedesca o svedese, nazionalità che danno affidamento. Il risultato di questi sforzi è che ti sembra un vecchio attore d'operetta nella parte del barone cornuto, gli manca solo il monocolo.

Come antiquario non ha un fiuto speciale, né mezzi che gli consentano grossi colpi. Se un affare è troppo importante per lui, cerca piuttosto di interporsi come informatore e mediatore, ma inclina allora allo speranzoso di fantasia: vede dovunque opportunità favolose, occasioni inaudite, che ventinove volte su trenta si rivelano aria pura. Siccome però da questa sua esuberanza ogni tanto qualcosa salta fuori davvero, Chiara si mantiene in contatto con lui e in certi casi, a ogni buon conto, mi avverte.

"Non si sa mai", m'aveva detto anche stavolta al telefono, riferendomi della villa di Padova.

L'inconveniente maggiore è che Palmarin non viene mai al punto, se prima non t'ha intrattenuto sulle vicende private di mezza Venezia, collegandole con la formula "a proposito" in cui vede probabilmente il massimo della disinvoltura, la quintessenza dell'abilità diplomatica per cui la Repubblica andava famosa.

Eravamo infatti appena entrate, che già ci correva incontro col suo "a proposito" per informarci di folli orge con la droga, organizzate dai padroni di casa in un noto palazzo di campo San Fantin. Dalle quali orge, a proposito di restauri che la Craig Foundation stava conducendo in altro palazzo, passò al sensazionale incontro tra Marietto Grimani e sua moglie Effi, trovatisi faccia a faccia a Marrakech in compagnia dei rispettivi partners, mentre lei credeva lui a Venezia da solo, e lui lei a Coblenza dalla madre. E a proposito di incontri...

Chiara, che non sopporta le storie di infedeltà coniugali se non motivate da travolgente passione, l'interruppe austeramente:

– Noi invece siamo state a vedere la famosa collezione Zuanich. E devo dire che...

– Ah, – squittì Palmarin, – io me l'aspettavo che non fossero dei capolavori! Vi dirò anzi che ci speravo. Perché se no, i miliardi per competere con voialtre chi me li avrebbe dati?

Intercalò, a proposito, calorose galanterie in dialetto alle due belle visitatrici, e cominciò a fregarsi o piuttosto a maneggiarsi le manine con estrema delicatezza, quasi fossero due preziose porcellane che temeva di rompere.

– Però delle croste simili, – disse, – sono state una delusione anche per me. Anche a comprare la partita in blocco non c'è da guadagnarci più di qualche milione, una decina a dire tanto, senza contare che della merce così ti squalifica la galleria.

– Mentre la villa di Padova? – chiesi venendo felicemente al punto.

Palmarin gettò una rapida occhiata in strada, come per assicurarsi che nessuno ci stesse spiando.

– Ah, quello è tutto un altro discorso, – mormorò. E ci spiegò a bassa voce come il proprietario dell'antica villa, marchese De Bei ("un vecchio amico, Nino, ci conosciamo da trent'anni"), avesse una mezza idea di farla fuori con tutto quello che c'era dentro, non ci andava mai, era solo un peso, e poi doveva esserci sotto anche una donna, una "tosa" giovanissima con la quale Nino era stato visto a Cortina. Lui era vedovo e aveva una vecchia amante, la moglie di Marco Favaretto, ma cinquant'anni è un'età pericolosa, quanti ne aveva visti, lui Palmarin, che s'erano mangiati il patrimonio per una "smanfaréta"!

Gli chiesi, a proposito, se a questa villa si poteva o no dare un'occhiata.

Domani stesso, se per me andava bene. Domattina stessa, alle dieci, potevamo trovarci a piazzale Roma e di lì, con la sua macchina, sarebbe stato felicissimo di accompagnarmi di persona nella visita, avrebbe provveduto lui a fare avvisare i guardiani da Nino. E tutto questo, ci teneva a precisarlo, senza nessuna particolare pretesa, in via del tutto amichevole: se l'affare fosse andato in porto, lasciava a Fowke's di fissargli una piccola commissione a forfait, e se no gli bastava uno dei miei sorrisi...

– Ma a proposito, – dissi dopo essermi segnata l'appuntamento, – dove è finito quel suo cliente giapponese che era qui quando siamo entrate?

Ci guardammo in giro tutti e tre. L'uomo se ne stava in un angolo accanto a una lignea Madonna friulana, immobile, paziente, ligneo lui stesso, e ci sorrideva.

4.

Ancora un'ampollina iridescente, un grande fiore azzurro e nero, un cigno bianco con le ali spiegate, si formano magicamente all'estremità della canna che il maestro vetraio rigira tra le dita, alternando alla soffiatura i ritocchi e l'aggiunta di altre gocce in fusione, nella rosseggiante penombra della fornace. Poi i visitatori, che grazie a Mr. Silvera sono arrivati a Murano non in vaporetto, ma col motoscafo di proprietà della vetreria, vengono fatti passare nei locali d'esposizione.

Qui, tra cristallerie d'ogni specie, tutta una flora e fauna vetrificata s'allinea sui ripiani degli scaffali, mentre sotto foreste di lampadari, in lunghissimi tavoli a vetrina, scintillano a migliaia i gioielli di fantasia.

– Attention, please!

Mr. Silvera batte le mani per raccogliere i suoi un po' in disparte, prima che si confondano con la numerosa clientela – altre comitive o turisti isolati – che il motoscafo della ditta continua a scaricare nel suo va e vieni tra Murano e le Fondamenta Nuove.

Dunque, spiega Mr. Silvera, ogni oggetto ha il suo prezzo chiaramente indicato: un prezzo già scontato, di fabbrica. Ma l'Imperial Tours ha diritto a un ulteriore sconto del cinque per cento, o anche del dieci per gli articoli più costosi. Per cui chi acquisterà qualcosa non dimentichi di fare il nome dell'agenzia alla cassa.

L'annuncio, che conferisce ai clienti dell'Imperial anche una certa superiorità sugli altri gruppi, viene accolto con particolare compiacimento. Il signor Bustos e sua moglie si dirigono subito verso uno scaffale dove delle piccole gondole, complete di gondoliere con remo, sono in offerta speciale a poche migliaia di lire, mentre a Venezia sarebbero costate chissà quanto. Mme Durand si orienta invece verso dei leoncini di San Marco gialli e blu (molto più fini di certi altri, apparentemente simili, per i quali in città chiedevano lo stesso prezzo), mentre i coniugi Singh e l'anziana Miss Gardiner cominciano a esaminare dei pezzi più importanti e dunque più vantaggiosi, dato il maggiore sconto. Qualcuno s'interessa perfino ai lampadari. Ma la maggior parte s'affretta alle bigiotterie, disperdendosi in breve tra le vetrine.

Mr. Silvera accende una sigaretta e se ne va a fumare sulla porta, guardando la pioggia, guardando i vaporetti della Linea 5 che arrivano e ripartono dal Faro, considerandosi ogni tanto le scarpe bagnate e forse bisognose d'una risuolatura. Lo attirerebbe l'idea di andare ad aspettare in un caffè, ma qui attorno non ce n'è più nessuno, gli ultimi hanno ceduto il posto anche loro a chincaglierie, negozi di materiale fotografico e cartoline, guide illustrate, articoli da regalo. Finisce per tornare nello stanzone della fornace, dove il maestro vetraio è sempre all'opera ma gli spettatori cominciano a scarseggiare, per via dell'ora ormai avanzata e della pioggia. Accende un'altra sigaretta. Fuma appoggiato al muro in un angolo semibuio.

C'est merveilleux, wonderful, prekrasny, gli arriva il mormorio dei visitatori ogni volta che in fondo alla canna si ripete il miracolo dell'ampollina, del fiore nero e azzurro, del cigno ad ali spiegate.

– Meu pae não quer que fume, – dice la ragazza Tina. Suo padre non vuole che fumi.

Per questo è venuta a fumare qui, dice mostrando la sigaretta con un piccolo sorriso complice, come una riprova del fatto che il padre non la lascerebbe fumare. Il che non è vero perché per strada, poco fa, fumava benissimo. Del resto aspira poche boccate e butta via, per frugare invece nella sua sacca da cui estrae un pacchetto di wafer.

– Um biscoito? – offre. – O senhor não comeu...

Vorrebbe rimproverargli di non aver mangiato niente da stamattina, ma la carica di disinvoltura che s'era data non la sostiene più, non le riesce di finire la frase. Ha paura che lui rifiuti e soprattutto che gli venga in mente che lei, come del resto è, quei biscotti li abbia comprati apposta per offrirglieli.

Molto gentile, dice invece Mr. Silvera prendendone due, a quest'ora è proprio quello che ci vuole.

Due però sono troppo pochi, insiste Tina rinfrancata. O senhor não comeu...

Ancora uno ma poi basta, perché ormai è tardi, tra poco bisognerà andare via, e poi stasera si pranzerà molto di buonora. Ma lei ha già comprato qualcosa di là? Ha trovato un bel souvenir?

Sì, suo padre le ha comprato degli orecchini di diamanti, si mette a ridere Tina. Si tira indietro i capelli nerissimi per mostrare due dischetti di cristallo rosa, legati con un filo d'ottone. Come le stanno?

Mr. Silvera la prende per un gomito per portarla più in luce. Vediamo, dice, facendole anche salire i due gradini che riportano all'esposizione.

Molto bene, approva. Le stanno magnificamente.

– Look, look, Mr. Silvera! – interviene Mrs. Wilkins che ha comprato per sole L. 8550, sconto compreso, un braccialetto di perle di tutti i colori. – Isn't it beautiful?

È bello e le sta benissimo, la complimenta Mr. Silvera. E anche Miss Tina ha scelto bene, dice invitando Tina a mostrare i suoi orecchini.

– Lovely! – grida Mrs. Wilkins. Li comprerebbe quasi quasi anche lei, se non fossero cari.

I suoi costano molto poco, ma ce ne sono legati in argento e anche in oro, spiega timida Miss Tina.

Ah, le dice serio Mr. Silvera, ma sono soltanto dei

souvenirs. Non conviene pagarli troppo cari, i souvenirs.

– Não, – dice Tina abbassando gli occhi, improvvisamente tristissima.

Mr. Silvera batte le mani cominciando a raccogliere il gruppo:

– Attention, please!

Incarica poi la stessa Tina e i signori Singh di radunare tutti fuori, dove ormai non piove più, e va alla cassa a sentire per il motoscafo.

Sarà possibile, chiede, averlo anche per il ritorno?

Ma la cassiera dice di no. Per altre corse è troppo tardi, senza contare che i clienti dell'Imperial hanno speso veramente troppo poco.

– You see? – dice mostrando il foglio dove ha segnato gli acquisti della comitiva. Ha già calcolato, comunque, anche la percentuale che spetta all'accompagnatore, e apre la cassa per pagarlo.

– No, aspetti, compro anch'io qualche cosa già che ci sono, – dice Mr. Silvera in perfetto italiano.

Si volta e torna verso uno dei tavoli a vetrina, cerca un momento, indica qualcosa al commesso.

– No motorboat, sorry, – annuncia poco dopo raggiungendo i suoi 28. Ma dal famoso Faro – you see the faro, the lighthouse over there? – partono i vaporetti della Linea 5, che arrivano direttamente agli Schiavoni. – Hurry up, now! Vite! De priesa!

*
* *

Quando il 5 sbuca dal rio dell'Arsenale e li deposita in fondo alla riva degli Schiavoni, ripartendo mezzo vuoto per San Zaccaria, sono quasi le sei e mezzo. Fa ormai buio del tutto e ha ripreso a piovigginare. Alcuni si attardano ad aprire gli ombrelli.

– Vite, hurry, – li stimola Mr. Silvera dando il braccio a Mme Durand, che esita ad affrontare i gradini scivolosi del ponte. Non è lontano, li incoraggia.

S'incamminano per la riva San Biagio lungo una fila di battelli all'attracco, neri e silenziosi. Non passa quasi nessuno. Anche nel bacino di San Marco, che una lenta foschia va invadendo, tutto il movimento si riduce a un traghetto e a un paio di motoscafi per il Lido, le cui luci non si distinguono più. La stessa isola di San Giorgio è scomparsa. È come se la bassa stagione, improvvisamente, avesse raggiunto un punto di bassezza oltre il quale non c'è più che il vuoto assoluto, il nulla.

Non sarà mica troppo tardi?

Benché nessuno osi confessare questo dubbio neppure a se stesso, molti cominciano a guardare di traverso Mr. Singh, ritenuto il principale responsabile della gita a Murano.

– Não será demais tarde, senhor Silvera? – azzarda Tina a bassa voce, mentre arrivano ai piedi di un altro ponte. – O barco não será...

Não, o barco non è partito, o barco ci aspetta, la rassicura o senhor Silvera aiutando Mme Durand su per gli ultimi gradini e offrendo a lei l'altro braccio. Eccolo là, il barco.

Poco più avanti sulla riva dei Giardini, tra scure sagome di naviglio minore, è attraccata una bella nave bianca, con tutti i ponti e gli oblò illuminati, con tutti i fanali accesi, con mille lampadine che salgono in due file brillanti fino all'antenna dei segnali. Sull'alta prua, il nome spicca in magici caratteri greci.

– Basilissa tou Ioniou, – annuncia o kyrios Silvera con un gesto adeguato verso la Regina dello Jonio, the Queen of the Ionian Sea, la Reine de la Mer Ionienne, davanti alla quale diverse comitive sono ancora in attesa di imbarco. (Quella del contadinello biondo, passaporti alla mano, sta salendo ora sulla passerella.)

Ma aldilà della nave e della laguna, aldilà dell'Adriatico e dello stesso Jonio con la sua verde perla, Corfù, il gesto evoca lontananze ancora più suggestive, fino a Creta, a Rodi, alla favolosa Cipro, che l'Imperial Tours schiude ai croceristi del suo imbattibile tutto compreso. Venezia con le sue gondole e i suoi piccioni non è stata che un'introduzione, un semplice anche se splendido preludio. Il viaggio vero comincia adesso.

5.

Uscendo da Palmarin e visto che piovigginava, Chiara volle trascinarmi per forza (è a un passo!) a un altro dei suoi "luoghi santi", l'Harry's Bar, dove nessuno entra o esce senza che tutti lo squadrino per vedere se è "qualcuno", e viceversa. Entrammo guardatissime. Scambiando saluti con questo e quello, Chiara mi fece strada a fatica verso l'unico tavolinetto libero.

– Questa storia di Padova mi convince poco, – disse quando fummo installate. – Non è parsa curiosa anche a te?

– Per via delle modeste pretese di Palmarin?

– Certo. Se l'affare ci fosse davvero, perché si contenterebbe di una piccola commissione a forfait? Le altre volte ha sempre chiesto una consistente partecipazione agli utili, con tanto di impegno scritto.

La cosa era effettivamente strana, e ci mettemmo a cercarne delle spiegazioni. Secondo Chiara era possibile che il tortuoso Palmarin, per dimostrare la sua buona volontà, fingesse di proporci un affare che in realtà aveva già concluso o deciso di concludere con qualcun altro. Dopodiché, come di regola in questi casi, avrebbe scaricato tutta la colpa sul proprietario.

Io supposi invece che i meravigliosi arredi De Bei facessero il paio con la scassata collezione Zuanich, e che Palmarin, preparandosi a comprare in blocco quest'ultima, non ci tenesse a mettersi sul collo anche i primi.

– E pretenderebbe di rifilarli a noi?

– Ci prova. Coltiva anche lui il principio del non si sa mai, oltre a quello del meglio poco che niente...

Chiara, mentre parlavamo, continuava a voltare la testa

verso l'entrata, scambiando ogni tanto sorrisi e cenni di saluto. La folla cresceva. Enormi tedeschi e americani a due battenti entravano e uscivano di sbieco, tenendo la porta alle loro mogli in stola di visone. C'era molto rumore, molto fumo, e io andavo perdendo un po' il filo.

– Si vedrà domattina, – dissi. – In ogni modo hai fatto bene a... Ma che c'è?

Chiara aveva sgranato un momento gli occhi, riabbassandoli poi subito sul piccolo (ma non tanto) cilindro di cristallo pieno fino all'orlo del secchissimo martini dell'Harry's Bar.

– Guarda guarda, – mormorò, – vedi vedi.

Prima che facesse in tempo a dirmi di non voltarmi mi voltai, e le mie pupille si riempirono all'istante di Anita Federhen, una donna (italiana trasferita in Germania, sposata con un tedesco) che nella sua vita non risulta abbia mai fatto niente per non farsi notare. Cappellone scarlatto ad ampie tese, con due lunghi nastri grigi che le spiovevano sulla schiena e una specie di palandrana di velluto color prugna, trapunto di ramages d'oro. Dalla porta mi salutava con la mano guantata di nero.

– Perché dici "vedi vedi"? Sarà venuta come me per la collezione Zuanich, – mormorai.

– O per la villa di Padova? – insinuò Chiara sinistramente.

– Comunque, non glielo possiamo chiedere.

– Né lei a noi.

La Federhen, antiquaria in proprio a Francoforte, una se la trova spesso tra i piedi, e senza particolare piacere. È brava, ha occhio e conosce bene i trucchi del mestiere. Non si può dire che siamo "nemiche acerrime", "grandi rivali" o simili, ma in diverse occasioni, qua e là per il mondo, ci siamo soffiate a vicenda delle ottime occasioni, e confesso che il mio spirito di fair-play non arriva al punto da rendermi simpatica l'avversaria. E viceversa, credo.

Naturalmente venne dritta al nostro tavolo, e ci abbracciammo secondo le regole. Da una spalla le pendeva la rossa, enorme borsa di vernice che lei sostiene di essere riuscita a farsi vendere da un controllore delle ferrovie svizzere, dopo averlo ubriacato.

– Bene bene, – disse scrutandomi. – Il mondo è piccolo.

– E le collezioni scarseggiano, – dissi io con ipocrita franchezza.

Scosse la testa, facendo ondeggiare il cappello e coinvolgendo anche Chiara nella sua occhiata indagatrice.

Ah, disse, questa non gliela facevamo bere. Non poteva crederci, che due come noi stessero appresso ai quadri della vecchia Zuanich! Non avevamo messo l'occhio sui nipotini, piuttosto? Quelli sì erano uccelli, anzi uccelloni, da prendersi al volo. Yummy yummy. Se ce li fossimo assicurati per l'asta di Firenze, non dovevamo dimenticare di mandarle l'avviso; ci avrebbe pensato lei a mandarli su, molto su, i due splendidi fischietti. Be', ciao ciao, ci vediamo.

Chiara restò a guardarla mentre saliva ondulante, operistica, la scaletta che porta alla sala superiore.

– Yummy yummy, ma pensa te, – disse con una smorfia. – Non sapevo che fosse una maniaca sessuale. O è soltanto una posa?

Era soltanto una posa, le confermai per semplificare. Ed è un fatto che Anita Federhen, a quanto so da ottima fonte, si distingue semmai per una canina fedeltà a suo marito. La sua sola e vera mania sono le speculazioni antiquarie, a cui si dedica con la passione del più indurito, inguaribile giocatore d'azzardo. Io però che ho giocato tante volte al suo stesso tavolo, credo anche di aver scoperto il segreto delle sue sporadiche intemperanze verbali, dei curiosi accessi di turpiloquio che la colgono a volte. Non è affatto una posa. È una specie di tic o di riflesso nervoso, forse un inconsapevole tentativo di fuorviare l'avversario, che la prende quando la posta è alta e lei ha un grosso punto in mano. Non l'ho mai sentita dire tante sconcezze come una volta che entrò in feroce competizione con Colnaghi, Agnew, Julius Böhler, per una natura morta olandese che figurava ancora nella collezione di Lady Dupree, a Tissington Hall, ma che in segreto aveva già comprato lei stessa.

Anche stavolta, dunque, aveva o credeva di avere in mano degli assi. Ma a che mi serviva saperlo, se non avevo la minima idea di quale fosse la posta?

6.

La *Regina dello Jonio* – che vista da vicino, forse, è meno grande e meno bianca di quanto sembrasse – è ancora accostata alla banchina, davanti all'oscurità dei Giardini. Ma la passerella e gli ormeggi sono stati tolti, i cavi di rimorchio sono tesi, e nel salone del ponte B, dove sta per essere servito il pranzo, i passeggeri s'affollano a guardar fuori dalle vetrate. Sulla riva qualche passante si ferma per assistere alla partenza. Sono le otto in punto.

A bordo c'è stata un po' di tensione, subito dopo l'imbarco, per via di errori nello smistamento dei bagagli e nell'assegnazione delle cabine, ma tutto s'è poi felicemente risolto; cordiali relazioni, anzi, si sono stabilite tra le diverse comitive. E Mr. Silvera ne ha profittato, poco fa, per affidare provvisoriamente i suoi 28 alla ragazza francese sempre allegra, mademoiselle Valentine, che ha sistemato i suoi 35 in una fila di cabine dello stesso ponte B. Quanto a lui, sarebbe andato a riposarsi un momento, ha detto dopo aver consegnato a ciascuno la busta col programma di crociera e i moduli da compilare per il commissario di bordo. Aveva di nuovo quella sua aria stanca e distratta, ha notato Tina.

Ora il rimorchiatore di prua emette due fischi ravvicinati e poi un terzo, mentre sul ponte B la musica di fondo, che s'era interrotta per qualche istante, riattacca con *'O sole mio*. Insensibilmente, la nave comincia a staccarsi dalla banchina e la prua a girare verso il largo.

– Au revoir, Venise! – grida Mme Durand, subito imitata dagli altri nelle rispettive lingue.

Nessuno grida in portoghese, perché i due soli portoghesi

a bordo sono il padre di Tina, che non parla mai, e Tina stessa, che si specchia nel buio della vetrata e guarda i due dischetti di cristallo rosa, legati con un filo d'oro, che ha trovato nella sua busta.

Che farò, che dirò, come lo guarderò adesso o Senhor Silvera, pensa senza il coraggio di voltarsi, di cercarlo tra la folla che comincia a rifluire verso i tavoli.

Sulla riva ancora lucida di pioggia, rischiarata da rari lampioni, anche i curiosi vanno disperdendosi.

La nave, che ha girato nel canale, s'allontana parallelamente ai Giardini con le sue festose luminarie. Ma già prima della punta di Sant'Elena la foschia comincia ad appannarla, e quando poggia verso il Porto di Lido non è più che un opaco fantasma, presto cancellato del tutto.

Davanti ai Giardini non c'è più nessuno, ormai, tranne Mr. Silvera; che fuma appoggiato alla cancellata e che adesso, gettata via la sigaretta, se ne va anche lui con la sua sdrucita valigia.

III
DIMMI TUTTO DELLE TUE OSCURE MIRE

1.

– Dimmi tutto delle tue oscure mire su questa città.

– Figuriamoci, scommetto che a quest'ora tu ne sai più di me. Comunque sono già passata dalla Zuanich.

– E i due raggi di sole li hai visti? Ti sono piaciuti?

– Yummy yummy.

– Ah, se avessi vent'anni di meno!... Al posto tuo me li porterei via insieme ai quadri.

– Quelli li lascio volentieri a Palmarin. Quanto ai due giovanotti, pare che li concupisca seriamente la Federhen.

– Non mi dire!

– L'ha dichiarato lei stessa davanti a testimoni. Ma ci giurerei che nasconde qualche altra cosa. Sai quando sia arrivata, precisamente?

– L'altroieri, secondo mia cugina Cosima, e ha detto subito che la famosa collezione non valeva il viaggio.

– Dunque perché è ancora qui?

– E tu?

– Che c'entra, per me la collezione era solo un pretesto, io sono venuta per te. Cos'è che mi dai da bere?

– Non so, dammi tu un'idea, nulla mi sembra degno delle tue labbra.

– Un qualsiasi bianco dei tuoi possedimenti.

– La squisita adulatrice. Siediti... là.

Come un regista, Raimondo m'additò un basso sgabello avorio e verde pallido; poi passò nel salone accanto e ne tornò con due calici pieni, si chinò su di me.

– Lo charme più vertiginoso. Quanto ci guadagnate, voi donne, a restarvene in basso.

– Il turpe maschilista.

– E chi lo nega? – si mise a ridere toccandosi la nuca, col gesto vezzoso che ai primi gay dovette sembrare tipico delle donne, e per gli eterosessuali è ormai tipico dei gay.

– In ogni modo questo tuo vino è geniale.

Annuì compiaciuto, bevendo un sorso anche lui, poi buttò lì col suo saccente sorrisetto veneziano: – So già, da un mio informatore, che oggi alle 18 stavi prendendo un martini all'Harry's Bar.

– E sai già anche che domattina alle 10 andrò con Palmarin a...

– No, ma lo saprò presto da una mia informatrice.

– La Federhen, per caso? O tua cugina Cosima?

– Ma no, cocca, tu stessa. Su, racconta.

– C'è questa villa vicino a Padova, di un certo marchese De Bei che a quanto pare vuol vendere tutto per coprire di gioielli e pellicce una sua amichetta avidissima.

– Mi sembra strano. È lui l'avidissimo, di un'avarizia anche più sordida della mia, e non lo vedo coprire di gioielli nessuno. Poi è uno che i suoi affari sa farseli benissimo da sé, un vero dritto, benché di aspetto miserrimo. Sembra un mozzicone di sigaretta schiacciato da una persona molto nervosa.

– Be', non lo so, è stato visto a Cortina con questa smanfaréta, e... ma ne saprò di più domattina. Adesso spiegami chi viene a cena. O se no aspetta, provo a dirtelo io, anche senza informatori.

– Sentiamo.

– Dunque: uno storico francese che sta scrivendo un libro sull'impiego dell'artiglieria nella guerra con Chioggia; il presidente del Fitzpatrick Memorial Fund, che sponsorizza una grande mostra dello sgabello veneto; un violoncellista austriaco giovanissimo e biondo, sponsorizzato da te; e tua cugina Cosima, che si porterà dietro all'ultimo momento un notabile di passaggio.

– Tutto sbagliato. Vedrai uno storico dell'arte tedesco che sta facendo una ricerca sulle modelle veneziane del tardo Rinascimento; il presidente della Craig Foundation, che ha sponsorizzato i restauri di alcuni soffitti a palazzo Priuli Tron; un giovane coreografo fiorentino dai deliziosi riccioli neri, che è qui per farsi sponsorizzare dalla Biennale un suo balletto carnevalesco; e mia nipote Ida, che all'ultimo momento si porterà dietro un romanziere australiano.

– Mi dispiace che non ci sia Cosima. Salutamela tu, perché io non so se potrò vederla prima di ripartire.

– Ah, ma dovrai assolutamente. Figurati che voleva averti già stasera, strappandoti a me. In cambio ti chiede di partecipare viva o morta alla sua gran cena di dopodomani, in onore di non so più quale presidente.

– Le telefonerò, ma non so davvero se...

Il campanello di strada suonò, e Raimondo s'avviò verso la loggia in cima alla doppia scala.

– Scusa, ma il mio Alvise sta diventando sempre più sordo.

Lasciata sola pensai di approfittarne per alzarmi dal mio prezioso sgabello, ma poi, vedendomi di profilo in una grande specchiera un po' inclinata, constatai che aveva ragione Raimondo e me ne rimasi "in basso" a esibire il mio charme vertiginoso.

2.

– Quanto si fermerà, signor Silvera?

Il signor Silvera contempla il calendario a muro dietro il banco, sotto la rastrelliera delle chiavi, che per il mese di novembre esibisce una riproduzione della *Lezione di geografia* di Pietro Longhi. Guarda l'atlante per terra, il gentiluomo in poltrona che sfoglia uno squinternato volume, e la graziosa dama, munita di compasso, che misura le distanze su un mappamondo da tavolino mentre due cameriere portano il caffè.

– Mah... – dice perplesso. – Non so ancora. Non molto, credo. Dipende.

– È che noi quest'altro lunedì chiudiamo, – spiega la padrona della pensione segnando il nome sul registro. È una donna grassissima che riesce appena a muoversi, incastrata com'è nel suo bugigattolo. – Poi restiamo chiusi fino a Natale.

Si alza a fatica per staccare la chiave.

– Stanza 12, secondo piano. L'ascensore è a sinistra dopo la saletta. Non l'accompagno perché...

– Trovo da me, grazie.

– Se deve ancora cenare vada alla trattoria Due Ponti, qui dietro, all'angolo con la calle Due Ponti. Dica che la mando io.

– Molto gentile, – ringrazia Mr. Silverà avviandosi all'ascensore.

La padrona riapre il passaporto e comincia a trascrivere le generalità, chiedendosi come faccia un ebreo olandese, con passaporto inglese, a parlare così bene italiano. "*Cognome*: Silvera; *nome*: David Ashver; *nato il*: 9.5.1941; *a*: Haarlem (Olanda)".

La stanza 12 è lunga e stretta, con un letto di ferro, un armadio sgangherato e un malfermo tavolino accanto alla finestra che dà sul rio. Ma il termosifone funziona e anche l'acqua della doccia arriva abbastanza calda, verifica con soddisfazione Mr. Silvera.

Apre poi la valigia, disponendo meticolosamente nell'armadio la sua biancheria, le sue quattro camicie, un paio di pantaloni di flanella grigia, delle scarpe meno logore di quelle che ha ai piedi. Tira fuori anche la sua borsa e un necessario da toletta, che mette sul tavolino, e sistema la valigia vuota ai piedi del letto.

Ora andrà a vedere come si presenta questa trattoria Due Ponti, che ha anche il vantaggio di essere così vicina. O forse – si chiede – farebbe ancora meglio a contentarsi di una qualche pizzeria a prezzo fisso? Il fondo di emergenza dell'Imperial Tours non potrà durargli più che tanto.

3.

Quante parole verranno dette intorno a un tavolo nel corso di una cena, e più tardi quando si passa in salone o in giardino? Migliaia, centinaia di migliaia, forse un milione. Una produzione comunque enorme. Con uno scarto enorme perché, per bene che vada, la memoria ne trattiene tutt'al più qualche frase, un paio di battute, una notizia, un pettegolezzo inutile su Marrakech, e per brevissimo tempo.

Pensiero deprimente: se si toglie la parte memorabile dell'Ultima Cena, la conclusione a cui s'arriva per forza è che anche quei tredici commensali si saranno detti in aramaico una quantità di cose qualsiasi, insignificanti, già evaporate nel nulla un'ora dopo.

Noi eravamo soltanto in otto, a produrre parole prevalentemente italiane attorno al tavolo di Raimondo; e ora non ne ricorderei forse neppure una, se nel frattempo non mi fosse venuta quest'ansia di tornare sui miei passi cercando assurdamente conferme, indizi, premonizioni, prefigurazioni. Da questo punto di vista, mi pare di poter togliere dal conto l'invito del mio vicino di destra, il presidente della Craig Foundation, al grande cocktail organizzato per l'indomani sotto i restaurati soffitti di palazzo Priuli Tron. Fu (come l'invito di Cosima per il dopodomani) una di quelle annunciazioni mondane troppo astratte, scontate, per poter mai prefigurare nulla.

Di tutto il resto conservo un'immagine cui mi viene spontaneo dare il nome di lagunare. Più che risentire, rivedo, dai gamberetti al fagiano, una piatta distesa di banalità su Venezia, che sprofonda, che risorge, che è più sporca, o più turistizzata, o più morta, o più viva di un anno fa, di cinque anni fa. Ma emergono nette alcune isole. La ribellione, anch'essa del resto banalissima, del protégé di Raimondo, che voleva distinguersi dal volgo a nostre spese.

A Nairobi, diceva la vocetta un po' nasale, petulante, del ricciuto coreografo, a Nairobi si parlava pochissimo di Nairobi. E a Madrid, Singapore o Los Angeles succedeva

49

di rado che un gruppo di persone riunite a cena scegliessero Madrid, Singapore o Los Angeles come argomento di conversazione. Mentre qui a Venezia, che dopotutto era una piccola città di nemmeno centomila abitanti, qualsiasi discorso finiva sempre per ritornare su Venezia.

Una città totalmente narcisistica, osservava qualcuno.

No, semplicemente una città dove non c'erano visitatori casuali, gente venuta per ragioni che non avessero niente a che fare con Venezia, obiettava un altro.

Sì, sì, era questo il punto, approvava il riccioluto. Era come trovarsi nell'atrio di una banca, di un ospedale: sapevi a priori che tutti i presenti stavano pensando esclusivamente ai conti correnti, alle fleboclisi, che ti avrebbero parlato esclusivamente del calo del dollaro, dell'aumento del colesterolo. Non c'erano sorprese, ce l'avevano scritto in faccia.

E fissava ironicamente le nostre facce attorno al tavolo, una per una.

Ma se è per questo (ecco la voce conciliante di Raimondo) ti posso organizzare una soirée di gente che viene a Venezia solo per vendere detersivi, orologi, televisori. O di poliziotti che non vedono l'ora di tornarsene in Sardegna. Sarai molto sorpreso.

Più che le sorprese (è la mia voce, ora, che si rivolge speranzosa alla nipote Ida) io trovo che qui mancano un po' i misteri, si sa subito tutto di tutti, è una città di spie. Anche se io non sono ancora riuscita a...

Ma quali spie, m'interrompe sprezzante Ida, al massimo portinaie!

Affiora qui l'isola del Destino, spinta in su dalla moglie del professore tedesco, un'intellettuale lei stessa, con grossi occhiali e un viso triangolare non privo d'una sua grazietta di rana. Ha riflettuto a lungo e ora se n'esce con un suo meditato, anche se un po' tardivo, giudizio: se a Venezia manca la casualità, se tutto è scontato, prevedibile, voraussichtlich, vuol dire che manca il senso dello Schicksal, del Destino.

Voce oltraggiata di Mr. Micocci (il presidente della Fondazione Craig) al mio fianco: ma come, se qui non si può fare letteralmente un passo senza inciampare nei fili di qualche destino!

Ma erano Schicksale altrui, conclusi da secoli, in una strabiliante e definitiva concentrazione. Proprio questo ti dava un senso angoscioso di impotenza, di esclusione. Come potevi sperare, a Venezia, di esibirti mai in un ruolo d'una qualche importanza esistenziale? Pretendere di srotolare qui il tuo modesto gomitolo di Fatum? Ovviamente il Destino aveva già impiegato tutte le sue risorse per dare a questa città il suo incomparabile Gemüth, la sua anima definitiva. E a te oggi non restava che cercare souvenirs, Andenken di vetro o di pizzo da riportare a casa...

Mi sforzo di ricordare queste inanità (da me confusamente condivise) non tanto per mortificarmi, quanto perché mi sembrano contenere una serie significativa di coincidenze, una specie di ammonimento, una morale: la morale di quelle fiabe in cui l'incauta eroina prende alla leggera la vecchietta intenta a filare sull'uscio della capanna, solo per scoprire troppo tardi che si trattava di una potentissima maga.

Da quella laguna di chiacchiere riemerge infine per un istante anche la pittura veneta, la più meravigliosa di tutte. La sequenza è drammatica. Qualcuno, probabilmente il romanziere (non poi australiano ma di Toronto) nomina Pietro Aretino e i suoi numerosi nemici. Raimondo ricorda tra questi nemici il pittore Giovanni Antonio da Pordenone, che a quanto racconta il Vasari morì forse di veleno per mano dello stesso Aretino, di Jacopo Sansovino e di Tiziano. Mr. Micocci cita il giudizio di Berenson secondo cui il Pordenone, nonostante gli affreschi di cui ricoprì mezza Venezia, resta un pittore irrimediabilmente provinciale. Lo storico dell'arte tedesco respinge con calore la definizione e passa a spiegare perché il giudizio di Berenson sia tutto da rivedere. Dopo tre minuti, nessuno lo ascolta più.

Ma io sedevo al suo fianco su un divanetto senza vie di fuga, ero bene o male una conoscitrice e ideale ascoltatrice, e quando poi mi lasciai sfuggire che di quel pittore ignoravo si può dire tutto, il mio Destino fu segnato. Il professore procedette avidamente a farmi sul Pordenone ciò che mi viene spontaneo chiamare "una testa così".

Stetti a sentirlo compunta reprimendo cavernosi sbadigli, ma con un fondo (assonnato) di simpatia. L'uomo non era un mercante che mirasse a vantaggiosi rialzi delle quotazioni internazionali del Pordenone. Il Pordenone gli piaceva davvero, lo appassionava davvero, gli pareva davvero vittima di una sottovalutazione ingiusta. E magari aveva ragione, gli concedevo torpidamente tra me e me, magari il povero provinciale esteticamente schiacciato (se non anche materialmente liquidato) da Tiziano & Co., meritava un nuovo apprezzamento, più spregiudicato, più equanime.

Cosa mi costava promettergli che domattina stessa, cioè no, nel pomeriggio, sarei corsa ad ammirare le opere di Giovanni Antonio sparse per Venezia? Promisi, promisi, senza la minima ombra di premonizione promisi.

4.

Per riguardo verso l'unico cliente, che sta finendo di mangiare al suo tavolino d'angolo, la padrona e la cameriera della trattoria Due Ponti tengono l'audio bassissimo. Il televisore del resto è nella sala grande, dove la luce è spenta e i tavoli, in questa fine di stagione, non vengono nemmeno più apparecchiati. Del film in corso non arrivano nella saletta che smorzati rombi di motore e intermittenti crepitii, probabilmente sventagliate di mitra.

Il solo altro rumore è quello del giornale che Mr. Silvera, dopo aver messo da parte il tovagliolo, ha spiegato davanti a sé e sta ora sfogliando.

Forse però la luce è insufficiente per leggere. O il giornale, di due settimane fa, non contiene nulla di interessante. Mr. Silvera lo ripiega e lo rimette nella tasca dell'impermeabile, che ha tenuto indosso perché neanche il riscaldamento ha l'aria di riscaldare troppo. Prende poi da un'altra tasca un logoro portamonete a più scomparti, ma non si risolve a chiamare perché gli portino il conto. Vaghi accenni sinfonici, dopo un lungo crescendo di spari ed esplosioni, fanno infatti pensare che lo scioglimento sia vicino. Aspetterà che il film sia finito, per chiamare.

Nel silenzio ora più marcato, è diventato udibile il tic-tac di uno scuro e tarlato orologio a pendolo, incongruamente appeso sopra il buffet di plastica.

Mr. Silvera apre il portamonete per ispezionarne il contenuto, riordinare i biglietti e le monete di diversa nazionalità. E nel corso di questa operazione esamina a lungo, rigirandola tra le dita, una moneta in apparenza d'argento, ma annerita e di difficoltosa decifrazione, che ha ritrovato in uno degli scomparti.

Nella sala attigua, d'altra parte, lo scioglimento si fa attendere. Mr. Silvera rialza gli occhi per osservare il va e vieni del pendolo, seguire la lancetta che sul quadrante metallico, smaltato di bianco, avanza di minuto in minuto tra i neri numeri.

5.

Via via che procedevamo nella notte umida, il nostro gruppetto si diradava, si disperdeva, qualcuno salutava brevemente e s'infilava in un sottoportico, qualcun altro deviava di sbieco per un campo deserto, qualcun altro ancora spariva aldilà di un piccolo ponte di ferro; finché, sollevando il coreografo dal compito di riaccompagnarmi in albergo (e permettendogli così di tornare chiotto chiotto da Raimondo, che ha la civetteria di rispettare le vecchie apparenze), mi sono ritrovata sola nella città dei passi.

È un suono che ormai si sente solo qui, e Raimondo

sostiene che proprio per questo – più che per le sue bellezze naturali, i suoi tesori d'arte eccetera – Venezia è tanto amata e visitata. L'inconscia nostalgia del bipedismo, la chiama lui. E per la verità, queste note così individuali, ora pressate tra muri strettissimi, ora smorzate dall'acqua, ora amplificate da una volta, un'arcata, ora dilaganti in un vasto spazio aperto, hanno tutte come una sfumatura orgogliosa: ecco, sono qui, sono sceso dagli alberi, e con questi tacchi conquisterò la terra intera.

I miei, di tacchi, passavano da una gratificante esibizione solistica a briosi inserimenti nel camminare altrui, secchi duetti troncati da un repentino budello sulla destra, un coro folto e frettoloso sbucato alle mie spalle che incalzava per qualche momento e poi dileguava lungo una via d'acqua a sinistra, un trio davanti a me, che a poco a poco rallentava fino a fermarsi in qualche punto del silenzio.

Mi piacerebbe poter pensare di aver pensato a Mr. Silvera, di aver intuito il suo passo parallelo o trasversale al mio nel notturno labirinto veneziano. Ma posso dire se non altro che a quegli amabili echi sparsi intorno a me ero intensamente, stranamente sensibile. Pensavo a tutte le città del mondo dove una donna (o un uomo, se è per questo) che cammini da sola dopo il crepuscolo non può sentire dei passi senza un brivido di allarme, e provavo gratitudine, contentezza e un'eccitata leggerezza di bipede.

6.

Il giornale, alla fioca luce della lampadina accanto al letto, non è molto più leggibile che in trattoria. In prima pagina c'è una cartina del territorio di Macao e del suo retroterra cinese, con la "zona economica speciale" di Ch'ien-shan, ma quest'ultima si distingue appena. L'articolo chiarisce comunque che a Ch'ien-shan le case da gioco sono state chiuse dopo neanche un mese dall'apertura, e commenta: come dubitare che i cinesi non chiuderanno anche il *Crazy Paris*, dove le ragazze si esibiscono in soli guanti da boxe? Resta da vedere – conclude – se misure del genere non verranno applicate in futuro anche al territorio di Hong Kong.

Nelle pagine interne non c'è altro da leggere fino alla cronaca di Hong Kong e Kow-loon, dove si segnala il passaggio di Mrs. Lifton-Cole, un'inglese che ha raccolto in Malaysia oltre 7000 *ringgits* (circa 2500 pounds) per il World Wildlife Fund, e si promette di raccogliere altrettanto a Singapore. Si attende d'altra parte l'arrivo del navigatore giapponese Kenichi Orie, il primo a traversare il Pacifico in un battello a energia solare.

Tra le lettere al direttore c'è la denuncia, da parte di una società con sede a Zurigo, delle vessazioni a cui Jakarta sottopone gl'indigeni dell'isola di Timor.

Mr. Silvera ha ormai letto abbastanza per addormentarsi. Guarda ancora gli annunci economici dell'ultima pagina, dove nota questo appello indirizzato a tale Jorgesen: "Emergenza di famiglia! Telefona a casa o in Pennsylvania". Ma tra le Offerte Internazionali di Lavoro non trova che quella di un'agenzia per la quale ha già lavorato e che recluta bella gente, *beautiful people*, per ricevimenti importanti e cerimonie promozionali varie.

Lascia allora scivolare a terra il giornale, che è il quotidiano hongkonghese "South China Morning Post", e spegne la luce.

7.

Anche lei continuamente arrivava e ripartiva, anche lei come me era sempre di qua e di là. E anche i suoi viaggi, secondo le malelingue, erano seminati di avventure galanti, di incontri clandestini, che invece non erano affatto il suo genere come non sono mai stati il mio. Tutte e due "nate bene", avevamo anche tutte e due un marito d'una ventina d'anni più vecchio: gentiluomo romano il mio, svedese il suo. Ma qui – stando almeno all'introduzione del suo romanzo *Corinne ou l'Italie* – finivano le somiglianze tra la sottoscritta e Mme la baronne Anne-Louise-Germaine de Staël, née Necker.

Lei per sgraziata che fosse era una donna famosa, una scrittrice illustre, dotata di una personalità fortissima e di un'intelligenza superiore. Mentre la mia, di personalità, s'andava illanguidendo, sdraiata da sola com'ero in quel vasto letto; e la mia intelligenza tendeva alla deconcentrazione, cominciava a saltare le righe e a confondere i paragrafi.

Ero capitata sul libro stamattina, facendo girare una colonnina di tascabili all'aeroporto di Ginevra, e ne avevo letto qualche pagina in aereo. Ora l'avevo ripreso in attesa di ritelefonare a Roma a mio marito, che alle otto non avevo trovato, era uscito a cena, e ancora poco fa non era rientrato.

E dato che nessuna donna, confrontando i casi della propria vita con quelli di un'altra donna, rinuncia a mettersi l'altra per quanto possibile sotto i piedi, pensavo per esempio a che tremenda, inflessibile campionessa della lagna dovesse essere questa Madame de Staël, per far dire al suo esasperato Benjamin Constant: "Mi fa sentire sempre insufficiente e mai necessario".

Io invece...

Ma il confronto era ingiusto. Nella mia vita non c'erano mai stati che dei Benjamin Constant minori, di tutto riposo, coi quali il problema della reciproca necessarietà o sufficienza non si poneva nemmeno. La mia superiorità stava semmai nei miei rapporti tra me e mio marito, così diversi dall'acrimoniosa e impossibile convivenza dei coniugi Staël. Con mio marito conviviamo perfettamente, quando ci conviviamo, nel suo confortevole palazzo di Roma o d'estate nel mio di famiglia a Viterbo. Per il resto, avendo ognuno il suo lavoro e i suoi interessi, ci basta tenerci in affettuoso contatto nella misura del possibile.

Guardai l'ora, decisi che avrei provato a ritelefonare alla mezza, e lasciata perdere l'introduzione m'addentrai (provai ad addentrarmi) nel primo capitolo: dove il protagonista Lord Nelvil, smanioso di visitare l'Italia, si preparava a lasciare Edimburgo per Roma.

Ma l'autrice si perdeva in digressioni, il protagonista in prese di coscienza, e i preparativi non finivano più. Tanto che di lì a poco mi trovai a decollare per conto mio col volo BA-054/AZ-281, un volo che del resto prendo spesso e che arriva a Fiumicino alle 15,45.

– Look, look, the Côte d'Azur, the Pyramids, the Ionian Sea, the Sixtine Chapel! – gridavano intorno a me i passeggeri tra cui lo stesso Lord Nelvil e altri nobili scozzesi, inglesi, spagnoli, spencolandosi verso i finestrini. Ma io e Mr. Silvera ci scambiavamo dei sorrisi complici, ammiccavamo verso la hostess dai larghi fianchi, la quale poi non era altri che la Federhen e andava accumulando i bicchieri di carta in una precaria, altissima colonna ormai sul punto di crollare...

Rialzai il libro che stava scivolandomi di mano e ripresi con puntiglio la lettura. Volevo vedere fin dove sarebbe arrivata, Madame de Staël, con i suoi eterni *or donc* del tutto simili agli *a proposito* di Palmarin.

– Ah, – era la sola parola che Mr. Silvera m'avesse rivolto, e quell'unica sillaba mi ritornava d'un tratto piena di significati, in confronto con la vuota prolissità del romanzo.

Dove potevano essere a quest'ora (quasi la mezza, ora di telefonare) i vocianti turisti accompagnati da quel capocomitiva incongruo, con mani bellissime e profilo da medaglia? Li avevo sentiti accampare diritti su tutte le isole dell'Adriatico e dello Jonio, e dell'Egeo fino al Bosforo, le Bosphore, the Bosphorus... E lui l'avrei mai rivisto, il misterioso Silvera? Mai, evidentemente, évidemment, of course...

O forse sì, ecco, un giorno a Roma, in visita con la sua comitiva al nostro stesso palazzo, su per il severo scalone, look, look, Mr. Silvera, the urns, the frescoes! Ma la padrona di casa non c'è mai, è sempre in giro per il suo lavoro, o almeno così dice, perché in realtà chi glielo fa fare con tutti i soldi che ha, anche suo marito se lo deve chiedere benché lei gli telefoni sempre da tutti i posti dove va, da Edimburgo, da Ginevra, da Corfù, dallo Ionian Sea, look, Mr. Silvera, look: s'è addormentata! she's fallen asleep! A pagina 16.

IV
LE MIE ULTIME ORE NORMALI
MI SEMBRANO

1.

Le mie ultime ore "normali" mi sembrano, adesso, infinitamente lontane, ci ripenso come se guardassi delle foto d'infanzia nell'album di famiglia. Sono io quella che beve una tazza di tè scurissimo a letto, richiamando intanto Roma per cercare di parlare con suo marito (che di nuovo non c'è, ha lasciato detto che non tornerà prima di stasera)? Sono io che parlo con Londra e che poi ricevo la telefonata di Palmarin (niente villa per oggi, un malaugurato contrattempo, ma se ne potrebbe riparlare stasera al cocktail della Craig Foundation)? Sono io che reagisco con una smorfia di corruccio a questa procrastinazione ambigua per non dire altamente sospetta? Io, proprio io, che faccio scrosciare i giornali giù dal letto, pensando ma che noia, che perdita di tempo, adesso che me ne faccio di queste ore vuote?

Una domanda imperdonabile, a Venezia. Ma io non ho mai saputo utilizzare a mio vantaggio le pause, i tempi morti. Mi spazientiscono, mi disturbano. Conosco masse di persone che funzionano al contrario, che concepiscono la vita come una faccenda allegramente interstiziale, sanno spremere l'occasione insperata, saltano sull'attimo fuggente. Ma siccome la mia vita consiste nel cercare continuamente, e riconoscere, e possibilmente cogliere al volo la rarità, l'eccezione, è forse inevitabile che mi ritrovi spiazzata, incapace di qualsiasi iniziativa, quando la tensione si allenta.

Questo per dire che me ne uscii poi dall'albergo spinta

dalla vergogna – ma col vago rimorso di non essere rimasta in camera a scrivere almeno due lettere doverose – e m'incamminai a casaccio in mezzo ai piccioni strascicando metaforicamente le zampette. In realtà mi riusciva difficile adattare la mia andatura, in genere finalizzata e svelta, a quella insolita condizione di donna senza impegni.

In questi casi si presenta da sé la risorsa dei vestiti; un mezzo lavoro anche quello, in pratica, perché ben di rado il movente è una festosa disposizione all'acquisto, il più delle volte la cosa si riduce a una specie di accertamento fiscale irto di calcoli e confronti. Si sono allungate? Si sono accorciate? Sta tornando il rosso. È sparito il grigio.

Prima i manichini di qualche "stilista" di grido attorno a piazza San Marco, e di lì un naturale zampettamento verso il budello delle Mercerie, la strada più comoda del mondo per guardare vetrine. Se una pensa alla fatica di passare da un marciapiede all'altro non dico di Fifth Avenue, ma anche solo di Bond Street o del Faubourg Saint-Honoré, questo è il vero Paradis des Dames. Stando al centro, si possono tenere contemporaneamente sott'occhio le borse di qua e le scarpe di là, le pellicce a destra e la biancheria a sinistra, prezzi e tutto. Cos'hanno inventato Harrod's, le Galeries Lafayette, che non avessero già messo in pratica i mercanti veneziani?

Pensavo un passo dopo l'altro cose così, cambiando macchinalmente le lire in dollari, i dollari in sterline, le sterline in franchi svizzeri. Un insensato abito da sera. Un cardigan con strane tasche. Una giacca bellissima. Un braccialetto non male.

Dentro un negozio di pizzi intravidi il naso della Federhen, impressionante di profilo, curvo sul banco a fiutare qualcosa. Anche lei senza impegni, dunque, e comunque non a Padova col traditore Palmarin. Tranquillizzata, come se tra noi avessimo stabilito un tacito armistizio, mi lasciai risucchiare sempre più avanti nelle Mercerie, tra quei cristalli rispecchiati gli uni negli altri, quel rutilante faccia a faccia di esibizioni, dove pure si conserva, come sotto un "pentimento" dell'artista, un lontanissimo colore di mercato orientale.

Passi a migliaia. Per un tratto mi trovai a seguire una donna che mi pareva di conoscere e che infatti era la moglie (carina) del professore tedesco che ieri sera, da Raimondo, mi aveva persuaso della sublimità del Pordenone. Dondolava due cospicue sacche di plastica coi nomi di due boutiques, una nera e una color limone, e si avvicinava e allontanava dalle vetrine, ora zig ora zag, con l'aria di chi sa esattamente ciò che vuole, lo trova, lo paga e se lo porta trionfante a Monaco di Baviera. Quasi la fermavo per chiederle che cosa si fosse comprata, presa anch'io da quella smania che passa generalmente per curiosità femminile e che invece è il terrore di non aver saputo "vedere" la gonna suprema, lo scialle assoluto.

Io finii per non comprare niente, come del resto era prevedibile dall'inizio, e passando dalla Merceria di S. Zulian a quella di S. Salvador seguii passivamente il flusso fino a campo S. Bartolomeo, un luogo curioso, perennemente gremito di sfaccendati d'ogni età che se ne stanno lì in piedi a chiacchierare e spettegolare come nelle commedie di Goldoni, il cui monumento li sovrasta. Oggi poi faceva caldo, stava uscendo un bel sole, e un caffè aveva rimesso fuori una dozzina di tavolini, tutti già occupati.

Ricordo irrevocabilmente quei personaggi d'affresco. Tre evidenti avvocati veneziani. Una turistica famigliola di scavatori di gelati. Due adolescenti con la cannuccia nel bicchiere. Una donna infagottata, forse di Mestre o di qualche isola, con grosse borse sulla sedia accanto, che stava facendo una lavata di capo a una figlia macilenta. E cercando oltre una cerchia di ridanciani giapponesi, oltre una coppia di austeri o esausti coniugi nordici, il mio sguardo si trovò finalmente a incrociare il suo.

*

* *

Fu così, nel modo più subdolo, senza niente cioè che

potesse farmi pensare a una coincidenza straordinaria, a un "segno", a un intervento speciale del destino, fu così che lo rividi.

S'alzò prontamente con l'ombra di un inchino e l'accenno di un gesto d'invito (ogni suo movimento, ma questo lo notai più avanti, aveva come una qualità embrionale, forse simbolica, di cosa non si capiva se appena cominciata o sul punto di finire, di svanire).

– Lei cercava un posto? – disse in italiano. Era a tre o quattro metri di distanza e sembrava davvero altissimo in mezzo a quella gente seduta.

– Ma lei non doveva essere a Corfù? – gli chiesi io senza muovermi.

– Ah... – disse Mr. Silvera.

A volte penso che senza quel suo specialissimo "ah", in bilico tra elusività e rimpianto, niente sarebbe successo. E nei momenti di massima abiezione ho cercato di riprodurlo davanti a uno specchio: il tono, ma anche lo sguardo lagunarmente vago, l'impercettibile inarcatura delle sopracciglia, la leggera rotazione della mano che lo accompagnavano. Ah... Vorrei capire il perché dell'irresistibilità di quella sillaba. Una questione più che altro di lontananza, mi pare; come se la sospirata vocale affiorasse da chissà quali rimbombi oceanici, fosse l'ultimo relitto sonoro di chissà quali remoti frastuoni. L'eco di una parola ormai indecifrabile. Un'evocazione di ombre enigmatiche.

Ma devo stare attenta a non esagerare, a non "caricare" troppo il quadro, come spesso (a giudizio del suo stesso *fan* di Monaco) faceva il Pordenone. In tutta sobrietà, devo precisare che l'effetto dell'"ah" non era così romantico, sul momento, quel senso di struggimento non così prontamente percettibile, contagioso. Era anche, ebbi modo di constatare, una pausa di svicolamento, se non proprio l'ironico preludio a una bugia.

Quando fui seduta accanto a lui, mi disse che il suo incarico consisteva solo nell'accompagnare i croceristi dell'Imperial Tours fino alla nave e sistemarli sani e salvi a bordo. Dopodiché lui se ne poteva tornare a Londra.

– E poi ricomincia da capo, riparte per Venezia con un altro gruppo?

– Per Venezia. O per Madrid. O per Bali. Dipende.

– Una bella vita, – dissi io automaticamente.

– Come no, – sorrise Mr. Silvera.

E io mi resi conto: primo, di aver detto una banalità; secondo, che quella banalità era condiscendente, offensiva; terzo, che Mr. Silvera doveva essere un personaggio molto diverso, immensamente diverso, da un qualsiasi scalcagnato operatore turistico. Fu una certezza istintiva ma assoluta, quasi una folgorazione. Dalla quale scaturiva necessariamente la domanda che non avrei più smesso di ripetermi: ma allora chi è?

– Anch'io sono sempre in giro, – dissi. – Diventa piuttosto faticoso, alla lunga.

– Che cosa fa?

– Sono una specie di antiquaria volante, lavoro per una casa d'aste inglese.

– Una bella professione, – disse Mr. Silvera, serissimo.

– E come no.

Il primo sguardo, il primo bacio, la prima notte d'amore, non sono niente in confronto con la prima risata che si fa insieme. È quello il contatto decisivo, il vero punto di svolta. Anche se, beninteso, ciò che pensai allora fu un semplice: simpatico, il Silvera.

Che intanto, dopo avere ordinato il mio caffè, aveva tirato fuori una moneta da un suo vecchio, curioso portamonete, e me la porgeva sul palmo della lunga mano.

– Cos'è? – chiesi.

– Lei per caso s'intende anche di monete antiche?

– No, no, la numismatica è un ramo a parte, se ne occupa Mr. Armitage.

– Volevo solo avere un'idea di quanto può valere, secondo lei.

Presi la moneta con riluttanza perché in un istante tutto

era cambiato: avevo davanti a me un infimo truffatore, un "pataccaro" che coglieva al volo l'occasione con l'ambiente signora di passaggio, che si accingeva a raccontarmi la triste storia della sua vita. Ecco chi era in realtà, Mr. Silvera. Ingenuo per di più, per non dire stupido, a pensare che ci potessi cascare. Una pena.

– Come moneta pare bella, – dissi rigirandola. Aveva un diametro di due o tre centimetri e sul rovescio era sbarrata da una croce, mentre l'immagine sul dritto era forse quella del leone di San Marco col suo libro. Ma l'argento, certo di bassa lega, era troppo annerito perché fosse possibile distinguere altro. – E lei non sa nemmeno che cosa sia?

– Lo so benissimo, – disse Mr. Silvera. – È un mezzo ducato veneziano d'argento, detto "mezzo scudo della croce" e messo in corso verso il 1650. Falso.

Di nuovo tutto si capovolse.

– Una patacca? E lei se l'è fatta rifilare come uno dei suoi turisti?

– No, no, – sorrise l'ex truffatore. – Non l'ho comprata, l'avevo con me da molto tempo e per quanto ne so è un pezzo d'una certa rarità, ormai. Un falso, ma un falso d'epoca, coniato da falsari del 1650. Lei lo sa meglio di me, il tempo finisce per dare valore a qualsiasi cosa.

Imitò blandamente il tono e l'atteggiamento di un direttore d'asta: – Base di candelabro, copia romana da originale greco. Partenza: 5000 sterline.

Pena sì, ma non priva di rispetto. Pataccaro sì, ma non senza una certa sottigliezza. Stava cercando di rifilarmi l'imitazione moderna di una contraffazione antica. Il falso di un falso. Rendeva se non altro un omaggio alla mia intelligenza, con quel doppio salto mortale. E bravo il Silvera.

– E vorrebbe venderla.

– Mah, me lo stavo chiedendo.

Cercai di incoraggiarlo su quella sua classica strada, fino al bivio che tra poco ci avrebbe separato con mutua soddisfazione: lui con quel tanto che gli avrebbe permesso di comprarsi, diciamo, un opportuno paio di scarpe nuove, e io col piacere di aver potuto regalargliele senza umiliarlo.

– Per lei avrà anche un valore sentimentale, immagino, – dissi comprensiva.

– A dire la verità, no. L'avevo solo... trovata, non so più dove.

– E quanto pensa di ricavarne?

– Appunto, non lo so. Forse vale pochissimo. Se la vuole lei...

– Ma nemmeno io so quanto offrirle.

– Allora gliela regalo.

Imbarazzatissima, impacciata anche dalla moneta che tenevo nella destra, feci per mettere mano alla borsa, non dubitando che il "regalo" fosse in sostanza un invito a contraccambiare, un ingraziante (e purtroppo non molto felice) "mi dia lei quello che vuole". Ma lui mi fermò con un gesto che voleva dire "per favore non ci pensi nemmeno", e io non seppi più cosa fare.

– E perché vuole regalarmela? – chiesi.

– Così.

Il gioco era di nuovo cambiato, ma nel mio stupore sapevo tuttavia che quelle rapide metamorfosi non avevano nulla di intenzionale, non miravano affatto a impressionarmi, a sconcertarmi, a mettermi in stato di inferiorità. Escludendo inoltre che Mr. Silvera appartenesse alla tragica categoria di chi vuol rendersi interessante, non restava che una spiegazione: ero io che non riuscivo a capire qualcosa.

– Come souvenir, – precisò.

Gli rimisi in mano la moneta e d'impulso gli dissi quello che non avrei, che non avevo mai detto a un perfetto sconosciuto.

– Lei non ha l'aria di avere molti soldi.

– Infatti, – ammise Mr. Silvera. – Ma ancora per un po' mi basteranno.

Ci guardammo. Ricordo la mia quasi euforica mancanza d'imbarazzo come un altro punto di svolta. Mi rendevo conto di esser venuta meno alle regole più elementari, con quella mia osservazione pesantemente personale e mostruosamente priva di tatto; eppure le cose con Mr. Silvera s'erano già messe in modo che tutto mi pareva lecito, facile, normale, veniale, perdonato.

– Facciamo così, – propose lui. – Gettiamola in aria, se vince lei la tengo io, e viceversa. Croce o leone?

– Leone.

La moneta volò brevemente, ricadde sul dorso della sua mano.

– Croce, – disse Mr. Silvera. – È sua.

– Grazie. È una bellissima moneta.

E così venni meno a un'altra regola elementarissima: mai accettare regali da sconosciuti, mai, mai.

2.

Mr. Silvera non sa che pensare di quest'incontro, non saprebbe dire che cosa s'aspetta da questa sconosciuta. A rigore, non dovrebbe aspettarsi niente. Ha lasciato ieri sera il suo promiscuo e itinerante impiego, senz'altro programma immediato che di concedersi un respiro, una tregua. E questa vacanza veneziana (di cui sa soltanto che è abusiva, e che potrà durare molto poco) dovrebbe anche apparirgli come una felice occasione di solitudine.

C'è tuttavia, in lui, un comprensivo desiderio di abbandono, l'aspirazione a una passività leggera e meccanica, come di un sughero in un canale: galleggiante, affiorante, disponibile alleato ora di gondole, motoscafi, divelte cassette di frutta, ora di decrepiti muri, gradini vischiosi d'alghe. Ecco perché questo piccolo imprevisto di campo S. Bartolomeo gli riesce gradito. La casualità dell'incontro sembra intonata alla sua condizione d'uomo affrettato e instabile, casuale in qualche modo lui stesso. O meglio ancora, d'uomo di superficie. Di qualcuno, cioè, abituato a prendere (e a lasciare) come vengono le persone che incrocia sulla sua erratica rotta.

Ma l'impulsiva offerta della moneta vorrà pure dire qualcosa, indicherà pure una certa preferenza, un minimo di scelta da parte sua. Una scelta che risale senza dubbio a quella prima, brevissima contiguità sull'aereo. Neanche allora, infatti, avevano potuto sfuggirgli le felici relazioni che esistono tra gli zigomi, il naso, il mento, le labbra, la fronte, gli occhi della donna ora seduta di tre quarti accanto a lui. Globalmente: la sua bellezza. Portata (anche questo è subito evidente) come uno scialle molto leggero lasciato scivolare sullo schienale della sedia, e lì dimenticato.

Neanche questo spiega tutto, però. In particolare non spiega perché Mr. Silvera, che a un certo punto dovrebbe pur pensare a salutare e andarsene, resti invece in campo S. Bartolomeo a interessarsi di Giovanni Antonio da Pordenone (un pittore veneto del '500 su cui la signora ha portato la conversazione, avendolo "scoperto" da poco). Ciò che lo trattiene sono le sciolte, aperte, disimpegnate maniere della sua occasionale compagna, che dà a sua volta l'impressione di poter interrompere da un minuto all'altro le sue divagazioni, per alzarsi, salutare e sparire per sempre tra i fitti vicoli di Venezia.

Importantissima è insomma la poca importanza di cui l'incontro s'è fin dall'inizio rivestito. Ma c'è anche dell'altro. C'è un fatto di cui non s'è reso conto fin qui, e che vorrebbe ora cercare di spiegarle...

La sconosciuta coglie nel suo sguardo una certa percentuale di disattenzione.

– La sto annoiando, col mio Pordenone? – s'informa.

– No, no, anzi.

– E allora perché mi guarda così? – dice lei senza civetteria.

– Apprezzavo, – spiega Mr. Silvera, con un sorriso sottile come un filo d'erba, – il fatto che lei è unica.

– Addirittura.

– Non lo dicevo per galanteria. "Unica" in senso letterale. Sola. *Single*.

– Ma io sono sposata.

Mr. Silvera scuote la testa, spiega che non è questo il punto. Le donne con cui lui ha a che fare nel suo lavoro, possono essere belle o brutte, giovani o vecchie, simpatiche o odiose, ma sono comunque sempre più di una. Mai meno di sei o sette, qualche volta dodici, quindici... E a poco a poco, a forza di frequentarle così, uno finisce per avere un'idea collettiva, plurale, di quello che è una donna.

– Una creatura... multipla?

– Appunto. Come una di quelle dee indiane, sa? Con ventiquattro braccia arrossate, cinquantacinque unghie dallo smalto frammentario, due dozzine di caviglie gonfie, una quantità di calze smagliate.

La singola ride.

– Insomma un mostro, – riassume.

Si guarda le sue dieci impeccabili unghie, che lo stesso Raffaellino le invidierebbe, e ride ancora. Si stringe uno dopo l'altro i polsi, come per assicurarsi che siano soltanto due.

– E quindi lei mi sta apprezzando per la pura e semplice ragione che io non ho più di due braccia e una testa sola.

– Bellissima, e benissimo pettinata, – annuisce mellifluo Mr. Silvera.

– Ah, questo non lo doveva dire, – protesta lei. – Prima ero unica, adesso mi fa ripiombare nella sua comitiva, con tutte quelle poverette ossessionate dalla permanente e dai bigodini.

– Volevo farle un momento da specchio, – si scusa lui. – Ma se a lei della sua pettinatura non importa niente...

Lei si gira di più dalla sua parte e si porta le mani ai capelli, se li aggiusta con qualche colpetto preciso, con l'aria di una che si stia specchiando.

– E va bene, – ammette, – anche i capelli hanno importanza. Ma io sono del tipo istruito, per me viene prima di tutto il Pordenone.

– Troppo giusto, – approva Mr. Silvera, ritirando fuori il suo portamonete perché il cameriere è venuto a farsi pagare i caffè.

E tutto per un istante rimane in bilico, come se la moneta di poco fa fosse arrivata solo adesso alla sommità della sua parabola. Poi, ecco, uno dei due deve aver vinto di nuovo (sebbene non sia chiaro chi), perché la sconosciuta si sente casualmente proporre una visita al chiostro di Santo Stefano, affrescato dal Pordenone verso il 1530.

– Non lo sapevo, non l'ho mai visto.

– Sono allegorie, putti, personaggi biblici... Piuttosto malridotti, per la verità.

– E lei ci porta i suoi turisti?

– Mai. Non sono cose adatte al plurale.

Si alzano e s'avviano tra le screziature della città, galleggiando fianco a fianco ma come se da un minuto all'altro una latta vuota, un remo, un palo dipinto d'azzurro potessero separarli facilmente e definitivamente.

3.

Non è solo un impulso di tipo – diciamo – sentimentale, a farmi ripercorrere mentalmente, quasi metro per metro, quel circa mezzo chilometro dal fatale campo S. Bartolomeo all'enigmatico chiostro di Santo Stefano. Il mio principale movente è ancora quello di capire, verificare, riscontrare ogni particolare. Che cosa non darei perché la Cia, il Kgb, ci avessero tenuti sotto costante sorveglianza, filmando segretamente ogni nostro movimento, registrando ogni nostro gesto, sguardo, espressione, con quelle loro telecamere nascoste; così che adesso, seduta in una saletta semibuia, potessi far passare e ripassare il documento al rallentatore. Intorno a me, un team di esperti con occhi d'acciaio e grossi sigari mi porrebbe domande brusche e cruciali.

– Perché, nei primi duecento passi, lei gira più volte la testa verso di lui?

– Per semplice educazione. Lui stava parlando, e io...

– Non è vero! Guardi lei stessa: qui... qui... e ancora qui;

né lei né il Silvera stanno parlando. Lui cammina con le mani nelle tasche del suo vecchio impermeabile, badando a scansare i passanti, e non dice una sola parola.

– Sarà stato perché m'incuriosiva il suo modo di muoversi in mezzo alla gente. Vedono? Tiene la testa alta, guardando lontano davanti a sé, eppure riesce a non venire in contatto con nessuno. Il suo passo è fermo, regolare, ma con millimetriche capacità di scarto che lo mantengono sempre a distanza dagli altri. O forse sono gli altri, vedono?, a scostarsi da lui, a contornarlo come uno scoglio in un fiume.

– E lei pretende che fu questo a insospettirla?

– Ho detto solo che m'incuriosì. Mi fece pensare che era uno abituato a traversare la folla, lo immaginai mentre camminava fluido e intangibile tra i vicoli di un suk.

– Un'idea ovvia, col mestiere che faceva.

– Ma io immaginai... il contrario. Pensai che facesse quel mestiere, così strano per lui, proprio perché...

Gli esperti mi scrutano coi loro occhi d'acciaio, masticando i loro sigari, ma nessuno mi viene incontro, nessuno mi aiuta a spiegarmi meglio. Sospettano che un loro incoraggiamento a precisare, a definire quella mia prima e vaghissima "immaginazione", io lo prenderei per una conferma. Ed è chiaro che non hanno torto. È chiaro anche che nessuno è disposto a confermarmi niente.

– Del resto, – scantonano, – perché tra i vicoli di un suk? Perché non tra i banchi di Mark & Spencer o della Rinascente?

– Non lo so. Sul momento mi vennero in mente posti come Baghdad, Antiochia, Smirne, piuttosto.

– E non un ghetto? Di Amsterdam, di Cracovia, di Venezia stessa? Anche lì c'erano labirinti di vicoli, una folla multicolore.

– Del ghetto di Venezia mi parlò lui più tardi. Mi disse che era stato il primo a chiamarsi così e a dare il nome a tutti gli altri, per via d'un "getto", cioè d'una fonderia, che c'era da quelle parti.

– Una guida turistica coscienziosa, – commentano i miei esaminatori indicando lo schermo: dove "il Silvera", mentre traversiamo il rettangolare campo Manin, non manca di additarmi il monumento in bronzo del grande patriota e, a sinistra, la calle della Vida, da cui si accede al palazzo Contarini del Bovolo con la sua famosa scala.

La loro ironia è troppo facile, troppo grossolana per intimidirmi.

– Parliamoci chiaro, – dico. – Io non nego che lo scopo "turistico" della passeggiata fosse pretestuoso in partenza. Non contesto che quella visita a un chiostro di mediocre interesse architettonico, con affreschi di un pittore di second'ordine e rovinati per di più, non implicasse una buona dose di finzione: da parte sua nel proporla e mia nell'accettarla. Ma per quanto riguarda me...

– Quanto riguarda lei non c'interessa, cara signora. Le ragioni per cui lei accettò la proposta sono fin troppo ovvie. E banali, se ci permette. No, il vero punto è un altro e lei lo sa benissimo. Il punto è: lei non dubitò che le ragioni del Silvera potessero essere diverse? Non si chiese se quella finzione galante non fosse una finzione essa stessa, e se lui non avesse altri scopi? Non è proprio questo (non guardi noi, guardi il filmato) il dubbio che si legge nei suoi occhi in calle della Màndola?

Sullo schermo, l'affollata stradetta che stiamo seguendo è in effetti la calle della Màndola. Ma non direi che nei miei occhi si legga nessun dubbio particolare. Ho appena richiuso la bocca e la mia espressione è piuttosto interrogativa, come se avessi fatto una domanda. Alla quale ora, prendendomi il braccio per guidarmi tra la calca, Mr. Silvera risponde con frasi brevi e un po' svagate, tra l'imbarazzato e l'ironico si direbbe, a giudicare dal movimento delle labbra e dai suoi sorrisi più sottili, più a filo d'erba che mai. La mano che mi tiene delicatamente il gomito, se ne stacca ogni tanto per abbozzare un gesto, prolungare la perplessità d'una sillaba: "Ah...".

Un ovvio, per non dire banale, impedimento alla gola

ritarda la mia risposta agli esperti che m'interrogano:

– Ricorda che cosa lui le stesse dicendo?

– No... O forse sì, credo di sì... Io, durante la nostra conversazione al caffè, non gli avevo fatto i soliti complimenti sul suo impeccabile italiano, le solite domande su come l'avesse imparato eccetera. Ma avevo provato a passare dall'italiano all'inglese e poi al francese (le sole lingue che parlo senza problemi), con la vaga intenzione di costringerlo a scoprirsi, esporsi in qualche modo. Un tentativo assurdo, dal momento che non sapevo neppure quale fosse la sua lingua madre. L'olandese, o il tedesco, o forse il portoghese? Finii per chiederglielo strada facendo, e fu, mi pare mentre passavamo davanti a un negozio di libri vecchi.

Il film, girando rapidamente al contrario, ci riporta davanti all'antica Libreria della Màndola, dove in vetrina, sotto un cartello che dice FOREIGN BOOKS, volumi lasciati da generazioni di forestieri s'ammucchiano in file polverose e poliglotte.

– Sì, – confermo, indicando le nostre immagini riflesse nella vetrina e il mio gesto verso il cartello, – fu lì che gliielo chiesi. Gli chiesi, anche, quali altre lingue parlasse. Ma mi rispose in modo evasivo. La sua famiglia era molto composita, disse; lui era cresciuto in diversi paesi, presso parenti che parlavano un po' di tutto; e col suo talento mimetico (mi raccontò di essere stato per breve tempo attore, con un teatrino di Brooklyn in giro per l'East Coast) aveva finito per diventare "rather babelic", così disse, piuttosto babelico.

Il nastro ha ripreso a girare nel senso giusto, e ci troviamo ora allo sbocco della calle su campo Sant'Angelo, con la chiesa di Santo Stefano in fondo. Il mio accompagnatore ha l'aria di aver concluso la sua spiegazione.

– E così riuscì a non dirle chi fosse, di dove fosse, né che cosa facesse veramente. Non le pare?

– Ho ammesso io stessa che rispose in modo evasivo, – mi spazientisco, mentre Mr. Silvera richiama la mia attenzione sull'altissimo campanile di Santo Stefano, proba-

bilmente per informarmi che è il più inclinato di Venezia.
– Ho ammesso anche che la commedia turistica la stavamo
recitando in due, e benché a voi le mie banalità non interes-
sino, posso aggiungere che mi divertiva. Mi divertiva l'idea
di avere un professionista a mia esclusiva disposizione: af-
fittato come un gondoliere, per così dire. Anzi per un attimo... solo per un attimo, sia ben chiaro... mi venne in mente che alla fine della sua prestazione avrei potuto benissimo
remunerarlo. In fondo ero già in debito con lui per via della
moneta, per quanto falsa. Ed ero certa che lui non si sarebbe offeso, non si sarebbe sentito umiliato, perché lo giudi-
cavo un uomo al di sopra di certe cose.
– Una bella frase, che descrive perfettamente un abile
scroccone, un tipo abituato a farsi mantenere dalle donne
con l'aria di concedergli chissà quale privilegio. Quanto
poi alla sua competenza come guida...
La malevola allusione resta nell'aria. Siamo arrivati a
Santo Stefano, e quando varchiamo l'alto portale in stile
gotico fiorito (della bottega di Bartolomeo Bon) il documento si interrompe.

*
* *

La porta verso il chiostro, nella navata di sinistra, era
chiusa e il sagrestano non c'era, un vecchissimo prete di
passaggio allargò con impotenza le braccia. Mr. Silvera sapeva però di un altro ingresso. Il chiostro, mi spiegò, era
dell'ex convento annesso alla chiesa, ora occupato da uffici
del Genio Militare, e se ben ricordava si poteva entrare
anche da quella parte.
Ricordava benissimo. Riuscimmo sul campiello Santo
Stefano, riattraversammo il rio Sant'Angelo, e voltando a
destra ci trovammo davanti ai gradini di un altro portale,
cinquecentesco questo, ma con targhe di uffici contempo-
ranei (tra cui uno, notai, per i danni di guerra). Un militare
e un paio di civili ne stavano uscendo, un'impiegata entra-

va con un fascio di pratiche. Entrammo anche noi senza difficoltà.

Il chiostro era quadrato e architravato, a fredde colonne ioniche del Rinascimento, con un antico pozzo nel centro. Guardai uno dopo l'altro i quattro lati. Nell'andito dietro le colonne i muri erano spogli, chiazzati d'umidità e qua e là scrostati. Al di sopra delle colonne, distanziati da metri d'intonaco giallino, c'erano due ordini di finestre. Una era semiaperta e ne scendeva un ticchettio di macchina da scrivere.

Controllai di nuovo all'ingiro, presi nota di due biciclette, di una scopa appoggiata al muro. Ma nessun affresco, o niente che potesse ricordare un affresco, era visibile su nessuna delle superfici del chiostro di Santo Stefano.

Un telefono suonò, sdrammatizzato, immiserito dalla distanza. Mi voltai perplessa a Mr. Silvera.

– Ah... – disse lui.

4.

Più deluso che meravigliato, Mr. Silvera non offre la minima spiegazione del suo errore, non tenta in nessun modo di giustificarlo. Lui di fatto (come confessa alla sua compagna, che sembra più imbarazzata di lui) granchi del genere ne prende spesso, è un confusionario recidivo e impenitente.

– Ma questa volta, – dice mentre tornano verso l'uscita, – mi dimetto sul serio da capocomitiva.

Fuori del portale, scesi i quattro gradini, si ferma e si gira verso di lei, con l'aria di prepararsi a darle la mano.

– Le chiedo sinceramente scusa, – dice. – Vede, però, cosa succede a prendere guide non autorizzate? Se ci incontreremo un'altra volta, dovremo essere più prudenti tutti e due.

– Ma senta... – dice lei.

Ha passato automaticamente la borsa dalla destra nella

sinistra, ma non si decide a salutare. Considera l'ogivale, quattrocentesca facciata di palazzo Duodo, il viavai della gente sul ponte dei Frati, un gruppo di piccioni sulla spalletta. Finisce per muovere un passo, poi un altro, in direzione del ponte.

– Ma senta, – dice costringendolo a seguirla, – questi suoi affreschi, se non sono qui, saranno pure da qualche parte? Possiamo sempre cercarli. Comunque la sua comitiva sono io e le sue dimissioni non le accetto. Le offro invece un bicchiere di vino, un'"ombra" come dicono qui, con un paio di panini perché ho fame, in quella specie di osteria che c'è qui dietro in calle dei Frati. Lo sa lei che al suo posto, una volta, c'era l'antica Scuola di Santo Stefano?

Mr. Silvera si copre la faccia con le mani, ride, le riprende il gomito.

– Ma lei vuole proprio stravincere, – dice.

Le "ombre" sono poi state due e d'un bianco ben ghiacciato, ideale col tempo che s'è messo a fare. Sul campo Morosini, la vasta piazza dove passeggiano ora, non c'è più una sola nuvola; il bronzeo monumento a Niccolò Tommaseo luccica sotto un sole smagliante. Fa caldo come d'estate.

– E non è ancora mezzogiorno, – dice la non più sconosciuta signora, che s'è presentata formalmente con nome, cognome e perfino nomignolo "per gli amici".

Mr. Silvera quanto a sé s'è presentato come David Ashver Silvera. Lui di nomignoli o soprannomi (ma qui, forse, ha esitato un momento?) con la sua vita migratoria non ne ha mai avuti, non ha mai fatto in tempo ad averne.

Fermandosi a metà campo, lei posa la borsa ai piedi del Tommaseo e si toglie la giacchetta per gettarsela sulle spalle.

– A quest'ora, – dice, – quella sua nave sarà arrivata perlomeno al Pireo. Chissà laggiù che meraviglia, con questo tempo!

Mr. Silvera ribatte che il tempo, quello atmosferico beninteso *(the weather,* traduce, non *the time),* è immateriale.

– Lei vuol dire irrilevante? – lo corregge la sua compagna. – Immateriale, per noi, non ha lo stesso uso che in inglese.

Tranelli dell'italiano, si scusa lui, si vede proprio che oggi non è in giornata. Ma comunque, e non per ricacciarla tra i comuni turisti: non trova anche lei che questa storia del tempo bello o brutto è diventata ossessionante? Tutti appesi al barometro e al termometro, tutti con la fissazione del bollettino meteorologico come fosse una questione di vita o di morte, guai se si annunciano nuvolosità e precipitazioni.

– La pioggia invece può essere bellissima, – dice, – e bellissimi il vento, le nuvole, la nebbia. Non trova?

Lei prende dalla borsa un grande paio di occhiali da sole e se li mette. Alza la testa a guardarlo compunta, da dietro le lenti azzurre, mentre si riavviano.

– E va bene, abbasso i barometri, – dice, lasciandosi guidare come una cieca verso l'ombra di calle dello Spezier. In calle del Piovan si riferma per osservare Maometto II che osserva il castello di Scutari, in bassorilievo sulla facciata della Scuola degli Albanesi. – Però, – ci ripensa, – non so, forse per una donna il fatto del sole è diverso. Noi siamo più come animali.

– Ah, – ride lui, – ma questo non le dà il diritto di parlare male della pioggia!

– Dio me ne guardi. E neanche della nebbia. Volevo solo dire che il turismo, il tempo libero, non c'entrano necessariamente con la mia preferenza per una mattinata così.

Mr. Silvera ha profittato della nuova sosta per togliersi l'impermeabile, che ripiega con cura.

– Con lei dentro, una mattinata così è perfetta in ogni caso, – dice con ostentata galanteria, riprendendole il braccio. – Non è ammissibile che io stia a farle fare conversazione sul tempo come un manuale Berlitz.

Lei si mette a ridere.

– Veramente, – dice, – ho cominciato io.

Dal sole di campo S. Maurizio rientrano nell'ombra di un vicolo, poi d'un campiello e riescono al sole davanti a S. Maria Zobenigo, detta anche del Giglio. Il grande albergo in fondo a destra è quello di lei, che ora si pente doppiamente di averne parlato durante la colazione.

Da una parte è stata una vera e stupidissima gaffe, di cui ha già arrossito quando lui, in cambio, ha dovuto nominare uno sconosciuto alberghetto (o misera pensione, probabilmente) dalle parti di S. Giovanni in Bragora. Ma adesso c'è anche il rischio che lui, da capocomitiva inaffidabile qual è, la riaccompagni gentilmente all'hotel e la pianti lì con tanti saluti. È senz'altro il tipo da farlo, pensa piccata, improvvisamente offesa da quel suo ostinato distacco, da quei suoi complimenti puntigliosamente di maniera.

Mr. Silvera piega effettivamente a destra, verso l'albergo là in fondo, che lei sta cercando di non guardare.

– Si chiamava *Basilissa tou Ioniou*, pensi, – le dice con un tono intimo, quasi di complicità, come se stesse facendole finalmente una vera confidenza. – La *Regina dello Jonio*!

– La nave per Corfù?

– Per Corfù, Patrasso, Atene, Salonicco e via di seguito... Ma non è vero che io, quel mio gruppo, avrei dovuto affidarlo a un'altra guida.

– Non capisco, – dice lei stupita, alzando gli occhi, girandosi a guardarlo. – Lei vuol dire...

È interrotta dal trapestìo d'una piccola folla, che sbuca compatta e frettolosa dalla calletta di fronte. E nello stesso momento s'accorge che la mano di lui, ora stretta più familiarmente al suo braccio, la sta sospingendo appunto da quella parte e non verso l'albergo, che è più a sinistra.

La calletta conduce al pontile di S. Maria del Giglio, dove attraccano i vaporetti della Linea 1.

– Venga, – dice Mr. Silvera facendole strada tra la gente appena sbarcata, che ancora affolla lo stretto passaggio.

Quando arrivano al pontile il vaporetto è ripartito, ma un altro ne sta arrivando dalla direzione opposta.

– Per San Marco e Lido, – annuncia il bigliettaio.

– Venga, – ripete Mr. Silvera, guidandola sulla passerella e poi verso una fila di sedili liberi a prua. – Non le dispiace se i capelli le si arrufferanno un po'? – dice quando sono seduti. – Le confesso che lo scopo dell'imbarco è un po' questo. Ci tengo a vederla spettinata.

– Ah. E allora tutti quei complimenti sulla mia bellissima pettinatura erano falsi?... Ma non importa. Quello che le stavo chiedendo era... Lei ha detto che non doveva affidarli a un'altra guida, i suoi crocieristi. Vuol dire che su quella Basilissa avrebbe dovuto imbarcarsi anche lei?

– Sì. Veramente anzi m'ero già imbarcato, li avevo sistemati e tutto. Ma all'ultimo momento è stato più forte di me, ho ripreso la mia valigia e sono sceso.

– Ma perché?

– Ah... – dice lui.

Il vaporetto s'è staccato dal pontile. Lei guarda la tripla facciata dell'albergo sfilare sulla sinistra, mentre l'aria della corsa comincia a scompigliarle i capelli, e pensa che questa Linea 1, "Piazzale Roma-Lido", la sta portando in realtà lontanissimo; molto più lontano di qualsiasi porto dell'Adriatico, o anche dello Jonio e dell'Egeo...

Seduto accanto a lei nella sua sciolta giacchetta di tweed, con le spalle un po' curve e il suo nitido profilo da medaglia, Mr. Silvera le riappare esattamente come l'ha visto ieri per la prima volta, sul volo Z 114, attorniato dalla sua vociante comitiva.

– Una comitiva particolarmente affliggente, m'è parso? – scherza intrigata, ma senza osare chiedergli di più.

Lui adesso ha un'aria più libera, allegra, come se quella sua confessione da scolaretto che ha marinato la scuola l'avesse sollevato da un peso.

– No, no, poveretti, niente affatto! Del resto non cambiano mai, sa? Sono sempre tutti come bambini.

– E bambine. Ce n'era una, dietro di lei, che non le ha staccato un momento gli occhi di dosso.

Ridono tutti e due. Tenendosi una mano sui capelli, mentre il vaporetto fila verso la riva della Salute, lei indica con l'altra mano davanti a sé:

– Look, look,!... The Salute, the Dogana, the San Giorgio Maggiore!... Look, Mr. Silvera!...

– The bacino di San Marco, – annuncia lui quando la Linea 1, continuando il suo zig-zag attraverso il canale, li riporta verso la riva degli Schiavoni. Si volta a guardarla e le prende delicatamente il polso, per farle togliere la mano dai capelli.

– Ma lei mi vuole proprio spettinatissima, – protesta lei. – Dopotutto ci sono delle convenzioni, tra persone che si sono presentate da... da quanto tempo? – chiede, cercando di guardare l'orologio senza liberare il polso.

– Il tempo, – dice Mr. Silvera, – è immateriale.

*
* *

Sono scesi alla fermata dell'Arsenale, camminano per le fondamenta silenziose e quasi deserte del rio di S. Martino, poi per un dedalo di stradette che li riportano imprevedutamente indietro, sul campo Bandiera e Moro. Lei osserva che da queste parti si finisce sempre per tornare a questo campo, quando non si sa bene la strada. Mr. Silvera riprende un momento il suo ufficio di guida, per informarla che una volta il campo si chiamava della Bragola. Il nome è poi rimasto alla chiesa, ma trasformato in Bragora.

– San Giovanni in Bragora, già, – dice la sua compagna.

Ma lo sapeva bene, lo sapevano benissimo tutti e due, che sbarcando all'Arsenale sarebbero venuti dalle parti di S. Giovanni in Bragora. Dove, benché complicato a quanto sembra da ritrovare, c'è l'alberghetto in cui lui ha preso alloggio ieri abbandonando la Basilissa. Riprendono per la calle del Pestrin, poi di nuovo verso S. Martino.

– Ah, ecco, vede? È lì, – fa lui voltando in una calletta.

La calletta termina in gradini verdastri, che scendono nell'acqua di uno stretto canale. A destra c'è uno scorticato portone con l'insegna: "Pensione Marin".

– Ecco, vede? Visto da fuori è parecchio malandato, ma dentro poi non è male... – dice lui mentre entrano. – Nella saletta c'è perfino un divano con delle vecchie poltrone, uno scaffale con vecchi libri.

– Ah, bene.

La padrona, incastrata dietro la cassa, alza appena gli occhi quando il suo cliente di ieri sera viene a riprendere la chiave. Nella saletta non c'è nessuno.

– C'è anche l'ascensore, – dice lei con una voce che non ricordava più di avere. In camera, posa la borsa sul letto e va alla finestra, guarda in basso il canale solitario e il dilapidato muro di fronte, con ciuffi d'erba e frammenti di marmo ancora incastrati tra i mattoni.

– Niente male proprio, – dice senza voltarsi, appoggiata di spalle a Mr. Silvera, che le ha tolto la giacchetta e le sfila ora con delicatezza gli occhiali.

V
PUR AVENDO COME SI DICE UN CERTO

1.

Pur avendo come si dice un certo temperamento, sono stata sempre una donna piuttosto riservata, circospetta, tutt'altro che facile da conoscere in senso biblico. Per cui il fatto di essermi, come pure si dice, "data a lui" – data per due ore di fila, in quella misera stanzetta, su quel letto strettissimo – dopo neanche due ore che lo conoscevo, avrebbe dovuto sembrarmi inaudito. La fine del mondo addirittura.

E non dico che non mi paresse, che non ci pensassi, mentre tornavamo verso la riva degli Schiavoni. Ero anzi così assorta in quello stupore, che solo quando, uscendo dai vicoli, ci ritrovammo in campo Bandiera e Moro, mi resi conto di una cosa ancora più strana. Camminavamo tenendoci per mano, constatai sbalordita, intenerita, incredula. Cioè, non proprio tenendoci: era lui che, camminando un po' più avanti, mi portava per mano come una ragazzina. Ma era una cosa incredibile lo stesso, una situazione in cui mai avrei sognato di potermi trovare con nessun altro; mentre con lui m'era sembrata subito così normale, da non averci nemmeno fatto caso.

– Hei, you! – mi misi a ridere.

Avevamo cominciato a parlare inglese, dopo il fatto, perché passare al tu era difficile, ma darsi del lei sarebbe stato veramente curioso.

Gli mostrai, quando si voltò, le nostre mani intrecciate e tutta la gente che avrebbe potuto guardarci, anche se nessuno ci guardava in quel momento.

Non avevo più quindici anni, gli spiegai. Forse ne avevo qualcuno più di trenta.

– So what? – rispose senza fermarsi. Se era per questo, lui doveva averne più di duemila. Ma con ciò?

– Ma senti... – dissi. E se lui non si fosse fermato su due piedi per abbracciarmi e baciarmi, lì in pieno campo Bandiera o della Bragola che fosse, neanche avrei capito d'essere passata al tu.

Forse qualcuno ci guardò davvero, questa volta, ma non posso dire che mi sentissi imbarazzata. Mi sentivo bellissima, invece. Un po' sbattuta magari, ma bellissima. Guardassero pure quanto volevano.

Da San Francesco della Vigna suonarono le tre. C'era una bancarella di frutta all'angolo con la calle del Doge.

– Me ne compri? – chiesi.

– Yes, madam. Tutto quello che vuoi. Mele, mandarini, uva?

– Uva.

– Uva per la bella signora, – disse alla fruttivendola.

– Bella signora, bellissima uva, – disse la fruttivendola pesando due biondissimi grappoli.

Li lavammo alla fontanella e uscimmo sulla riva ancora assolata, andammo a sederci sui gradini di Santa Maria della Pietà. Davanti a noi l'isola e il campanile di San Giorgio brillavano con nitida eleganza; il Lido, sulla sinistra, allungava la sua fascia sottile e sfumata; l'acqua e il cielo erano di perla, l'uva squisita. Da una fila di gondole che entrava nel rio dei Greci giunsero accordi di mandolino.

Dio santo – pensai all'improvviso – ma allora, non sarà mica successo tutto per colpa di...? Per via del fascino che...? Perché siamo a...?

Impossibile. Per giovanissima e bellissima che mi sentissi, non avevo più, o non avevo ancora, l'età mentale per cedere alle seduzioni di Venezia-la-perla-della-laguna, Venezia-la-città-degli-amanti, Venezia-l'ispiratrice-di-Byron-Browning-Ruskin-Turner-Bonington-Barrès-Mann-D'Annunzio, senza contare Bernard Berenson. Soprattutto, non ero il tipo.

E la prova era, mi dissi ripensando alle futili discussioni di ieri sera da Raimondo, che nemmeno mi sentivo di piangere su Venezia-invasa-dalle-masse-e-ridotta-a-pizza-parlor, su Venezia col suo traboccante Harry's Bar e le sue feste posticce, le sue mostre incongrue o raccapriccianti, il suo osceno carnevale di recupero.

Ero insomma una professionista che a Venezia ci veniva spesso per il suo lavoro, senza pregiudizi né illusioni sulla città; e che solo per caso proprio qui (ma a Gallarate o a Bethnal Green, per dire, ero sicura che le cose sarebbero andate lo stesso?) aveva perso la testa per qualcuno.

Guardai il qualcuno per cui l'avevo persa.

– Pensavo... – dissi.

Volevo dirgli di Bethnal Green, ma lui si voltò a sorridermi un secondo troppo tardi. Aveva smesso di piluccare il suo grappolo e stava fissando, con un'aria che mi gelò, una motonave ormeggiata a poca distanza da noi. Ebbi la sensazione precisa che avesse in mente di andarsene quel giorno stesso: con quella stessa nave magari o con un'altra, o in treno, o con un aereo qualsiasi, ma di andarsene.

Da me?

Solo la gentilezza straordinaria con cui mi sorrise, mi dette il coraggio di scherzare.

– Pensavo alle gondole. Mi chiedevo se nel nostro caso, non saremmo tenuti per legge a prenderne una. Qui su certe cose non transigono.

– Be', – disse, – dovremo rischiare la multa. Perché io invece stavo pensando di prendere quella nave lì.

Inghiottii con sforzo.

– Quella nave lì... Con me?

– E con chi altro?

– Ma io... Ma quando parte? dove va? tu lo sai?

– C'è scritto là, – disse indicando un chiosco di fianco al pontile. – E del resto chissà? Se invece d'una gondola prendiamo quella, forse ce la manderanno buona lo stesso.

Sul chiosco c'era scritto: "Servizi Lagunari. Linea 25 Venezia-Chioggia". Un cartello più in basso annunciava la prossima partenza per le 15,20. La motonave si chiamava non so più come.

*
* *

– Non avrai freddo? – chiese.
– No, si sta benissimo.

Eravamo seduti sul ponte più alto, ma verso poppa, e l'aria della corsa arrivava smorzata, tepida, sotto un cielo e su un'acqua più di perla che mai. Il sole splendeva a mezza altezza dalla parte di Fùsina. Ragazze in prendisole si sbracciarono a salutarci dalla piscina di Cipriani alla Giudecca, mentre la nave, infilato il canale della Grazia, prendeva velocità verso la laguna aperta.

– Con questi servizi lagunari, – dissi, – ne stiamo facendo, di strada! Ma per tornare?

Gli dissi del cocktail a palazzo Priuli, dove avrei dovuto arrivare non troppo tardi. Lui disse che al ritorno si poteva prendere il traghetto per Pellestrina e poi una corriera fino al Lido, se ricordava bene. Così si faceva molto più presto, mi spiegò.

– E poi? – mi decisi a chiedere dopo un silenzio.
– Dopo il Lido?
– No. Dopo il cocktail. Ci rivediamo?

Girò gli occhi un momento verso di me, ma poi li riabbassò senza dire niente. Io stetti un po' a frugare nella borsa, in cerca delle sigarette. Accesi.

Tra l'isola della Grazia e quella di San Clemente, all'incrocio di due canali, era pieno di gabbiani fermi tutt'intorno sui pali e sulle brìcole. Al passaggio della nave s'alzarono e si misero a seguirci tutti insieme, con piccole grida chiocce.

– David?... – azzardai.

Prese una sigaretta dal mio pacchetto e restò a rigirarla senza accendere, guardando i gabbiani che ora volavano altissimi, ora calavano fino all'acqua con larghi viraggi, brevi risalite, scarti improvvisi.

– Non lo so, – disse. – Forse sarebbe meglio che non ci rivedessimo, no? Né questa sera, né... Ma ormai mi sembra una cosa intollerabile.

– Anche a me... Però non vorrei neppure che non ci fossimo incontrati, che non fossimo qui adesso.

Mi riprese una mano.

– Non essere qui sarebbe la cosa più intollerabile di tutte, – disse con quel suo sorriso gentile.

Lasciammo indietro anche Santo Spirito. La nave filava ora in piena laguna e il vento della corsa s'era fatto più forte. Il sole s'andava abbassando. Sul nostro ponte, i pochi turisti rimasti scattarono ancora qualche fotografia – dell'acqua, dei gabbiani, della lontana costa di Lido – poi se ne andarono a uno a uno giù per le scalette.

– Sei sicura di non prendere freddo?

– No, ma preferisco restare quassù.

Volle per forza che infilassi il suo impermeabile, mi passò il braccio intorno alle spalle. Io accesi un'altra sigaretta e la sua. Restammo senza parlare fino a Poveglia e al canale di Malamocco, alle case degli Alberoni. All'imboccatura del porto incrociammo una petroliera che usciva nell'Adriatico.

– Quella tua regina, – dissi, – o basilissa che fosse...

– La *Regina dello Jonio*?

– Sì. Non m'hai poi detto perché l'hai lasciata. Hai solo detto "Ah...", come dici tu, ma poi...

Avevo fatto anche il suo gesto vago di quando diceva "Ah...", e lui si mise a ridere, mi strinse. Finimmo per baciarci, quello che si dice perdutamente, fin dopo San Pietro in Volta. Quando ci staccammo il vento e il rumore dei motori erano diminuiti, i gabbiani non c'erano più, metà del sole era sparita nell'acqua. Tutta la laguna sulla nostra destra, fino alle barene più lontane e agli ultimi specchi d'acqua morta, s'era colorata di verde-rame e d'oro, ocra, rosso profondo.

– Look... – dissi a voce bassa, – look...

Avevo fatto la stessa strada diverse volte, in motoscafo, e non avevo mai visto una meraviglia simile. Guardai trattenendo il fiato. Mentre il disco finiva di sparire, mi chiesi assurdamente "quanto avrebbe fatto", se si fosse potuto vendere da Fowke's, un tramonto così. Cento miliardi? Mille? Pensai anche che da David, l'oscuro e squattrinato compagno che avevo accanto, io l'avevo avuto per niente come la moneta di stamattina.

– Thank you, – dissi, – Mr. Silvera. Grazie per il bellissimo tramonto. Danke schön.

– Bitte schön! – disse allegro. – Col tramonto ho avuto più fortuna che con gli affreschi.

– Ma anche quella è stata una fortuna. Se gli affreschi ci fossero stati, staremmo magari ancora laggiù a contemplare il Pordenone. Non credi?

– No, ma avremmo perso la nave, – disse con un ritorno alla sua tipica, un po' antiquata galanteria, – e io non avrei potuto ammirare te in questa cornice. Anche questo tramonto ti sta benissimo.

Nel lunghissimo canale di Pellestrina la motonave avanzava piano e quasi in perfetto silenzio. Rasentavamo le case e gli orti del litorale. A sinistra la processione delle brìcole e una fantastica fila di relitti – barconi e chiatte in disuso, pontoni di legno marcio, vecchie navi semiaffondate – limitavano la distesa delle valli da pesca. Poi, mentre i colori lentamente incupivano e si spegnevano, l'isola si ridusse alla stretta, scura striscia di sabbia fiancheggiata dai Murazzi. Quando arrivammo davanti a Chioggia, i fanali del porto erano già accesi dalla parte del mare e da quella della laguna. Traversammo il bacino per attraccare alla piazzetta Vigo, con la sua antica colonna.

All'albergo sulla piazzetta, dove prendemmo il tè, il cameriere ci confermò che avremmo potuto tornare a Venezia col traghetto di Pellestrina e la corriera. Ma non c'erano partenze subito, e non avremmo potuto essere a Venezia prima delle otto e mezzo.

– A meno di non prendere un motoscafo, – disse.

– A meno di restare qui, – dissi quando se ne fu andato. – Potremmo comprarci uno spazzolino da denti, e cenare e dormire qui.

Lo dissi metà per scherzo, ma sarebbe bastato il minimo incoraggiamento per farmi telefonare a Chiara dicendole di vedere lei, fare lei, e che io sarei tornata il giorno dopo.

– Non ti seccherebbe che pagassi io? – dissi anche. – Lo so che tu non te lo puoi permettere.

Non gli sarebbe seccato affatto, disse gentile, ma non voleva che per colpa sua io mancassi un appuntamento di lavoro. Ci saremmo ritrovati più tardi, alla sua pensione, dove avrebbe fissato una stanza più grande per tutti e due. Volevo?

Sì, certo...

Bene, avrebbe fatto chiamare il motoscafo.

Richiamò il cameriere e fece telefonare per il motoscafo, che andammo a prendere sul molo della piazzetta.

– Allora, – disse mentre il marinaio mi aiutava a salire, – ti aspetto da me. Vieni quando vuoi.

Mi voltai costernata.

– Non vieni con me?...

– No, scusami. Io prenderò il traghetto e la corriera.

– Ma come?... Perché?...

– Perché devo... Perché è meglio che... È un po' la storia della *Regina dello Jonio*.

Il marinaio ci guardava incuriosito, aspettando di salire anche lui e togliere l'ormeggio.

– Ma non me l'hai mai spiegata, – dissi, – la storia della *Regina dello Jonio*!

– Ah... – disse col suo gesto vago e il suo sorriso a filo d'erba. Poi restò a salutarmi con la mano, mentre il motoscafo mi portava via.

2.

Mr. Silvera cammina per Chioggia, e sebbene stia aspettando l'ora in cui la corriera lo riporterà al Lido, la sua andatura non ha nulla di ozioso e dilatorio, il suo passo resta quello di uno che non ha tempo da perdere. Il ritmo potrebbe ricordare quello di antiche fanterie in marcia verso un fronte ancora lontano, oppure il paziente, ostinato andare d'una moltitudine di pellegrini verso santuari al di là di montagne, fiumi, foreste. Ma c'è in Mr. Silvera tutt'altra scioltezza, e del resto è impossibile immaginarlo inquadrato in quei reggimenti o confuso in quelle moltitudini. Lo si vede piuttosto in una posizione laterale, estranea, un personaggio isolato e in secondo piano che si trova a fare la stessa strada, ma seguendo un suo parallelo percorso per i campi.

La via principale di Chioggia è lunga forse un chilometro. Mr. Silvera cammina sotto i bassi portici dove insieme all'odore del pesce, del mare, ristagna una fila quasi ininterrotta di botteghe con le vetrine illuminate. Mamme con tre bambini, coppie di ragazze, vecchi mal rasati entrano per i loro piccoli acquisti, escono con filoni di pane, quaderni, carne macinata per il cane.

Quest'umile formicolio serale non lascia mai insensibile Mr. Silvera, in qualsiasi luogo gli capiti di osservarlo. Sa perfettamente, stancamente, che la cosa non sarà mai alla sua portata, eppure in questi momenti si concede, sotto forma non di desiderio ma di fioca, labile fantasticheria, a una dimessa esistenza ancorata a una dimessa cittadina, non importa se in Italia, in Messico, in Finlandia, in Ucraina. Fermarsi, rintanarsi, non essere più reperibile da nessuno, infilarsi per sempre in un ingranaggio di eventi minuscoli e sempre uguali, scendere a comprare il latte, parlare col fruttivendolo, portare nell'androne il sacchetto della spazzatura.

Due giovani fidanzati, se già non sono marito e moglie, escono discutendo animati da un negozio che tiene fuori grossi rotoli di moquette di vario colore. Nel cavo di un bar strettissimo uomini in berretto di lana bevono e vociano. Da una farmacia clamorosamente bianca di neon e plastica esce una donna che, dopo pochi metri, entra nella bottega senza insegna d'un ciabattino. C'è una stufetta elettrica accesa, accanto allo scaffale dove si allineano le scarpe risuolate.

La donna estrae dalla sporta un paio di scalcagnati mocassini e li depone capovolti sul banco. Il ciabattino li studia dubitoso, dice qualcosa alla donna, infine si alza e viene a prendere dalla vetrina una suola di gomma nera a solchi diagonali. Il suo sguardo s'incrocia per un momento con quello di Mr. Silvera, che s'è fermato a guardare. Poi la sua mano raccoglie anche un altro modello di suola, di gomma più spessa e con un disegno antiscivolo a crocette.

Mr. Silvera dà un'occhiata come di saluto a ciò che resta nella vetrina – qualche spazzola, delle stringhe, delle solette di sughero – e si rimette in cammino col suo solito passo.

3.

Naturalmente il cocktail era il più elegante, il più brillante, il più riuscito che si fosse mai visto. Dame bellissime e simpaticissime, gentiluomini intelligentissimi e spiritosissimi si aggiravano per i sontuosi saloni ora alzando gli occhi, con simulato interesse, verso i soffitti restaurati, ma più spesso, con ammirazione sincera e malcelata invidia, posandoli su di me.

Un'alta risata gorgheggiante mi seguiva di gruppo in gruppo, e sebbene mi rendessi conto che la sua fonte ero io stessa, pure la mia gola nuda non sembrava più controllabile. O meglio, ero io che non avevo nessuna intenzione di controllarla.

Ebbra d'amore, mi venne in mente mentre toglievo il secondo bellini dal vassoio di un cameriere errante. E giù una ricca gorgheggiata.

Aleggiavo spesso, come per caso, davanti a questo o quello degli immensi finestroni, e guardavo le luci dei palazzi di fronte e i loro irrequieti riflessi nel canale. Quell'acqua sotto di me era forse la stessa che poche ore prima si apriva davanti alla prua del battello per Chioggia, e a un certo punto quasi interrompevo Mr. Micocci per chiedergli se i laboratori della Craig, che era un'industria chimica, non avessero scoperto un modo per distinguere, riconoscere quelle molecole così stupidamente uguali.

Incontravo e rincontravo tutti, in quel rimescolio d'onde, in quel valzer percepito soltanto da me. Là in fondo, il coreografo riccioluto, caravaggesco, in compagnia di un'alta ragazza africana dai capelli di fiamma; nell'angolo opposto il romanziere di Toronto a colloquio con due ecclesiastici; e Chiara che mi veniva incontro in una nuvola bicolore, verde e rosa, espansa fino a terra.

– Un vero fiore, – le dicevo entusiasta, – ti sta divinamente, non te l'ho mai visto, come mai in lungo?

– È perché dopo siamo a cena dai Fragiacomo. Vieni anche tu? Quando ho detto a Linuccia che c'eri, m'ha subito...

– Non posso, – gorgheggiai, – ho un altro impegno. E anzi, vorrei sbrigarmi a parlare con Palmarin per questa storia di Padova, lui m'ha detto che stasera avrebbe saputo se...

– Niente, – disse Chiara, – l'ho già visto io e dice che per domani è impossibile. Forse dopodomani, o sennò la settimana prossima. Ma non è voluto entrare in particolari ed è scappato via subito, ho avuto l'impressione che a spiegarsi con te non ci tenesse affatto.

Alzai le spalle.

– Per forza. Se era una delle sue solite faccende campate in aria, adesso si vergogna di riconoscerlo. O pensi sempre che ci sia di mezzo la Federhen?

– Non lo so, forse no. Piuttosto ho saputo un'altra cosa curiosa: pare che...

Ma domani?... Dopodomani?... Queste parole d'un momento fa, filtrando attraverso la mia euforia, avevano cominciato a risuonarmi sinistramente nel cervello. E di colpo non ascoltavo più, non gorgheggiavo più. Da glorioso preludio a *La mia notte con Mr. Silvera*, il valzer s'era trasformato in un gorgo che mi trascinava verso un terrorizzante domani (o dopodomani, o la settimana prossima che fosse) *senza* Mr. Silvera.

Mi guardai intorno trasognata, smarrita, sussultai sentendomi posare una mano sul braccio.

– Ma cos'hai? – disse Chiara. – Non ti senti bene?

– No, no, – cercai di riprendermi, – devo solo aver bevuto un bellini di troppo, e così a digiuno... Ma tu, scusa, cos'è la cosa curiosa che mi stavi dicendo?

Mi stava dicendo, disse, di aver saputo che la Zuanich aveva avuto una proposta concreta da Palmarin, ma che Palmarin faceva solo da intermediario. La collezione in realtà la comprava la Federhen per rivenderla magari in Brasile o da qualche altra parte, dato che la Sovrintendenza non si opponeva all'esportazione.

Il dovere professionale mi fece accantonare i miei problemi per riflettere su questo sviluppo. Che però era curioso fino a un certo punto. Perché è vero che sotto certi livelli la pittura italiana si vende meglio in Italia, esportabile o inesportabile che sia. Ma ai livelli infimi la situazione si capovolge di nuovo. Per croste come quelle della Zuanich, che avevano il vantaggio d'essere croste autentiche, "d'epoca", all'estero si potevano avanzare attribuzioni più fantasiose e chiedere prezzi parecchio più alti, a condizione di non farsi troppi scrupoli. E a me, come dissi a Chiara, non risultava che gli scrupoli avessero mai soffocato la Federhen.

– A questo ci credo, una che parla in quel modo non deve vergognarsi di niente, – disse Chiara con riprovazione.

Drizzai le orecchie.

– In quale modo? – chiesi.

– Ma come ieri, no? E sentissi le sconcezze che va dicendo stasera!... Perché è qui anche lei, naturalmente.

I rinnovati sospetti, anzi la certezza, che la Federhen stesse tentando qualche grosso colpo, mi restituirono imprevedutamente tutta la mia euforia. Niente era mai detto, garantito, scontato in anticipo, ogni possibilità che si apriva ne chiudeva delle altre e viceversa... Carpe diem, anzi carpe noctem, pensai alzandomi per inseguire un terzo bellini malgrado le ammonizioni di Chiara e del sopraggiunto Uwe, che sfoggiava un suo rosso girocollo da pittore neoqualcosa. E traversando la folla ero di nuovo debordante di simpatia per tutti, compresa la Federhen e soprattutto il fuggiasco Palmarin, che d'un tratto mi si svelava nella sua vera, luminosa essenza: un Angelo del Signore. Perché se già ieri non si fosse defilato, se l'avessi seguito a Padova invece di andarmene oziosamente per le Mercerie... Folleggiante e felice mi ritrovai in un nuovo giro di valzer, che nel passaggio tra due saloni mi fece scontrare col professore tedesco.

– Carissimo Pordenone!

Appesa festante al suo braccio gli raccontai che avevo passato la mattina ad ammirare affreschi del Maestro, tutti bellissimi, ma che per sbaglio ero andata a cercarne anche nel chiostro di Santo Stefano, dove c'erano adesso degli uffici ma di affreschi non ce n'erano mai stati.

– Ah, ma lei non si sbagliava affatto, gli affreschi una volta c'erano, – disse complimentoso e subito infervorato. Erano putti, allegorie, personaggi biblici, mi spiegò. Solo che nel 1965 erano stati staccati perché stavano andando completamente in malora, e del resto non c'era senso a lasciarli lì all'Intendenza di Finanza. Adesso erano alla Ca' d'Oro.

Staccati nel 1965, pensai. Questo significava che David era stato in quel chiostro più di vent'anni prima, e non certo come guida, ma che per qualche ragione non aveva voluto dirmelo. Ecco perché aveva ammesso così in fretta il suo "errore". O aveva creduto davvero d'aver sbagliato chiostro? C'era un particolare, mi ricordai, che effettivamente non corrispondeva, almeno secondo il pignolissimo Herr Professor.

– Io credevo... – provai a dire.

Ma si avvicinava la moglie-rana, già allarmata dalle mie effusioni. Era quella che non credeva al caso, alle risorse del destino, e che se ne andava sparata giù per le Mercerie sapendo già esattamente che cosa avrebbe comprato.

Restituendole il suo prezioso Pordenone stavo per confidarle che anche a Venezia il destino poteva intervenire, che non tutto era perduto, finito, concluso per sempre. (Se sul mio prezioso Silvera non sapevo niente o quasi, se anzi – mi ripetei – scoprivo ogni momento di saperne di meno, chi m'impediva di abbandonarmi alle più folli speranze invece che al terrore?) Ma oltre un filare di giapponesi vidi sorgere in lontananza il sole di un enorme cappello bianco, e volteggiai rapida fin laggiù, fino alla Federhen, che abbracciai con effusione.

– Mmm, tutta in bianco, – ammirai.

– Mmm, tutta in grigio, – ammirò lei.

Stavo per confidarle che anche sotto m'ero messa della biancheria di seta grigia, silver-grey, e che il mio massimo problema era, a tratti, il seguente: sarebbe o no piaciuta a Mr. Silvera? Il problema che volevo sottoporre alla simpatica Anita era però un altro, benché sempre connesso con l'argento.

– Tu t'intendi anche di monete antiche, mi pare?

– Io di monete? Ma io sono soprattutto un'ornitologa, an ornithologist, eine Vogelkennerin! – disse prendendo a testimoni una collega tedesca e una ragazzotta americana con cui stava mangiucchiando.

– No, senza scherzi, lo so che te ne sei sempre più o meno occupata.

Tirai fuori il mezzo scudo dalla borsetta.

– Da' un'occhiata a questo, per favore.

Lei tirò fuori a sua volta una lente rotonda, ma invece di accostarla alla moneta si mise a esaminarmi un occhio.

– Oh, oh, vedo un uomo... I see a man... – sillabò e tradusse a beneficio delle altre due, in tono d'indovina china sulla sfera di cristallo. – Vedo un letto... Vedo una bellissima scopata.

– No, sul serio, dimmi cos'è, – dissi sentendomi, incredibilmente, arrossire.

Lei mi scrutò con un sorrisetto astuto. Poi, ispezionata la moneta, mi confermò che era falsa ma antica, e d'un certo valore proprio come falsa.

– Come non poche cose a questo mondo, ragazza mia!
– sentenziò.

E con un ammicco alle sue accolite disse che io dovevo stare molto attenta, essere very careful, col mio mystery man: perché gli uomini pensavano a una cosa sola, volevano una cosa sola, da noialtre...

Fece una pausa, un nuovo ammicco.

– E per fortuna! – gridò scoppiando in una gran risata e picchiandomi sul sedere con la sua lente. – Per fortuna!

Io la riabbracciai, la ringraziai diffusamente, e in quel momento le avrei concesso con gioia la prima scelta su tutte le collezioni, sugli arredi di tutte le ville non solo attorno a Padova ma dell'intero Veneto, dell'intera Toscana.

*

* *

In realtà avrei concesso qualsiasi cosa a chiunque, pensavo continuando il mio giro. Una specie di sdoppiamento, un ferreo sillogismo come quelli che vengono in sogno, mi dava due certezze simultanee e perfettamente compatibili: avrei potuto fare l'amore col primo irrilevante venuto, proprio perché farlo con David era una cosa senza confronti, senza comune misura, senza nessuna attinenza con quella rudimentale attività.

Anche con Uwe? Ma sì, anche col povero Uwe, che dall'alto del suo rosso girocollo mi andava raccontando di essersi di recente dedicato all'incisione, maniera nera. Anche col dinoccolato Sovrintendente, che Chiara, un po' impensierita, insospettita, si trascinava dietro per infilarlo prudentemente tra me e il suo Uwe.

– Queste sono le feste che mi piacciono, – diceva amaro il Sovrintendente. – Le feste per l'arte che si salva e che resta a Venezia. Voialtre a lasciarvi fare vi portereste via anche i soffitti, i pavimenti, qui non resterebbero nemmeno i piccioni.

– E non sarebbe poi quel gran male, non se ne può più di quelle abominevoli bestiacce, – lo rimbeccò Raimondo che transitava in quel momento a un metro da noi e proseguiva sorridendo a destra e a sinistra.

– Ma la collezione Zuanich? – chiesi. – Ho sentito dire che eventualmente la lascereste esportare.

– Be', c'è un limite a tutto, – si mise a ridere il Sovrintendente. – Roba così, anzi, bisognerebbe dare una festa se qualcuno se la porta via.

La cena da Cosima! mi venne in mente tutt'a un tratto. Avevo promesso a Raimondo che avrei fatto il possibile per andarci, domani sera, e che comunque avrei avvertito in tempo, lei era una che a queste cene (sempre in onore di qualche – secondo lei – eminentissimo personaggio) ci teneva come agli occhi della testa, le organizzava con una cura da maniaca... E io invece non m'ero ancora fatta viva, non le avevo telefonato per dirle né di sì né di no. Dovevo avvertirla immediatamente che... Mi misi in cerca di un telefono perché lì al cocktail lei sicuramente non c'era, era già immersa in infiniti preparativi e discussioni con Cesarino, il suo vecchio maestro di casa.

Il telefono finii per trovarlo al banco del guardaroba, feci il numero di lì, e dal tono grave di Cesarino capii che la mia chiamata era stata attesa con crescente impazienza e angustia. Ma con Cosima non ci fu verso di dire di no. Chi taceva acconsentiva, disse, e lei ormai m'aveva incluso d'autorità, se la tradivo tutto era finito tra noi.

– Ma allora, – finii per dire, – senti, guarda...

Con ispirazione improvvisa avevo pensato che il destino bisognava anche incoraggiarlo, impegnarlo, costringerlo in qualche modo, era questo il fondamento vero della scaramanzia. Sapendo che avrei dovuto portarmelo appresso, il Destino m'avrebbe lasciato David perlomeno fino a domani sera, per rispetto a Cosima se non a me.

– È un po' un problema, – disse Cosima, – però un posto libero posso ancora farlo saltar fuori... Ma per curiosità: affari o...

– Affari, affari, – mi precipitai a mentire. – E quanto al posto, mettilo pure dove vuoi, accanto a chi vuoi.

– Ma da dove arriva, che cosa parla?

– Qualsiasi lingua, non hai che da scegliere.

Rimettendo giù il telefono, mi trovai davanti la Federhen che si rinfilava in un candido mantellone da domenicana.

– Mystery man! Dangerous man! – mi ammonì col dito allontanandosi verso lo scalone.

Altri se ne andavano e altri arrivavano. Io guardavo l'orologio e poi di nuovo il canale, sotto i finestroni, chiedendomi dove fosse arrivato a questo punto la sconquassata corriera da Chioggia. Vedevo, forse a metà della lunghissima lingua di terra, i fari gialli avanzare faticosamente tra nebbie, canneti, rade casupole buie, e m'immaginavo seduta io stessa accanto a Mr. Silvera, che se ne stava rannicchiato contro il finestrino con gli occhi chiusi. O forse fissava la schiena dell'autista col suo giubbone di pelle nera, o guardava il lontano alone di Venezia, dove c'ero io che alzavo il bicchiere, brindavo al mystery man.

4.

All'estremità di Pellestrina, dove il traghetto ha sbarcato qualche automezzo e i suoi pochi passeggeri, il piazzale del capolinea è deserto. La corriera è in ritardo.

– Purché non siano in sciopero, – dice uno dei viaggiatori locali, posando a terra il suo carico di ceste.

Secondo un prete in sottana, con una ruvida sacca a tracolla, e una contadina che rimpiange di non essersi portata appresso la bicicletta, ci saranno state magari delle difficoltà a Malamocco: a Malamocco si può perdere anche mezz'ora, per la manovra di trasbordo.

– Specialmente se c'è foschia, – ammette il timoroso dello sciopero.

Sotto la scura barriera dei Murazzi il capolinea è rischiarato da un unico lampione, oltre che dai fanali del traghetto rimasto in attesa contro il molo. Ma dal rettifilo che si perde nel buio verso nord, è soltanto un rumore di motore a segnalare finalmente l'arrivo della corriera, mentre i fari stentano a emergere finché il veicolo non è quasi sul piazzale.

Mr. Silvera, che s'è tenuto come sempre un po' in disparte dal gruppo, aspetta che tutti gli altri siano saliti per riprendere la sua valigia e...

Ma no, questa volta non ha valigia, si rende conto. Il gesto gli è venuto spontaneo per via delle mille volte che ha viaggiato su corriere come questa, salendo a fermate o sperduti capolinea come questo.

E l'impressione gli resta mentre, dal finestrino polveroso, segue l'alterno addensarsi e diradarsi della nebbia lungo la strada e il succedersi delle fermate ai diversi incroci, ponti, villaggi, piccoli porti.

San Vito? Porto Secco? San Pietro in Volta?... O non piuttosto Dobromierz, Stanowiska, Kluczewsko?... Non Kifissa o Tambouk?... Non San Pedro de Mojos?... I nomi si moltiplicano e si confondono, come su una carta stradale che infittisse sempre di più fino a diventare indecifrabile. E Mr. Silvera, per un momento, non sa più dove stia andando: se stia tornando dalla donna che ha incontrato oggi e che dovrebbe ritrovare tra poco, o se non abbia già ripreso il suo viaggio interrotto.

5.

– Sei stata vista! – mi soffiava Raimondo all'orecchio.
– Davvero? – gorgheggiavo io.
– Chi sarebbe?
– Un pezzo raro.

– Autentico? Firmato?

– Senza firma, ma autenticissimo.

– M'informerò, sta' tranquilla. E di me sai che ti puoi fidare, io non mi lascio raccontare balle come Palmarin.

– Non parlarmi male di Palmarin, è un uomo preziosissimo, non sai quanto.

– Ah-ah! È stato lui a presentartelo?

– Niente affatto. E non me l'ha presentato nessuno. Mi sono presentata io da me.

– Ed è presentabile? Lo presenti anche a me?

– Domani sera da Cosima.

– Ma chi è, cosa fa?

– Oh, è uno che gira, che viaggia...

E mentre lo dicevo lo vidi al banco della Pensione Marin che riconsegnava la chiave, pagava, look, look, Mr. Silvera is leaving, se ne va nella notte, is going away!

– Ciao ciao, – balbettai già voltata.

– Ma che ti prende, perché tutta questa fretta?

– Te lo dico domani da Cosima.

– Sì, ma guarda che io intanto proseguo le mie indagini! Ho il diritto di sorvegliarti... – mi gridò dietro lui.

– Sorveglia, sorveglia pure quanto vuoi.

Ma poteva essere già troppo tardi, pensai precipitando giù per lo scalone. Un uomo così, senza impegni, senza legami, senza un lavoro (o con impegni, con legami, con un lavoro che non conoscevo), poteva sparire letteralmente da un momento all'altro, per le quattro cose che aveva da mettere in quell'unica valigia...

C'erano due motoscafi dondolanti all'attracco, ma erano riservati ad assurdi personaggi ufficiali, a insensate autorità. Stavo per buttarmi a nuoto nei neri gorghi quando arrivò un taxi che scaricava altri invitati.

Sorrisi al tassista come, nell'affresco del Pisanello, la principessa di Trebisonda sorride a San Giorgio che l'ha salvata dal drago. Gli dissi di passare, prima, un momento al mio albergo.

– Agli ordini, – disse militaresco il santo cavaliere.

In camera ficcai in una borsa una camicia da notte, il necessario da toletta e qualche altro indumento, per il caso che David m'avesse proposto di ripartire all'alba per chissà dove. Con Mr. Silvera tutto era possibile. Ridiscesi en coup de vent.

– Pensione Marin, dietro San Giovanni in Bragora, più o meno. Lei sa dov'è precisamente?

L'uomo si consultò con altri Santi, riuniti all'imbarcadero dell'albergo, in toni sommessi da Sacra Conversazione. Ma mi accorsi benissimo che ogni tanto mi guardavano curiosamente.

– Una pensione Marin da quelle parti ci sarebbe, – mi riferì San Giorgio tornando. – Sul rio di Santa Ternità.

– Sì, – dissi, – è lì che devo andare.

Il rio non era poi precisamente quello di Santa Ternità ma un altro, semibuio, che se ne staccava tra muraglie senza fondamenta. Fui io a riconoscere i gradini d'approdo alla calletta.

– Ecco, è lì.

Il Santo legò il suo cavallo a un anello fissato al muro e m'aiutò a scendere, con un'occhiata dubbiosa all'ingresso della pensione e un'altra, di franca disapprovazione, alle mie scarpette d'argento.

– Attenta sui gradini, signora, si tenga bene alla ringhiera.

Mi passò la borsa, mi ringraziò, lo ringraziai. Entrando nella pensione mi sentii più principessa di Trebisonda che mai, tra un cavaliere che se ne andava e un altro che m'aspettava nel castello.

Ma al banco, dove non c'era nessuno, mi sentii gelare vedendo la chiave del n. 12 appesa alla rastrelliera. Era rimasto a Chioggia, pensai, mentre le parole "una donna in ogni porto" s'incasellavano fulmineamente nella mia testa. Oppure era davvero tornato a riprendersi la valigia, e se n'era già riandato.

"E non ha lasciato detto niente?"

"Niente, signora."

L'insostenibilità di questo dialogo immaginario mi fece prendere d'impulso la chiave e correre di sopra.

6.

Per una donna in abito da cocktail e sconsolatamente appoggiata alla finestra in fondo a una stanza strettissima, non è facile, quando lo spazio che la divide dalla porta sia occupato da un letto, un armadio, un tavolino e due sedie, "volare tra le braccia" di un uomo che sopraggiunga. Ma è proprio questo il fenomeno a cui assiste, o meglio, in cui si trova immediatamente coinvolto, Mr. Silvera rientrando. E si capisce che in una situazione del genere i chiarimenti del caso (dal ritardo della corriera per il Lido al fatto che, mentre lei saliva da lui, lui era già di sopra con la padrona a scegliere una stanza più grande per tutti e due) siano rinviati a più tardi.

Lo stesso trasferimento dalla stanza 12 alla 15, del resto, viene a slittare. Le due sedie sono più che sufficienti per gettarvi i vestiti e – gradualmente – la biancheria di seta silver-grey, che il fioco lume accanto al letto arricchisce d'impensati valori chiaroscurali e tonali.

*
* *

Ma da tutto questo è passato diverso tempo. I chiarimenti (meno numerosi e precisi di quanto lei avrebbe desiderato) sono stati dati e gl'indumenti raccolti, il trasferimento effettuato, poco prima che dal campanile di San Francesco della Vigna suonasse la mezzanotte. Poi, nel vasto letto della nuova stanza, altre domande sono state poste ed eluse, altre tenerezze scambiate, un'ultima sigaretta fumata nel buio. Ed è il solitario rintocco dell'una a spandersi ora sul sestiere di Castello. Le due finestre della stanza 15, aperte più in alto sul canale, lasciano intravedere quiete cime d'alberi contro un

cielo brumoso, che la luna ha appena cominciato a ri-
schiarare.

"Lo so, certo. Anche io dovrò ripartire. Ma tu non m'hai
ancora spiegato..."

Niente, in realtà non ha potuto spiegarle niente, pensa
Mr. Silvera ascoltando il tempo fluire nel leggero, calmo
respiro della donna che gli dorme accanto. Le ha solo detto
di aver lasciato i suoi turisti e smesso il suo mestiere di guida
perché era stanco; perché non ne poteva più di treni e di
pullman, di navi e di aerei; perché anche lui, di tanto in
tanto, aveva bisogno di fermarsi da qualche parte.

Ma se era così, ha obbiettato lei, perché aveva voluto
subito correre a Chioggia con un'altra nave?

Ah, ma con lei era diverso.

E allora perché non aveva voluto tornare con lei in motoscafo?

Perché, ha finito per dirle, aveva sperato di vedere una
certa persona che...

Una persona? Che persona? A Chioggia?

A Chioggia o al Lido. Una persona da cui dipendeva la
possibilità, per lui, di fermarsi ancora un po' di tempo a
Venezia. Di restare ancora un po' di tempo con lei.

Ma lui, allora, dipendeva ancora dall'agenzia? Lei aveva
creduto di capire che... Se era comunque per una questione
di soldi, lei...

No, i soldi erano l'ultima cosa, per i soldi avrebbe sempre potuto sbrogliarsi. La sola cosa che non dipendeva assolutamente da lui, era il tempo che avrebbe potuto restare
a Venezia.

E poi dove avrebbe dovuto andare?

Non lo sapeva. Neanche questo dipendeva da lui.

Ma avrebbero sempre potuto rivedersi, no, a Venezia o
da qualche altra parte? Anche lei era sempre in giro. Avrebbero potuto...

Sì. Forse sì. Ma sarebbe stato difficile. Per questo le aveva regalato quella moneta: come una specie di portafortuna
per tutti e due.

*
* *

Gliel'aveva regalata – riflette Mr. Silvera mentre il campanile suona l'una e mezzo – come una di quelle monete che si gettano nelle fontane di lontani paesi, di lontane città, con la speranza di tornare. Ma l'aveva anche avvertita che era falsa.

VI
MI SVEGLIAI SENZA TRASOGNATEZZE

1.

Mi svegliai senza trasognatezze né languori, lucidissima. E subito mi resi conto che l'emotività notturna non m'aveva lasciata, non era affatto tramontata, ma avendo compiuto una specie di rotazione astronomica mi presentava ora la sua faccia diurna, cioè pratica, compromissiva, utilitaria, e tuttavia con lo stesso potere assoluto su di me. Avevo appena aperto gli occhi, che già mi dettava la sua regola fondamentale: non perdere un solo minuto, non sciupare un solo istante.

Lucidissima, feci un po' di conti con la situazione.

Dell'uomo che dormiva accanto a me col suo respiro impercettibile, continuavo, nella luce diffidente del mattino, a non sapere altro che questo: che avrebbe dovuto ripartire tra pochi, tra pochissimi giorni, e che poi difficilmente avremmo potuto rivederci, risentirci più. La sola altra informazione – o promessa – che avevo potuto strappargli, era che avremmo avuto comunque il tempo di salutarci, che in nessun caso se ne sarebbe andato senza avvertirmi.

Quanto al mistero che c'era dietro, avevo già esaurito, se non tutte le ipotesi immaginabili, almeno le più plausibili: a cominciare da quella che non ci fosse nessun mistero, e che David Silvera fosse, semplicemente, uno che aveva deciso di non lasciarsi "incastrare" da nessuna. O che, al contrario, fosse già stato irrimediabilmente incastrato da qualcun'altra. O che si trovasse invischiato in qualche affare, commercio, traffico di dubbia natura. O che fosse addirittura (per romanzesco, troppo fantasioso che mi sembrasse) un agente del servizio segreto israeliano in missione, e qui a Venezia in attesa di qualcosa o di qualcuno: un segnale, una chiamata, un ordine.

Ma in ogni caso, di queste o di qualsiasi altra ipotesi mi fosse venuta in mente, sapevo benissimo che non avrei potuto verificarne neppure una. Chiaramente il mio mystery man non amava parlare di sé, magari per la semplice ragione che, come molti uomini, trovava noiosa e superflua ogni spiegazione di dettaglio; e io non mi sarei certo messa ad assillarlo con domande indiscrete. Non solo, ma dovevo assolutamente evitare di rivolgerle anche a me stessa, quelle domande. Sapere, non sapere, cosa cambiava? Vana curiosità, puro spreco di tempo.

Mentre non c'era un minuto da sprecare. La grande questione che adesso si poneva era piuttosto: come rallentarlo, sfruttarlo al massimo, il tempo? Lucidissima, vedevo due possibilità.

La prima era l'isola deserta, nel senso che avremmo lasciato queste pareti spoglie e deprimenti per andarci a rinchiudere tra quelle del mio albergo, in una suite di due camere con salotto comunicante, che sarebbe stato facile trasformare in Tahiti, in Bora Bora, in una di quelle isole abbandonate della laguna dove Chiara avrebbe voluto installarsi con il suo Uwe. Mai uscire, niente giornali, tv spenta, e dire al centralino di non passare nessuna telefonata. Totalmente presenti e disponibili l'uno per l'altra, giorno e notte, minuto dopo minuto, finché durava.

Ma a parte che lui poteva trovare un po' asfissiante questo tête-à-tête di naufraghi, e che il ruolo della ninfa Calipso adorante e trattenente non mi convinceva del tutto, il pericolo era di precipitare dall'isola del paradiso nella cella della morte, dove tutti e due non avremmo fatto altro che tendere l'orecchio al ticchettio incalzante dell'orologio, ai passi del boia.

Molto meno angosciosa l'altra soluzione, decisi. Fare come se niente fosse, ignorare il tempo, o meglio, usarlo come un sacco vuoto ed elastico, riempirlo il più possibile di fatti, di cose condivise. Di ricordi, sia pure.

Quando uscii rabbrividendo dalla doccia lui era sveglio e se ne stava appoggiato a un gomito.

– Dormito bene?

– Benissimo, grazie.

Così, bisognava fare. E con la stessa disinvoltura, mentre mi rinfilavo tranquillamente nella mia seta grigia, gli dissi che un doppio domicilio mi sembrava, date le circostanze, scomodissimo e svantaggiosissimo; gli proponevo quindi di trasferirci nel mio albergo, che era tra l'altro più centrale e meglio riscaldato.

Lui non batté ciglio.

– Ottima idea, – disse.

Si alzò e, nudo, venne a baciarmi leggermente, tenendosi staccato da me, tenendomi con delicatezza per un braccio.

– Sei pieno di cicatrici.

In un certo senso, lo guardavo per la prima volta.

– Già, un vero colabrodo, – sorrise lui. – M'è capitato un po' di tutto, operazioni, incidenti, frecce avvelenate...

Una, vicino all'ascella sinistra, l'avevo già vista, toccata. E anche un'altra, come una parentesi sopra l'ombelico. Ma ne aveva una terza, ben marcata, sul fianco destro. E quando si girò per andarsene in bagno ne notai ancora una su un polpaccio e un'altra in mezzo alle scapole. Non avevo la minima competenza in materia ma pensai – lucidamente – a ferite di guerra. E nonostante i miei buoni propositi ricominciarono le domande, le congetture.

Quale guerra? Ma era ovvio: l'interminabile guerra arabo-israeliana. Il sergente Silvera appiattato dietro una duna nel Sinai. Il tenente Silvera sporto dalla torretta di un carro armato tra brulle colline libanesi. E tutto attorno, una gragnuola di schegge e pallottole. A meno che, se si trattava dell'agente segreto Silvera, non fossero cicatrici della guerra clandestina contro i terroristi. Kazalnikov all'aeroporto di Roma. Bombe alla sinagoga di Amsterdam. Tritolo a Parigi. Ancora l'aeroporto di Roma. E lui che si buttava a terra e sparava da dietro un bidone della spazzatura.

Andai d'impulso fino allo sgabello pieghevole dov'era posata la sua valigia, ne sfiorai gli angoli sbucciati, ma poi mi mancò il coraggio di perquisirla. E del resto, cosa avrei fatto, cosa gli avrei detto, se avessi trovato una pistola sotto le sue camicie? Sapere, non sapere, poco importava...

Scivolavo nell'intenerimento, mi sedevo su una sedia, salutavo quella camera squallida, il letto sfatto, la coppia di lampade coniche sopra la testiera, la coppia di tappetini "persiani", l'armadio che era stato "moderno" trent'anni fa. Sorridevo commossa. E poi di colpo non sorridevo più, mi rialzavo agitata, tutta la stanza, con gli oggetti che conteneva, prendeva un altro significato: l'albergo misero e fuori mano poteva essere la scelta deliberata di un uomo in pericolo, che si defilava, si nascondeva. E io, idiota, che mi proponevo di toglierlo dal suo rifugio, di portarlo nel cuore di Venezia, in piena luce, in piena folla, immediatamente reperibile da qualsiasi killer, alto com'era. Si poteva essere più ottusi, più irresponsabili?

Quando uscì dal bagno avvolto nella sua toga bianca a nido d'ape, non mi riuscì di guardarlo in faccia.

– Pensavo... non so, ma forse è meglio che restiamo qui, no?

– Perché?

Aveva piedi magri, slanciati, bellissimi come le mani. Stretti da calzari di cuoio, li immaginavo in movimento su un vasto mosaico azzurro, bianco, nero, oro.

– Dicevo nel senso che qui è più tranquillo, molto più raccolto, e se tu preferisci...

– Ma non sarai tu, – sorrise lui, – che preferisci? Per ragioni sfacciatamente sentimentali?

– No, no, e se fosse non mi vergognerei di ammetterlo. È solo perché qui c'è meno gente, e se per caso non ti va di farti vedere in giro...

– È meglio che non ti vedano con me? È questo che vuoi dire?

– No, no, cosa ti viene in mente?

Gli equivoci uscivano come aspidi dal paniere di Cleopatra. Ecco che cosa succedeva a mettersi con uno sconosciuto. Mi mossi per abbracciarlo, stringerlo. Mi fermai. Gli abbracci non servono a dissipare certe nebbie.

– Ecco, – dissi.

– Sì?

Mi sentivo più nuda di lui, senza ritegno, senza stile, indecente.

– Non te lo chiedo per curiosità, non è che voglio impicciarmi, tu capisci.

– Capisco.

Andai avanti, stringendo i denti.

– Vorrei solo sapere: c'è qualcuno che ti cerca? ti devi nascondere? Ecco.

– Ah, – disse la forma bianca di Mr. Silvera, stagliata contro lontanissimi orizzonti.

Da quella sua distanza scrutò tranquillo tra l'armadio, le poltroncine marrone, il letto. Una spalla gli usciva dalla toga come una mezza verità.

– Non c'è gente che ce l'abbia precisamente con me, non ho nemici, – constatò alla fine del suo esame. – Venezia sarebbe comunque troppo piccola per nascondersi, chiunque mi troverebbe subito. E poi ieri abbiamo fatto i turisti tutto il giorno, sotto gli occhi di tutti.

– È vero, non ci pensavo.

Un uomo braccato non se ne stava col naso in aria a cercare gli affreschi del Pordenone.

– Sai che li ho poi trovati?

– Che cosa?

– Quegli affreschi. Erano lì, avevi ragione, solo che nel 1965 li hanno staccati, adesso sono alla Ca' d'Oro. Ma tu quando li hai visti? Nel 1965?

– Sì, credo, più o meno.

– Però uno sbaglio l'hai fatto lo stesso, adesso che ci penso. In quel chiostro ci sono gli uffici dell'Intendenza di Finanza.

– E allora?

– Tu invece dicevi quelli del Genio Militare.

Lui mi fissò, come se fosse sul punto di dirmi una qualche verità decisiva: per esempio, che stavo diventando una smànfara ogni minuto più invadente, petulante.

Dissi io, ridendo colpevolmente, la mia verità decisiva:

– Non c'è un minuto da perdere. Dobbiamo traslocare da me e poi correre subito alla Ca' d'Oro.

– D'accordo, – disse lui, – corriamo pure dove vuoi.

– Ah, e poi stasera... Senti, ieri t'ho lasciato andare, ma stasera se mi vuoi bene resti con me. Dovremmo andare insieme a...

– Un altro cocktail?

– Una cena. Farai conto d'essere coi tuoi turisti. Ti chiedo troppo?

– No, no. E poi se ti voglio bene, – disse, – devo pur cenare con te?

Ecco, finalmente me l'aveva detto, gliel'avevo detto, ce l'eravamo detto, pensai con indicibile trasporto. Il tempo dava i suoi frutti.

Lui lasciò scivolare a terra la toga umida e cominciò a coprire rapidamente le sue cicatrici di guerra, di pace, poco importava.

2.

Nella sua austera uniforme verde bottiglia con doppia fila di bottoni dorati, che in altri tempi avrebbe potuto indossare un fedele servitore della monarchia asburgica o dello zar di tutte le Russie, il portiere Oreste Nava se ne sta in piedi dietro il banco con le braccia un po' allargate, i polpastrelli appoggiati sul lungo piano di mogano.

È la sua posa professionale, acquisita, o piuttosto conquistata, in quasi mezzo secolo di carriera nei grandi alberghi d'Europa, d'America e perfino (Singapore, per tre anni) d'Estremo Oriente. Ma è una posa che da qualche tempo ha cominciato ad affaticarlo, a fargli apparire sempre più desiderabile il giorno in cui si ritirerà con una sua sorella in un paesetto della riviera ligure. Il suo scheletro non è più quello di una volta.

Niente, del resto, è più come una volta, riflette Oreste Nava seguendo macchinalmente gli andirivieni di una bambina di cinque o sei anni, che saltella silenziosa, concentrata, tra i vasti tappeti dell'atrio. Una volta ci sarebbe stata una nurse, una governess, una schwester, una zia nubile, per farla smettere; mentre ora c'è soltanto un padre che sta leggendo il giornale in una poltrona laggiù, e se ne lava le mani.

La bambina segue sempre lo stesso percorso zigzagante, uno stretto sentiero dove il pavimento scoperto rivela i suoi grandi scacchi di marmo rosso e bianco. Saltella su una gamba sola, a pugni chiusi e testa bassa, e non vede la coppia del 104 che è appena sbucata da dietro una colonna e s'è fermata a guardare una locandina del teatro La Fenice, tagliandole la strada.

Lo scontro sarà inevitabile, prevede Oreste Nava senza muovere un dito. La coppia del 104 è formata da un noto presentatore della televisione e dalla sua amichetta del momento, una ragazza gonfia, volgare, infilata in due stivali inverosimili. Quando la bambina la investe, la culona perde l'equilibrio e rovina addosso al compagno, che la sorregge a fatica lasciando cadere nell'emergenza la sigaretta accesa. Dalle labbra eccessive della ragazza esce un violento sibilo: "Stronza!".

Luigi, il giovane fattorino che sosta presso tre arabi seduti immobili su un divano, si mette a ridere e guarda verso Oreste Nava, che gli restituisce un'occhiata di ghiaccio.

Cose simili non fanno ridere. Cose simili non dovrebbero succedere. Non succedevano, con la clientela di una volta. Ma Luigi, benché sia un ragazzo svelto e volenteroso, non può capirlo. Non ha colpa se tutti gli esempi, i modelli, i termini di confronto si sono perduti e non c'è scuola alberghiera, non c'è corso d'informatica, non c'è computer che possa sostituirli.

Oreste Nava pensa confusamente che dovrebbe farlo lui, il lavoro del computer, che toccherebbe a lui premere sui tasti della memoria, spiegare, insegnare, trasmettere la sua esperienza di quasi mezzo secolo, ed è preso da un luttuoso scoraggiamento, che gli fa abbassare gli angoli della bocca, quando confusamente intuisce che gli mancano le parole per esprimersi, i concetti per formulare ciò che pure a lui è così chiaro. Né Luigi né nessun altro sapranno mai quali e quante immagini passino sul suo schermo mentale quando parla di "una volta". Quel foltissimo, ricchissimo album che è il suo passato non avrà valore per nessuno, sparirà per sempre con lui sulla riviera ligure.

I tre arabi si alzano all'arrivo di un quarto arabo. La bambina, umiliata, è andata a sedersi vicino al padre. L'anziano marito del 216 scende adagio dallo scalone e si mette ad aspettare la moglie, rassegnato, le mani in tasca. Dall'ascensore centrale escono i due del 421, lui col berrettino inglese e il cappottino di cammello gettato sulle spalle, lei con addosso venti chili di gioielli veri, una giacca di volpe rossa, i pantaloni neri. E le scarpe di coccodrillo!

Oreste Nava abbassa ancora di più gli angoli della bocca. Oltre alla borsa, pure di coccodrillo, la donna regge una sacca di plastica nera, smisurata ma chiaramente leggerissima, con la griffe dorata di uno stilista di successo (che del resto capita spesso qui da Milano, un bell'esemplare della nuova classe anche lui). Si dev'essere pentita di un acquisto, andrà a restituire un vestito, a farselo cambiare.

Oreste Nava vede il giovane Luigi pronto allo scatto per aiutarla con la sacca, e simultaneamente vede entrare in albergo l'"antiquaria" del 308, scarmigliata e luminosa e sempre vera signora, vera principessa, una consolazione in mantella grigia su corto vestito da cocktail grigio. La segue un uomo alto con una valigia, e lei si gira a dirgli qualcosa e va alla reception, mentre il cafone pseudo-inglese del 421 si stacca a sua volta dalla donna in volpe e si avvicina anche lui alla reception. La volpe e l'uomo con la valigia restano fermi uno di fronte all'altro, separati da tre grandi tappeti.

È questione di un attimo. L'inesperto Luigi esita, calcola, misura. Oreste Nava lo vede valutare il vecchio impermeabile, la vetusta valigia sdrucita, l'aria logora del nuovo venuto. Vede la risposta emessa dal computer della scuola alberghiera: poveraccio, specie di occasionale segretario o più umile sottoposto, possibile questuante, nessun interesse. E vede Luigi schizzare verso la volpe, impadronirsi della sua sacca di plastica col prescritto sorriso di premurosa deferenza.

"Imbecille, no!" vorrebbe gridargli Oreste Nava, che in quello stesso attimo ha visto invece...

Ma che cosa ha visto, esattamente? È difficile spiegare, a Luigi, a chiunque. L'uomo ha posato la valigia e si guarda intorno, guarda Oreste Nava nel modo appena divertito, appena incuriosito, di uno che qui già c'è stato, che riconosce, che *ricorda*. Impossibile provare, a Luigi o a chiunque, che gli abbia davvero rivolto quel millimetrico cenno di saluto, quella limatura di sorriso; ma Oreste Nava ha registrato l'uno e l'altro, infallibilmente, e ne conosce il significato. Quest'uomo, chiunque sia, è di quelli che sono a casa loro dovunque, qui o sotto un ponte della Senna o in un club di Piccadilly o in una traballante carrozza delle ferrovie indiane; che possono fare a meno di tutto, che non si lamentano mai per il fatto che piove o fa troppo caldo; che non fanno scene perché il gin-and-lime è tiepido; che non alzano mai la voce, che ti chiedono un servizio e ti danno la mancia con quella minima alzata di spalle, quella implicazione tra ironica e quasi affettuosa – impossibili da provare entrambe – di chi è abituato a considerare la vita una lotteria in cui le parti potrebbero benissimo essere invertite.

Un uomo non di mondo, ma del mondo, uno che non ha niente da dimostrare, anche lui con un suo album ricchissimo, prezioso, unico, e anche lui consapevole che non servirà a nessuno, che sparirà per sempre in un villaggio sul Mediterraneo, sul Baltico, sull'Oceano Indiano. Un uomo che sa. Un uomo di una volta.

Luigi, che non ha visto niente, capito niente (ma non è colpa sua), è ancora sull'attenti presso la porta, a reggere la grande sacca nera e lucida, mentre già la volpe dà chiari segni d'insofferenza, pesticcia impaziente nelle sue scarpe di coccodrillo. Quando la principessa ritorna dalla reception e l'uomo tira su la sua valigia e fa per avviarsi verso l'ascensore, Oreste Nava esce impulsivamente dal banco e in due salti rapidi e tuttavia dignitosi presenta alla coppia la sua duplice fila di bottoni dorati.

– May I help you, sir? – dice con l'aria di confermare un dovere reciproco.

E tende la mano verso la vecchia valigia che chiamerebbe forse, se avesse le parole per esprimersi, la valigia del suo e di tutti i passati.

– Ah, – ringrazia l'uomo col suo sorriso impercettibile.

3.

Oltre che lussuosa, la suite è effettivamente confortevole, accogliente, e a Mr. Silvera non costa il minimo sforzo manifestare il proprio apprezzamento. Ci si aspetta da lui che sia contento di questa sistemazione e lui, dondolando una gamba in una poltrona del salotto intermedio, sorride contento, così come farebbe trovando riparo sotto un porticato in un giorno di pioggia, o sotto un platano in un giorno d'afa.

Ma non tarda ad avvedersi che questa sua buona disposizione verso il contingente, l'immediato, non è attualmente condivisa. La donna che si trova con lui, e che pure ha avuto l'idea di questo trasferimento logistico, non sembra altrettanto soddisfatta, dimostra irrequietezza, un certo disagio, si muove qua e là, tocca, sposta; come se non sapesse più bene cosa fare di lui, di loro, oppure, pentita di ciò che ora forse le appare come un'imposizione da parte sua, temesse di avergli lasciato un senso di costrizione, di prepotenza subìta. Né si può escludere che stia al tempo stesso rimuginando nuovi sospetti, nuove ansiose domande circa il passato e il futuro.

Comunque sia, Mr. Silvera non ignora che in momenti come questi ogni onesto tentativo di sdipanamento condurrebbe immancabilmente a ulteriori garbugli, ancor più inestricabili delle antiche dispute tra talmudisti. E poiché Mr. Silvera non è né il rabbino Hillel che stabilì le sette regole della ragione, né il rabbino Yossef ben Josè di Galilea che le portò a trentadue, preferisce rischiare nella direzione opposta e puntare sulla salutare semplicità del quotidiano, addirittura del casalingo.

Non c'era a Roma un marito, s'informa distrattamente, più o meno in attesa d'un colpo di telefono?

Il suo suggerimento suscita spalancato stupore, da cui subito dopo irrompe una muta marea di gratitudine, ammirazione, estatico trasporto. L'offerta di annettere il marito – il mondo reale, normale – a questo felpato territorio precariamente sospeso tra l'essere e il non essere, ha avuto pieno successo. Il marito viene chiamato, trovato in casa, passato, affettuosamente interrogato su questioni d'insonnia, di sinusite e quasi talmudicamente dietetiche. Viene poi messo al corrente di tutto ciò che, ad esclusione di Mr. Silvera, sta succedendo a Venezia.

Mr. Silvera fa dondolare tranquillo la sua lunga gamba. Si rende conto che questo minuzioso racconto telefonico non è per nulla inquinato dall'ipocrisia, non mira affatto a nascondere l'indicibile; al contrario, per slancio, ricchezza di particolari, precisazioni, sfumature, congetture, è identico, nella forma se non nella sostanza, a un entusiastico e un po' prolisso ragionamento d'amore, ne costituisce in certo modo una fedele trasposizione. Nessuno è ingannato, nessuno è escluso dall'intimo, domestico calore di questo consiglio di famiglia a tre.

Dal fiotto narrativo della moglie, che di tanto in tanto gli getta limpide occhiate di felicità, Mr. Silvera apprende così insieme al marito i primi particolari sulla gran cena di stasera da Cosima ("sai Cosima, la cugina di Raimondo?") e la storia completa della collezione Zuanich: dalla delusione che ha costituito per tutti, al sordido epilogo cui ormai si sta avviando. Tramite il faccendiere Palmarin, quel blocco di croste lo comprerà per una miseria la Federhen ("sai la subdola Federhen?"), per poi disperderla all'estero sotto chissà quali attribuzioni. Un discreto affare, da questo punto di vista.

Ma allora perché (deve aver chiesto il marito) il discreto affare non cerca di farlo lei?

Ma perché da Fowke's certe cose non si fanno.

E del resto per la stessa Federhen, probabilmente, tutto questo non serve che di copertura a un affare ben più grosso, a un colpo da miliardi, a giudicare da un curioso indizio.

Segue la diffusa spiegazione del curioso ma infallibile indizio, e l'ipotesi che il grosso colpo sia connesso con la villa di Padova. A meno che anche la villa serva solo di copertura, sia solo una falsa pista concertata col fraudolento Palmarin? Sarebbe bello poterlo scoprire, sventare i sinistri disegni della rivale. Ma come fare?

Sì, in teoria si potrebbe pedinare la Federhen, per accertare con chi è a contatto, ma non siamo di carnevale, farebbe strano andare in giro in maschera a novembre, e poi i contatti è tanto facile tenerli per telefono, no? L'ideale, certo, sarebbe di avere a disposizione una vera spia, un espertissimo professionista magari israeliano, dicono che siano quelli i migliori servizi segreti del mondo, ecco, appunto, lo Shin Beth o il Mossad. Ma in mancanza di questi, c'è sempre Chiara con le sue conoscenze, c'è Raimondo con i suoi "giri" pettegoli, c'è la stessa Cosima benché credulona, benché facile lei stessa da mettere nel sacco...

Insomma non è detto che prima o poi – ma preferibilmente prima – non si riesca a venire a capo di un mistero in fondo abbastanza semplice. Qualcuno a Venezia, da qualche parte, in qualche palazzo o sottotetto o sottoscala o isoletta sperduta, ha qualcosa di eccezionalmente importante, di eccezionalmente prezioso da vendere. Tutto qui. E adesso bisogna darsi da fare, e perciò salutare, raccomandarsi a vicenda di evitare strapazzi, eccessi, ore piccole e vivande indigeste. Salutarsi di nuovo. Riattaccare.

Mr. Silvera si stira voluttuosamente nella sua poltrona.

Si è molto annoiato?

Niente affatto. Al contrario ha seguito con vivo interesse il problema.

Un bel problema, no? Un bel mistero. Che opinione se n'è fatto? Può avanzare qualche ipotesi, suggerire una linea d'indagine che dalle oscenità della Federhen permetta di risalire al nascondiglio, al luogo segreto dove si trova il "colpo grosso"?

Mr. Silvera tiene gli occhi semichiusi, le lunghe gambe stese davanti a sé e incrociate alle caviglie.

– Io di queste cose non me ne intendo, – dice, e la sua voce sembra sospingere una piuma sospesa nell'aria, – ma varrebbe forse la pena di andare a ricontrollare quella collezione tanto disprezzata.

– Ma è già stata controllata e ricontrollata da una quantità di specialisti, compresi quelli della Sovrintendenza. È da quasi una settimana che è lì sotto gli occhi di tutti.

– Appunto. A volte i nascondigli migliori...

– La famosa storia della lettera rubata?

Già, anche, ma lui non stava pensando a quello, dice Mr. Silvera. Il fatto che la vecchia proprietaria stia per vendere per così poco, e che sia la subdola Federhen a comprare, gli ha fatto venire in mente la famosa storia del rabbino Schmelke.

– Sai, – dice, – il rabbino Schmelke di Nikolsburg?

– No. Dimmi subito.

Questo rabbino dunque, spiega Mr. Silvera, aveva l'abitudine di gettare soldi dalla finestra a tutti i mendicanti che passavano. Per cui una volta che non c'erano soldi, mise mano ai gioielli di famiglia e gettò a un vecchio il primo anello che gli capitò. Per cui la moglie gli fece una scena tremenda, in quanto la pietra di quell'anello valeva una fortuna. Per cui rabbi Schmelke si riaffacciò alla finestra, si mise a gridare che ritrovassero quel vecchio. E quando l'ebbero ritrovato gli gridò: "Ho saputo adesso che quell'anello vale una fortuna! Stai bene attento a non venderlo per troppo poco!".

Una storia stupenda, dice con rinnovata ammirazione, estatico trasporto, la donna che è con Mr. Silvera.

Per cui in definitiva, con la duplice benedizione di E.A. Poe e del rabbino Schmelke, si lascerà perdere la Ca' d'Oro coi suoi mirabili affreschi del Pordenone, e si tornerà invece al portoncino di quercia coi suoi prestanti portinai (i quali chissà, poi, che non siano anche loro in combutta con la Federhen e Palmarin ai danni della vecchia Zuanich) per ricontrollare se tra quei quadri di scarto non si nasconda un Tiziano.

4.

Fui io a notare il chiodo, ma non posso certo farmene un merito. Se fosse dipeso da me non mi sarei accorta di niente. La mia idea del resto nel tornare in quel locale gelido, tra 'le buie croste della collezione, non era stata veramente di cercare il capolavoro nascosto. Quello poteva anche esserci, e la mia vivissima simpatia per il rabbino Schmelke mi faceva sperare che ci fosse. Solo che l'unica cosa veramente degna di essere esaminata, al buio e alla luce, di dentro e di fuori, restava per me Mr. Silvera stesso. Era come un quadro d'autore sconosciuto ma di qualità eccezionale, che avessi avuto in consegna per studiarlo, cercare di riconoscerne l'epoca e la scuola, arrivare all'esatta attribuzione. Ma per quanto tempo ancora avrei potuto tenerlo?

Trovammo soltanto uno dei nipoti, l'altro era in giro per la città con la sua ragazza arrivata da Milano, ci spiegò il rapato venendo ad aprirci. Me lo ricordavo più bello, più yummy yummy, e la sua freschezza mi fece ora pensare a un cespo di lattuga, rugiadosa e insipida. Ci accompagnò fino al locale senza finestre, accese le due lampade spot e ci lasciò soli. Doveva, disse, tornare di sotto a studiare.

Era un indizio d'innocenza, feci notare a David. Se ci fosse stato qualcosa che non dovevamo scoprire, il ragazzo sarebbe rimasto con noi, a controllare ogni nostra mossa e occhiata.

Ma poteva darsi che né lui né il fratello ne sapessero niente. Come poteva darsi, al contrario, che quella dimostrazione di noncuranza fosse studiata apposta per dissipare qualsiasi sospetto.

– Anche questo è vero, – ammisi.

Parlavamo sottovoce, da agenti segreti del Mossad, ma più che altro per gioco. Neanche David sembrava prendere troppo sul serio la nostra ricognizione. Quanto a me restavo dell'idea che la cosa più seria da fare (e che feci) in quella scatola remota e silenziosa, fosse di stringermi appassionatamente a Mr. Silvera.

Strada facendo avevo scoperto una Venezia ovvia eppure a me – e all'austero *Cicerone* di Burckhardt, alle fredde *Pietre* di Ruskin, alle sbrigative *Liste* di Berenson – del tutto ignota. Una Venezia di frequentissimi anfratti, portichetti, angoletti oscuri, minuscoli campielli deserti, calli quasi segrete, di cui sarebbe stato delittuoso non approfittare via via per stringersi appassionatamente a Mr. Silvera. Quei luoghi appartati erano lì apposta, capivo infine. E mi spiegavo la fama che s'era fatta Venezia nei secoli, d'essere una città propizia agli amori in luogo pubblico.

– Benché questo sia un luogo privato, – dissi riprendendo sobriamente le distanze.

Chissà, commentò lui, se qualcuno aveva mai pensato a compilare una guida turistica, una pianta della città da questo punto di vista? *A Kissing Map of Venice*, la mappa veneziana dei baci, o qualcosa di simile. In quattro lingue, con itinerari diversi e uno, due, tre asterischi a seconda del grado di suggestione dei posti. Sarebbe stato un successo sicuro.

Tornai a stringerlo più appassionatamente che mai.

– È come un tic, – mi scusai, – non posso farne a meno. E del resto siamo due stupidi spreconi: potevamo restarcene tranquillamente in albergo.

Lui si staccò, alzò una mano.

– C'è un tempo per baciare, – sentenziò biblico, – e un tempo per guardare i quadri.

– Lo diceva il rabbino Schmelke di Nikolsburg?

– Probabilmente. O se no rabbi Jacob Isaac, il veggente di Lublino.

– Ma tu sei religioso? Frequenti la Bibbia?

– Una volta la frequentavo abbastanza.

– Ma sei anche osservante, ortodosso, il sabato non lavori eccetera?

Glielo chiesi come gli avrei chiesto se giocava a scacchi o se preferiva il tè cinese a quello indiano. Ma risultò invece una di quelle domande che avrei dovuto non fargli, perché, dopo una pausa incerta, si limitò a dirmi sorridendo che passando da Leida, una volta, era andato a trovare Spinoza a Rijnsburg.

– Ho capito, – dissi io.

Avevo capito solo che non voleva rispondermi, dato che, quanto a Spinoza, ne sapevo ancora meno che sul Pordenone prima che me lo spiegasse il marito della moglierana.

– Be', coraggio, – dissi dando un'occhiata in giro, – cominciamo questo controllo.

*
* *

I dipinti erano tutti su tela e nessuno aveva la cornice (dovevano averla perduta nel famoso trasloco del 1917), per cui non mi fu difficile cominciare a staccarli dai loro vecchi e arrugginiti chiodi per dare un'occhiata anche al retro. Una tela di lino d'alta epoca – come quella dell'ipotetico Tiziano o quanto meno Palma il Vecchio che stavamo cercando – è subito distinguibile da un canovaccio del

'700, se non è stata rintelata; e così pure un telaio, se non è stato cambiato.

Mentre io mi dedicavo a quest'esame tecnico, David andava avanti da libero turista e guardando per conto suo come gli avevo chiesto; solo a giro finito avrebbe dovuto dirmi se uno dei quadri, per una ragione qualsiasi, l'avesse insospettito. Io non volevo influenzarlo in nessun modo, gli avevo detto senza stare a spiegargli di più. Non potevo confessargli che contavo sul suo fiuto d'inesperto esattamente come, al casinò, il "sistemista" sfortunato tende a fidarsi superstiziosamente del novellino.

Ma era poi così inesperto, Mr. Silvera, se vent'anni fa era già qui a studiarsi gli affreschi di Santo Stefano? Lo guardavo passare di crostoso in crostoso paesaggio, ritratto, soggetto biblico o mitologico, con un'aria infelice che coincideva al millimetro con la noiosità, la concentrata nullità e sciatteria dei dipinti. E dovetti farmi forza per non piantare subito tutto, correre a riabbracciarlo, portarlo via di lì.

Stavo riappendendo un Giudizio di Paride di totale improbabilità – nel senso che Paride, di fronte a tre donne come quelle, avrebbe dovuto girare all'istante sui tacchi e andarsene – quando m'accorsi che David, al contrario, non si muoveva più dal punto in cui era fermo già da un po'. Aveva scoperto qualche cosa?

Voltai appena e cautamente la testa, per non distoglierlo dalla sua contemplazione. Quello che stava guardando era un ritratto a mezzo busto e di dimensioni ridotte, sui 40 × 30 cm, in cui da dov'ero non potevo distinguere che una smorta faccia su fondo buio, e una specie di macchia giallastra in basso a sinistra. Poi mi tornò in mente che il ritrattato era un giovane già mezzo calvo, dai tratti pesanti, avvolto in uno scuro mantello che avevamo notato, con Chiara, soprattutto per la rozza e dilettantesca legnosità del panneggio. La macchia in basso a sinistra era il campo d'oro d'uno stemma gentilizio a me ignoto, con in mezzo, se ricordavo bene, due spighe incrociate. Nient'altro che potessi ricordare giustificava la prolungata sosta di David. Il quale a un certo punto passò al quadro seguente – una pomposa, grottesca Sacra Famiglia – ma poi tornò al Ritratto di Gentiluomo e lo guardò ancora un momento, prima di terminare il suo giro.

Quando mi tornò accanto, ero quasi arrivata anch'io al quadro "sospetto".

– Trovato qualche Tiziano? – chiesi.

– Ho paura di no. Trovata qualche tela di Fiandra?

– Nessuna. E tutta la collezione, a rivederla, m'è parsa ancora più infame di ieri. Non capisco la Federhen cosa possa sperare di ricavarci, anche portandola all'estero.

– Già. Ma allora perché la compra?

– Solo il rabbino Schmelke lo sa. Ma tu non hai notato proprio niente di speciale?

Fu forse quest'insistenza, o il fatto che non potei impedirmi di girare gli occhi verso il ritratto, a fargli capire che avevo notato la sua strana sosta. Altrimenti, mi chiedo ancora se m'avrebbe detto niente.

– Mah, dài magari un'occhiata a quel giovanotto, – disse.

Andai a staccare il quadro e lo guardai, lo rigirai, l'esaminai da tutte le parti. Tela e telaio erano del solito '700 avanzato, se non addirittura del primo '800, e come fattura era perfino peggiore degli altri. Quanto al personaggio, appena emergente dal fondo scuro, non aveva niente di particolare tranne la pesantezza dei tratti, accentuata da una cicatrice sul mento e due verruche sul labbro superiore. Il mantellone in cui era goffamente drappeggiato avrebbe potuto essere di qualsiasi epoca. E le due spighe in campo d'oro non corrispondevano a nessuno stemma che conoscessi.

– Strano, – dissi.

– Trovi anche tu?

– No, strano, volevo dire, che tu sia stato tanto tempo a guardarlo. Ma perché? T'era sembrato... tizianesco? – chiesi imbarazzata.

Mi rendevo conto, tutt'a un tratto, che con la mia fiducia nel suo fiuto d'inesperto l'avevo incoraggiato troppo, facendogli fare in definitiva una cattiva figura.

– È vero che, – cercai di rimediare, – il mantello potrebbe anche essere del '500, ma...

– No, – disse imbarazzato anche lui, – non è che mi sia sembrato tizianesco né altro. È che mi sembra falso. Fatto adesso, voglio dire.

Lo guardai sbalordita, riguardai il quadro, rialzai casualmente gli occhi al muro da cui l'avevo staccato, e fu a questo punto che m'accorsi del chiodo.

O meglio, non proprio del chiodo, che era vecchio e arrugginito come gli altri, ma del fatto che non aveva intorno, come gli altri, quell'aureola di ruggine che ogni vecchio chiodo lascia con gli anni su ogni vecchio muro.

"Un infilato!" pensai arrossendo non più d'imbarazzo, ma di vergogna. Altro che inesperto. Vero o falso che fosse il quadro, David era andato dritto al solo pezzo veramente dubbio, veramente anomalo della collezione.

Staccando anche la Sacra Famiglia e le altre tele che restavano, verificai che il solo chiodo senza alone era quello del Gentiluomo, e m'accorsi che la stessa impronta rettangolare sul muro era diversa. Qualcuno s'era data la pena di schiarire l'intonaco, dietro il quadro, ma la differenza saltava agli occhi. Non c'era dubbio che il verrucoso personaggio fosse lì da pochissimo tempo.

– È proprio un infilato, – dissi.

– E cioè? – disse David.

Dovetti spiegargli (perché lui negò di saperne niente) che quando una collezione più o meno nobile e antica viene messa in vendita, spesso se ne approfitta per "infilarci", appunto, dei pezzi di tutt'altra provenienza. Ma chi poteva aver avuto interesse a infilare tra le altre croste una crosta simile?

A meno che...

Improvvisamente eccitata, mi figurai la Federhen e Palmarin che con la complicità del rapato appendevano tra le squallide tele della collezione Zuanich un Tiziano autentico, per mimetizzarlo così agli occhi della Sovrintendenza e poterlo esportare ufficialmente insieme al resto.

Non sarebbe stato il primo caso, dissi riesaminando il ritratto alla luce dello spot.

E un momento dopo arrossivo di nuovo perché, premendo con l'unghia su un angolo della superficie dipinta, avevo avuto la prova irrefutabile che non si trattava di un autentico Tiziano né di un'autentica crosta, ma di un autentico "falso fatto adesso" come aveva detto David. Benché le screpolature d'un preteso '700 sembrassero perfettamente genuine, la pressione dell'unghia aveva lasciato il segno sulla superficie ancora molle, dipinta non più di qualche settimana prima.

– Ma tu, – balbettai vergognosa, umiliata, e passando da una sconfinata ammirazione a nuovi sconfinati sospetti (altro che Mossad, altro che romanticherie: Mr. David Silvera, l'ex guida turistica, l'ex attore ambulante, l'ex commesso viaggiatore in gioielli di fantasia, non era in realtà un super-esperto inviato segretamente a Venezia da qualche grande museo americano?) – ma tu, come te ne sei accorto?

– Ah... – disse, com'era prevedibile, lui.

Più tardi, mentre tornavamo verso l'albergo ed ebbe avuto tutto il tempo d'inventare una delle sue storie, mi spiegò di aver riconosciuto nel giovanotto calvo un certo Fugger, da lui incontrato a Venezia in altra occasione; e che ne aveva ovviamente dedotto la falsità del quadro. Ma non aveva la minima idea del perché fosse stato aggiunto alla collezione.

Quanto all'ammonimento di rabbi Schmelke, be', disse contrito, anche i rabbini possono sbagliare.

VII
LA CORPULENTA COPPIA AMBURGHESE

1.

La corpulenta coppia amburghese del 219 – che mantiene anche a Venezia l'abitudine del frühstück alle 12,30 – rientra con gli occhi un po' lustri per il Pinot grigio e gli abbondanti bigoli ingeriti. Ritirata la chiave, si avvia verso la dormitina pomeridiana che servirà a smaltire anche i troppi Tintoretto e Tiziano ammirati fino alla cecità. Il giovane Luigi corre a chiamargli l'ascensore con la speranza d'una mancia, non la riceve, e voltandosi con una smorfia a Oreste Nava sfrega contro l'indice il polpastrello del pollice, per segnalare antifrasticamente la sordida avarizia dei due.

Il portiere risponde allargando le braccia quanto basta per indicare rassegnazione. Ma sa bene che per queste nuove generazioni la rassegnazione non esiste: o vincitori immediati del premio, o abietti perdenti. O il ghigno arrogante del trionfo, o il piagnisteo rabbioso della delusione.

Toccherebbe a lui, a Oreste Nava, spiegare che la rassegnazione non è un'anticaglia a uso di preti e donnette, ma l'arte delicatissima di muoversi tra i rozzi estremi del tutto e del niente, il solo yoga capace di sviluppare l'intelligenza, il solo karatè che consenta di maturare, e quindi di sopravvivere tra le bastonate che comunque ti pioveranno addosso lungo la strada. Nonché di guardare eventualmente alla morte senza proprio farsela sotto dalla paura.

Ma sono concetti complessi, ramificati, che tradotti in parole da Oreste Nava suonerebbero al suo stesso orecchio assai poco persuasivi, una confusa predica da vecchio rincoglionito.

Dallo scalone scende la signora francese del 128, che porta ripiegato sul braccio un indumento pesante e spettacolare, un biancastro montone brutalmente conciato, lungo fino a terra, che conserva all'interno i grezzi e aggrovigliati bioccoli dell'animale. Ma un altro animale dal manto nerissimo (orso?) è stato usato per l'enorme colletto a scialle, che copre interamente le spalle e gran parte del davanti. Roba nordica, artica, del tutto sproporzionata al clima di qui e alla taglia piccola, minuta, della proprietaria; la quale ora, mentre Luigi le tiene aperta la porta, solleva a fatica il massiccio capo e comincia a infilarcisi dentro. Luigi si precipita in suo aiuto, ma la donna lo respinge arcigna, porta a termine la barcollante operazione da sola, trotta nanificata fino alla porta e se ne va. Luigi si guarda intorno con circospezione, poi si stringe rapidissimo il bicipite sinistro con la mano destra e alza di scatto l'avambraccio sinistro a indicare stupro sodomitico.

Ma se l'è voluto, pensa Oreste Nava, è stato lui a mancare gravemente di tatto, a non capire che la signora del 128 deve aver portato a Venezia il suo barbarico mantellone contro il parere di un marito, di una figlia, e che ora, resasi conto del proprio errore, morirebbe piuttosto di ammetterlo, anche con se stessa. Qualsiasi offerta di assistenza non farà dunque che sottolineare la sua ridicola mortificazione e verrà accolta come da un permaloso zoppo è accolto il gesto del benintenzionato che vuol dargli una mano.

Ma Luigi non può capire simili sfumature. È troppo giovane e poco vissuto per capire qualsiasi sfumatura, in verità. Vede il mondo come un'anguria, di cui sa distinguere i colori elementari, verde, rosso, nero, bianco, le fette più o meno spesse, e nient'altro. Lo dimostra ancora una volta quando la principessa romana e il suo insolito accompagnatore rientrano in albergo, ritirano un paio di messaggi telefonici (per lei) e risalgono alla suite 346. Nell'istante in cui le porte dell'ascensore si richiudono silenziosamente su di loro, Luigi flette il braccio destro, palmo della mano in avanti, dita ripiegate, e lo muove avanti e indietro a stantuffo, per indicare energica attività scopatoria.

Ma chi gliel'ha detto, cosa ne sa? Oreste Nava risponde agitando la mano aperta davanti agli occhi, a indicare scacciamento di fastidiosa mosca. Incapace di vedere più in là del proprio membro, il povero ragazzo non sospetta minimamente che in certi momenti della vita, in certe situazioni, fra certe persone, "quella cosa" diventa "un'altra cosa".

Che cosa, esattamente? Difficile, difficilissimo, anzi impossibile dire. La fronte di Oreste Nava si corruga, le sue labbra si dischiudono in un platonico sorriso, la sua memoria rovista fra antichissime trepidazioni, rarefatti velluti musicali, lucenti ragnatele, acquei riflessi, profumi, costellazioni. In certi momenti, con certe donne (non più di una, due) "quella cosa" uno aveva l'impressione di farla con cieli e oceani, con l'intero universo, pianeti, comete, stelle cadenti. Sì, e che c'entrassero anche le formiche, le foglie, i sassi. Altro che scopare. Era talmente un'altra cosa che in certo qual modo diventava addirittura superflua, non c'era nemmeno bisogno di farla. E al tempo stesso, le donne (una, due al massimo) con cui non c'era nessun bisogno di farla, erano anche le sole con cui, di farla, valeva veramente la pena... Misteri insondabili, enigmi da far girare la testa.

Oreste Nava volta in su il palmo, riunisce a punta le dita, e la sua mano oscilla su e giù a indicare commiserazione, a esprimere il platonico e sprezzante interrogativo: ma che cazzo vuoi capirne tu?

2.

Era già – inequivocabilmente – casa, focolare, home sweet home. Aperta la porta sul salotto, su quella linda composizione di cuscini cornici schienali tappeti garofani rosa, immersa in una luce solidamente diurna appena sfumata dalle lunghe tende leggere, l'impressione di un ritorno a casa fu nettissima.

Mi lasciai cadere in una fonda poltrona a fiori, spinsi sui tacchi per far scivolare via le scarpe e dissi sinceramente:
– Sono morta.

Sinceramente nel senso che dopo aver staccato, rigirato e riappeso tutte quelle tele, con in più quell'ambiguo risultato, mi sentivo frastornata e stanca davvero.

Ma la sincerità è cosa per astronomi, per astrofisici, retrocede sempre più lontano come le galassie o nebulose che siano. Osservato al telescopio, quel mio abbandono di moglie che crolla esausta sulla prima poltrona avrebbe forse rivelato un alone di teatralità, e la stessa frase "sono morta" non giurerei di non averla scelta e pronunciata in maniera d'incantesimo, d'invocazione magica rivolta al tempo. Decifrata, suonerebbe così: fammi provare come sarebbe dopo dieci, venti anni, la vita in comune con David.

Agitando voluttuosamente le dita liberate mi dissi che il tempo poteva pur darmi una mano, farsi mio complice. Dopotutto il ladruncolo di minuti sapeva anche essere un generoso dilatatore, se in poco più di tre ore aveva trasformato quell'anonimo appartamento d'albergo in un luogo già familiarmente mio, nostro. A partire di lì, gli chiedevo di aiutarmi a provare il sentimento della stabilità, della durata.

La prima indicazione era ovvia.

– E adesso vediamo se ci portano su qualcosa per sfamarci, cosa dici?

– Certo, – disse David. – Una ricca natura morta.

Un pranzetto in casa, in pantofole. Così consigliava a questo punto l'astuto apparecchiatore di ricordi, l'abile regista del nostro futuro immediato.

– Non hai da metterti un golf, qualcosa? – suggerii per perfezionare la cosa.

Lui mi guardò un po' sorpreso, se ne andò in camera sua. Aveva finito per non dirmi se, frequentando l'equivoco Spinoza, si fosse o no allontanato dai precetti della cucina kasher, e per stare sul sicuro ordinai una natura morta di salmone, omelette, verdure crude le più miste possibili, frutta fresca, noci. Dubbio: il salmone, era un pesce senza scaglie? Rialzai il telefono. Ma no, che stupida, le aveva, le aveva. Rimisi giù e filai anch'io a vestirmi "da casa".

In realtà non avevo con me niente di adeguatamente trasandato, sformato, e i miei due golfini non facevano una piega. Impossibile comunque competere col cardigan di David, quasi trasparente ai gomiti, i due taschini slabbrati, il terzo bottone appeso a un filo. Un trionfo di durata.

– Va bene così?

– Perfetto.

Ci sedemmo uno di fronte all'altra e io, sempre sentendo il tempo dalla mia, provai a dilatare la scena verso gli anni a venire, a riempirla d'innumerevoli frantumi di vita ancora virtuale. Provai a guardare David con occhio post-innamorato.

– Certo, saresti un po' tutto da rivestire, – osservai spassionatamente.

Lui risalì con gli occhi lungo i pantaloni lisi, tirò su il pendulo bottone del cardigan, lo scrutò sospirando.

– Già, non ho mai il tempo di occuparmene. O forse è solo pigrizia.

– Quello, dopo, te lo sistemo io.

– Ma so farlo anche da me. So fare molte altre cose di questo genere. Rammendare. Cucinare. Stirare. Perfino rattoppare scarpe. Il perfetto uomo di casa.

E il perfetto vagabondo, pensai, il perfetto soldato, il perfetto carcerato.

– Sei mai stato sposato?

– Una volta, secoli fa... – disse con l'aria di frugare in un passato vecchio addirittura di millenni. E scivolò nelle brumose intermittenze dell'inglese per precisare: – But no, not really... sort of... there were difficulties...

– E intanto mi viene in mente un'altra difficulty, – notai ridendo. – Per stasera non hai niente da metterti.

– È vero, è vero, sono impresentabile... Ma posso restare qui ad aspettarti.

– Ma neanche per sogno. O sennò, allora, non ci vado nemmeno io.

– Ma non hai insistito per farmi invitare?

– Appunto, ho insistito, e perciò senza te non ci vado.

– Puoi trovare una scusa, dire che io ho dovuto partire improvvisamente.

– No, inventerò una scusa anche per me. Oppure domani le dirò che credevo fosse per domani, che ho sbagliato giorno, o un'altra cosa qualsiasi. Tanto, Cosima è una sciocca.

– Non vedo cosa c'entri la sciocchezza di Cosima.

– Lo so, non c'entra, ma lasciamelo dire.

Proiettai nel futuro quel grumo d'irritazione, quell'infinitesima cellula di litigio coniugale. Si sarebbe moltiplicata mostruosamente fino a renderci impossibile la vita in comune? Mi sforzai di vedere pranzi arcigni, cene al monosillabo, al colpetto di tosse. E magari il velenoso bruco del rancore che risaliva la memoria a scatti gibbuti, ritornava fin qui per rinfacciare: già da quella prima volta a Venezia avrei dovuto capire che tu sei, non sei, hai, non hai... Occhi accesi, voci aspre. E l'amore polverizzato, un'antica tomba svuotata dai ladri.

– No, no, per carità.

– Cosa, no?

Ma arrivò il cameriere col carrello, e non si racconta un viaggio agl'Inferi davanti a un estraneo. Mentre il ragazzo apparecchiava silenziosamente sul tavolino da gioco tra le due finestre, evocai con un brivido altre futili discordie: a proposito di una chiave smarrita, di un ritardo, degli spaghetti da me adorati e da David no. Un continuo, logorante andirivieni di cartavetro.

Quando ci mettemmo a tavola m'era passata completamente la fame, scorgevo nel telescopio la cosmica inappetenza di una lunga routine matrimoniale.

– Che cos'hai?

– Niente.

Moglie nervosa, marito ottuso. Anche le nostre parole prendevano mogi colori di muffa... Ma avevo spinto il gioco troppo in là. Quel silenzio ostile mi si ruppe in una risata.

– No, è inutile, non funziona. Occupiamoci di questa bella natura morta. Era un gioco cretino.

– Marito e moglie, eh? – disse David. – Come i bambini.

– Be', ho cercato di far stare vent'anni in venti minuti, volevo vedere noi due come una di quelle vecchie coppie che restano insieme per inerzia, litigando continuamente per futili motivi.

– Ma ci sono anche le coppie che non litigano, dopo vent'anni.

– Peggio ancora, si sopportano. No, io credo che purtroppo il tempo...

– *No, Time...* – m'interruppe lui.

– *No time?* Non c'è tempo? – equivocai.

– No, – disse, – dopo il *no* c'è virgola e *time* ha la maiuscola: *No, Time, thy pyramids...* È una specie di apostrofe, d'invettiva contro il Tempo e le sue piramidi, fatte solo per ricordarci che noi non siamo immortali, che per noi tutto cambia e tutto si cancella.

Concentrò lo sguardo sul secchiello del vino, poi lo rialzò su di me, ma come se non mi vedesse; o piuttosto, con l'aria di introdurmi in punta di piedi nei recessi d'un polveroso teatro, di sistemarmi nell'angolo di qualche affresco buio e solenne, noto a lui solo.

– Ma io, dice il poeta, non cambierò mai: *No, Time, thou shall not boast that I do change...*

La sua voce sommessa, distante, che sembrava esibire ironicamente un pizzo ingiallito in un cassetto, un gioiello ritrovato per caso, mi dette quasi i brividi. E insieme, violentissimo, accecante, un ictus di gelosia.

"*No, Tempo, non ti potrai vantare che io cambio.*"

La presi per una dichiarazione d'amore eterno, a me galantemente dedicata. Solo che non ero io, non potevo essere io, la prima donna a cui Mr. Silvera faceva omaggio di quella indovinata citazione. Sentii l'attore, il seduttore. Non mi venne in mente che quei versi potessero avere un altro senso, nascondere una confessione.

– Chi è? Shakespeare? Milton?

– Shakespeare. Uno dei suoi sonetti d'amore.

E bravo il cicisbeo, cui le piramidi del tempo non faceva-no né caldo né freddo, cui veniva facile promettere amore e passione in saecula saeculorum amen. Avevo chiesto il sentimento della durata? E lui, prontissimo, mi serviva il suo Shakespeare fumé.

La certezza di non essere, di non poter essere, la sola, unica e definitiva donna di Mr. Silvera mi sembrò la cosa più terribile che mi fosse mai capitata nella vita.

– Che hai?

Stavo per rispondere "niente" con l'annessa alzata di spalle, ma era meglio dire la verità.

– Sono gelosa.

– Ah, – disse Mr. Silvera. – Che perdita di tempo.

Sempre il tempo, con le sue menzognere piramidi.

Qui feci il secondo errore. Per la folle paura che lui si mettesse a raccontarmi (su mia folle richiesta) dei suoi amori passati e presenti, presi io la parola tumultuosamen-te, dal salmone alle noci.

Di quello che dissi, m'è rimasto un ricordo confuso e disperatamente negativo, di scomposta nuotatrice con-trocorrente. Il "tutto" che volevo tirar fuori si riduce a qualche incongrua opinione su un *Rei Lear* visto a Coim-bra, su Madame de Staël, su una festa che avevo dato il mese prima a Roma, e a pochi, laboriosi aneddoti d'infan-zia: la morte d'un cagnolino nero, una zia inglese che dor-miva in un box accanto ai suoi cavalli, una compagna di scuola niente interessante che mi faceva dei dispetti nien-te interessanti.

Risento la mia voce garrula che parla di me, che incalza a casaccio, senza ordine, senza armonia, senza senso. Quel-la una donna capace di competere con tutte le altre donne, di sfidare le piramidi? Quella una vita?

Mi avvilisce l'idea – ma non è propriamente un'idea, è come una cicatrice d'idea – di aver malamente tradito me stessa. Né mi consola pensare che non soltanto la mia, ma qualsiasi vita, è così: un premere formicolante, incalcolabile, che poi, messo alle strette, si risolve in rivoletti incolori.

Ma quello che non posso assolutamente perdonarmi, è che col mio sproloquio gl'impedii in pratica di parlare. Era il momento. Le piramidi erano il segnale, il primo avvio, ne sono sicura. Se l'avessi intuito, se fossi semplicemente rimasta zitta, si sarebbe infine aperto con me. E non – come fece poche ore dopo, a mia umiliazione nei secoli dei secoli – con quella sciocca, quella scema di Cosima.

3.

Il caffè è stato bevuto, il carrello ritirato dal cameriere, qualche telefonata di routine è stata fatta. Seduto in quella che (lo ha stabilito lei) è già la "sua" poltrona, Mr. Silvera finge di leggere un giornale.

Piramidi o non piramidi, questa ostinata lotta contro il tempo gli pare vana e contraddittoria. Lei vuole opporre gli splendori di un amore fulmineo, travolgente come un verso di Shakespeare, alle inevitabili opacità di una relazione stabile; e tuttavia come lui (ma il suo caso è diverso, la "stabilità" per lui è l'eccezione) si sente attratta da queste stesse opacità: le provoca, le mette in scena, non sa rinunciare agli spiccioli affettuosi del consueto, del permanente. Vuole la placidità prossima alla noia di un pomeriggio di novembre in casa; vuole il fruscio rassicurante dei fogli di giornale, i fatterelli della cronaca cittadina.

– Gondolieri corrotti, – gli comunica ora, – facevano le consegne di cocaina in gondola, tu pensa.

Dei due quotidiani che l'albergo offre in omaggio ai suoi clienti italiani, ha scelto per sé "Il Gazzettino" locale, lasciando a lui l'altro.

– Mmm, – fa Mr. Silvera, come uno profondamente assorto nella lettura.

In realtà non ha letto né leggerà una riga, perché nella sua particolare condizione le "ultime notizie" hanno smesso da molto tempo di interessarlo. Si mette in tasca, a volte, qualche quotidiano o settimanale raccolto su un sedile d'aereo o in uno scompartimento di treno, in un atrio d'albergo, ma solo per sfogliarlo con blanda curiosità più tardi, a distanza anche di luogo, come una specie di souvenir ormai al riparo dalla mutazione dei giorni. Niente invece gli sembra più noioso, più invecchiato, del giornale di stamattina.

Ma si presta volentieri a questa come alle altre finzioni di lei, che lo commuovono e anche lo divertono. Si lascerà riattaccare il pendulo bottone del cardigan. Uscirà a cercare qualcosa di presentabile da mettersi stasera. Scorterà la prestigiosa dama al ricevimento in casa di questa sciocca, di questa Cosima.

– C'è stato un incendio alla Giudecca, – viene ora informato. – Un gatto rifugiato sul cornicione è stato salvato dai pompieri.

Si rassegnerà ad essere esibito, scrutato, commentato, perché gli è chiaro che l'insicura dama non vuole, se non in minimissima parte, portarselo appresso per vanità, non lo considera una "conquista" da mostrare all'invidia del mondo. Il bisogno che prevale in lei è senza dubbio quello – naturalissimo – di fornire dei testimoni spassionati a una passione troppo privata, troppo intensa, e perciò incredibile; e inoltre s'industria per condividere con Mr. Silvera il maggior numero possibile di cose, per "far stare vent'anni in venti minuti", come ha detto lei stessa.

– È mancato ai suoi cari Pietro Lorenzon, ragazzo del '99. Con la sua bella fotografia formato tessera, – gli annuncia ora.

Mr. Silvera sbadiglia in buona fede.

– Questi necrologi dei giornali di provincia, – continua lei, – saranno un po' lugubri ma devo dire che a me non dispiacciono. Trovo giusto che anch'io sappia per un momento che faccia aveva Rosa Minetto, casalinga, di anni 56. Dopotutto è interessante.

– Eh, – fa Mr. Silvera.

– Guarda qui questo: non trovi che somiglia al tuo amico Fugger?

– Fugger?

– Quello del ritratto falso. L'incomprensibile falso gentiluomo. Guarda.

Si alza e viene a mostrargli la rubrica costellata di desolanti fotografie. Anziani e anziane, vegliardi, una bambina. E un giovane sui trent'anni che somiglia pochissimo, per non dire niente, al ritratto di stamattina.

– Aldo Scalarin, di anni 34, impiegato, – legge lei. – Non trovi che gli somiglia?

– Già, – mente Mr. Silvera, – il naso, effettivamente...

– Ma tu, – dice lei, – non potresti raccontarmi qualche cosa di più su quel Fugger? Qualche cosa che possa spiegare...

– ... come sia finito nella collezione Zuanich? Non riesco assolutamente a capirlo. Posso dirti che quando l'ho conosciuto si occupava di contrabbando.

– Di cocaina?

– Di diverse droghe. Ma è davvero tutto quello che so.

– Mmm, – fa la sospettosa dama, fissandolo.

La sigaretta scivola dalle dita di Mr. Silvera, va ad annidarsi in un taschino del cardigan e prima di essere estratta ha il tempo di causare un buco nerastro di proporzioni insanabili.

Grande è l'agitazione della soccorrevole dama, estremo il suo sdegno.

– No, ma non è possibile, guarda in che stato è ridotto!

Strappa il bottone semistaccato, saggia sprezzantemente la resistenza dei due slabbrati taschini.

– Non c'è più niente da salvare, qui, bisogna proprio che ti decidi a buttarlo!

Mr. Silvera annuisce con aria contrita.

– A meno che tu non abbia qualche speciale motivo per conservarlo.

– No, no, – nega recisamente Mr. Silvera, – nessunissimo motivo.

133

Tenerissima è la premura della generosa dama mentre gli dice:

– Allora adesso quando usciamo te ne regalo uno io, non sai quanto mi farebbe piacere. Posso?

Mr. Silvera dichiara che il dono riempirebbe di gioia anche lui. Si toglie il decrepito indumento e intanto cerca di ricostruirne l'origine: se, chissà quando, chissà dove, l'abbia comprato lui stesso, o se in un'altra città, in un altro tempo, gli sia stato regalato da un'altra donna per non essere dimenticata.

4.

Il ghetto di Venezia, che ha dato il nome ai ghetti di tutto il mondo, è oggi appena distinguibile dal resto della città. Le sue *schole* di diverso rito – italiano, sefardita, askenazi – si confondono col resto degli edifici, botteghe esoticamente ebraiche non se ne vedono, e se capita d'incontrare una figura dalla lunga barba e dal cappello nero a larghe tese, è molto probabile che si tratti di un rabbino americano in pellegrinaggio turistico.

Questo sapevo e pensavo mentre il taxi gorgogliava sommessamente per quei mortificati, avvizziti canali minori che fanno pensare alle rughe nascoste dietro l'orgogliosa facciata di un lifting. Non ero mai andata di proposito nel ghetto, c'ero passata un paio di volte per caso, e quel poco che c'era da vedere l'avevo visto.

Eppure:

– È ancora presto. Andiamo a fare un giro nel ghetto? – Mie le parole, mia la voce, mia l'idea.

Perché?

Ma perché adesso c'era David, per rivederlo con David, ovviamente. Dopo Chioggia, niente che avessi visto senza di lui mi pareva che contasse o addirittura esistesse più. Tutto andava tratto dal limbo pre-amoroso e riveduto, controllato: dal lago di Costanza a una merceria di rue Lepic a Mont-

134

martre, dal Canada occidentale a quel giardinetto che c'è dietro San Celso, a Milano. Una verifica vertiginosa.

Ma perché cominciare proprio dal ghetto?

Devo rispondere che non so più, non distinguo più, non posso escludere niente, tutto mi sembra retrospettivamente fortuito e insieme intenzionale, innocente e insieme premeditato, sia da parte sua che mia.

Io forse fui anche spinta dal desiderio sentimentale – e totalmente privo di senso – di vedere David nel suo ambiente, per così dire, nel suo mondo: come se ci potesse essere un qualsiasi legame speciale tra lui e il ghetto di Venezia, come se – sbarcando dal motoscafo al ponte delle Guglie – mi aspettassi una folla di mercanti, di prestasoldi, di cabalisti, di bambini, di donne in lunghi abiti scuri che gli correvano incontro, guidati da rabbi Schmelke o da Jacob Isaac, il veggente di Lublino, facendogli festa in tutte le parlate e i dialetti della Diaspora.

Ma dalla porta del ghetto – apertura insignificante tra meste case – non uscì che un piccione a passi titubanti, e io mi sgomentai all'idea che di quel "suo mondo" David ne sapesse ancora meno di me, o di ritrovarmi, al contrario, davanti a un muro di silenzio voluto, come nel caso degli affreschi staccati, del ritorno in corriera da Chioggia, o del misterioso Fugger. Fu a questo punto che lui mi disse dell'antica fonderia o *getto* (pronunciato "ghetto" dagli ebrei tedeschi) che aveva dato nome al quartiere: cosa già nota a me e a qualsiasi comitiva.

Ecco, pensai avvilita, non sa o non vuole proprio dirmi niente.

Aggiunse invece che nel gergo giudaico-veneziano, già verso la metà del '500, ghetto si diceva *chazèr*.

– Ah, sì?... Chazèr... – ripetei sollevata.

E mi sollevarono, mi confortarono, altre notizie curiose, cui non mancai di aggiungere i miei ricami fantastici. Seppi che, per decreto della Repubblica, la comunità doveva stipendiare un trombettiere cristiano incaricato di segnalare ogni sera la chiusura delle porte, oltre a quattro guardie che per tutta la notte pattugliavano in gondola i canali di confine (e vidi David in un lungo mantello che si calava da una finestra, saltava in un barchino e scivolava silenzioso verso chissà quali convegni). Che fuori del ghetto gli abitanti erano tenuti a portare una berretta gialla (intravidi inorridita David con quell'umiliante copricapo), anche se poi in pratica ben pochi rispettavano quell'obbligo (ah, menomale). Che i medici ebrei erano richiestissimi e liberi di andare e venire quando e dove volevano, senza che nessuno si sognasse di fermarli (arcigne pattuglie notturne s'inchinavano a David e alla sua nera valigetta). Che finalmente, con l'arrivo di Napoleone nel 1797, le porte erano state divelte, fatte a pezzi e bruciate, mentre la popolazione festeggiava l'evento attorno all'albero della libertà. Anche alcuni rabbini, trascinati dall'entusiasmo, avevano ballato allegramente con gli altri (non David, che da una cantonata contemplava la scena, sorridente ma distaccato).

Ricami ingenuamente fantastici, certo. Ma adesso non so più, non distinguo più. Era il quartiere, così vuoto e malinconico, a chiedermi quel contributo di coloritura? Era l'amore a rendermi così suggestionabile? O non era, ancora una volta, Mr. Silvera a "manovrarmi" sapientemente, a evocare quelle immagini con la voce, le pause, le esitazioni?

Eravamo entrati nel Ghetto Vecchio (che era poi, appresi, più recente di quello cosiddetto Nuovo: più vecchia era stata solo la fonderia) e c'eravamo fermati a leggere l'ormai quasi illeggibile lapide murata pochi metri oltre la porta. Secoli di piogge, di nebbie, di venti, avevano a poco a poco espunto dal marmo ogni severità burocratica, così che adesso quello screpolato elenco di divieti e di pene aveva qualcosa di desolatamente cartaceo, come di vecchia e sbiadita lettera:

...CHE SIA RIGOROSAMENTE PROIBITO A QUALUNQUE EBREO ED EBREA DOPPO FATTI CHRISTIANI IL CAPITARE E PRATTICARE SOTTO QUALSIVOGLIA PRETESTO

NEI GHETTI DI QUESTA CITTÀ, D'INTRODURSI NELLE
CASE PARTICOLARI DI ALCUNI DELLI EBREI O EBREE,
SOTTO PENA IN CASO DI TRASGRESSIONE DI CORDA PRI-
GIONE GALERA FRUSTA BERLINA ET ALTRE MAGGIORI
AD ARBITRIO DI LORO ECCELLENZE HAVUTO RIGUAR-
DO ALLA QUALITÀ DEL DELITTO E DEL DELINQUENTE.

Il decreto, mi spiegò David, riguardava i "marrani", visti
dovunque come portatori di ambiguità, di opportunismo,
di doppiezza. Convertiti per necessità o per calcolo, questi
infelici erano sorvegliatissimi dalla Repubblica, che li so-
spettava di praticare in segreto la vecchia religione. Vittime di spie, delatori, ricattatori, non erano amati da nessuno, non erano niente per nessuno, nemmeno per se stessi.

E io lo vidi, traditore, rinnegato, marrano, che sgattaiola-
va rasente i muri, si nascondeva nell'ombra dei portoni,
mentre dalle finestre donne dagli occhi d'ebano e solenni
vegliardi lo guardavano con infinito disprezzo. E quasi mi
chiesi se non fosse davvero, lui, David Silvera, oggi, un
traditore, se di lì non venisse tutta la sua elusività di mystery man. Un uomo doppio. Un agente doppio. Forse nemmeno ebreo, in realtà. Uno che s'infiltrava nel mondo con
un passaporto falso, capace di ogni abiura, di ogni voltafac-
cia. E disperatamente infelice.

Lo guardai. Aveva un'aria divertita. Che c'era di tanto
divertente?

– Pensavo a quei cristiani che sotto Nerone o Dioclezia-
no non se la sentivano di farsi mangiare dai leoni. Ce ne
saranno pure stati, no? Nessuno ne parla mai, di questi
non-eroi, nessuno li ricorda con una statua, una via. Eppure ci vorrebbe poco, come indirizzo non sarebbe neanche
male: Piazza dei Non-martiri Cristiani 18/A.

Sì, ricordo di quella visita anche le risate, come quando
mi parlò della disputa delle gondole, un talmudista dottis-
simo ma spregiudicato, o forse soltanto pigro, argomenta-
va che andare in gondola di sabato era perfettamente leci-

to, data la conformazione della città. La questione fu a lungo discussa, ma alla fine prevalsero i rabbini più conservatori, la gondola, di sabato, restò *asur*, proibita.

Continuammo per la calle di Ghetto Vecchio, oltre la sinagoga spagnola e quella levantina, tra nudi strapiombi di case. Tutte le case erano di un'altezza inverosimile, qui, perché gli abitanti avevano dovuto sfruttare al massimo la ristretta zona assegnata. Le finestrelle erano fittissime, schiacciate disordinatamente le une sulle altre, e dallo stato lebbroso degl'intonaci e dei davanzali si sarebbe detto che nessuno abitava più quei tuguri, come dopo un pogrom o una pestilenza. Ma le intelaiature erano quasi tutte di alluminio anodizzato e qua e là ornate da festoni di biancheria che pendevano inerti nell'aria inerte.

– Chissà se gl'inquilini sono ancora ebrei?

David non lo sapeva, ma sapeva che molti erano stati portati via anche di lì, al tempo dell'ultimo massacro.

Gli presi il braccio, mi strinsi a lui.

– Tu allora dovevi avere pochissimi anni, no? E dov'eri?

– Be', – disse lui, – ero già allora un po' di qua e un po' di là, piuttosto sballottato, per quello che posso ricordare. Ma è stato così che ho potuto cavarmela. Ho avuto fortuna.

Oltre il ponticello sul rio, il campo di Ghetto Nuovo era triste e grigio, una vasta padella raschiata. Andammo a sederci su una panchina e David mi baciò leggermente e mi disse che tra i tanti divieti fatti agli ebrei c'era anche quello di fornicare con donne cristiane, fossero pure prostitute.

– E la pena?

– Secondo la gravità dello scandalo.

– Ma noi due, per esempio?

– Una gentildonna? Mah, suo marito l'avrebbe mandata in convento per un po'.

– Che noia. E tu?

– Sei mesi o un anno di prigione, più non so quanti zecchini d'ammenda.

Dei bambini correvano rapidi e striduli come gabbiani colorati, calciando una palla tra i pochi alberi spogli. David raccolse da terra un volantino rosso che annunciava una liquidazione di borse e valige dalle parti di Rialto. Così erano press'a poco, disse, le ricevute dei prestasoldi del ghetto, rosse o verdi o gialle. Una folla di veneziani poveri riempiva ogni giorno il campo portando ai tre banchi dei pegni – laggiù sotto il lungo portico – i suoi oggettini d'oro e d'argento e tornandosene a casa con quei foglietti multicolori rilasciati dai vampiri giudei. Ma i vampiri giudei non avevano nessuna voglia di fare i vampiri, ci rimettevano, imploravano continuamente il governo di esentarli da quel compito ingrato e rovinoso. Ma continuamente il governo rifiutava, i prestiti ai poveri erano un problema sociale e ci dovevano pensare gli ebrei a risolverlo, anche in perdita. Se no, niente permesso di soggiorno, niente rinnovo della "condotta".

– Una specie di ricatto.

– Una specie di tassa.

– Ma anche a Venezia potevano cacciarli via in qualsiasi momento?

– Sì, ma con un minimo di riguardo, un certo preavviso.

– Gentili.

Vedevo David salire gradino dopo angusto gradino fino al settimo piano di una di quelle case altissime, e annunciarmi (io mi ero convertita) che era finita, che ci cacciavano via, dovevamo prendere le nostre poche cose, la sua sfiancata valigia, e andarcene. Ma dove? Chissà. In giro per il mondo. A Corfù, a Salonicco, a Negroponte, dove capitava. Ma era pazzesco, non c'era sicurezza, non c'era futuro, non c'era durata, non era una vita...

– Ma non era una vita! – dissi.

– Ah, – disse Mr. Silvera.

Mi fissò con quella che mi parve una sconsolatezza insostenibile, e dopo un momento lasciò cadere il foglietto rosso tra i gusci di noccioline e le foglie secche.

– Ah, – ripeté senza più guardarmi.

Precipitai. C'era, sentii con disperazione, qualcosa che questa volta davvero avrei dovuto capire, e che se non capivo era solo per colpa mia, perché non ero all'altezza...

Un uomo basso, tozzo, con un giaccone di velluto sbucò dal fondo del campo, frenò a poco a poco i suoi passi indecisi e si fermò infine con le mani in tasca a guardare i bambini che giocavano.

La vita, non solo degli ebrei, ma di tutti, anche la mia, era così, precaria, minacciata, appesa a un filo, revocabile sempre da un momento all'altro: era questo, forse, che aveva cercato di dirmi e che io non riuscivo a capire? Che non c'erano mai vere sicurezze per nessuno, mai vere radici in nessun posto, che lo stesso *chazèr* galleggiava labilmente sull'acqua e poteva andarsene anche lui chissà dove, allontanarsi alla deriva verso Corfù, Smirne, Antiochia, Costantinopoli, look, look, Mr. Silvera?

La palla rotolò adagio verso l'uomo col giubbone, che si tolse le mani di tasca preparandosi al tiro.

Era per questo, allora, che gli ebrei erano sempre stati odiati e perseguitati? Perché negavano l'illusione della durata, il sogno della stabilità, incarnavano il transito irrimediabile su questa terra di tutte le cose? Anche dell'amore. In primo luogo dell'amore.

I bambini s'erano fermati. Attento, concentrato, l'uomo prese la mira col piede, calciò con forza e mancò completamente la palla, che proseguì la sua fiacca corsa sul selciato del campo.

– Ma va' là, cossa ti vol zogàr! – urlò uno dei bambini.

Altri due corsero a recuperare la palla.

– Andiamo via, – dissi alzandomi.

L'uomo, ricacciandosi le mani in tasca, si avviò con la sua mortificazione verso uno dei due ponti, noi ci allontanammo verso l'altro, e ad animare il ghetto non restarono che le grida dei bambini, trafelate e decrescenti.

5.

La meta successiva è una vecchia bottega nei pressi della Lista di Spagna. Una meta divertente, o che tale sembrava prima della visita al ghetto. Si tratta di una bottega di abiti usati, nota da tempo a Mr. Silvera, e che una rapida indagine condotta dall'albergo ha rivelato essere tuttora in attività.

Impensabile, inconcepibile è infatti che Mr. Silvera si presenti alla cena di stasera vestito a nuovo. Prima di ripiegare su un funesto smoking ancora rigido di fabbrica, su un tragico tuxedo di seriale impeccabilità, bisogna tentare la strada per così dire dell'antiquariato, sperare in un indumento che senza avere un'aria troppo consunta, smessa, aliena, presenti tuttavia un minimo di passato, una patina storica degna di Mr. Silvera. Allegra incombenza, amabile gioco di arredamento corporale.

Ma dopo la visita al ghetto l'atmosfera è cambiata, la voce di Mr. Silvera, mentre camminano verso la non lontana Lista di Spagna, suona al suo stesso orecchio esageratamente animata, come quella di uno che voglia a ogni costo evitare il silenzio.

– E non solo gli vietavano di stampare i loro libri, ma di tanto in tanto glieli bruciavano pure, facevano grandi roghi di testi talmudici in piazza San Marco.

– Ma che orrore.

La conversazione prosegue così, per inerzia, senza più interesse da nessuna delle due parti. Dal divieto di stampare libri si passa a quello di tessere stoffe, perfino veli, e di qui – stentatamente – al ripiego sulla *strazzaria*, cioè sul commercio di stracci e abiti usati, tradizionalmente in mano agli ebrei a Venezia come in tante altre città.

Ma anche questa bottega della Lista di Spagna è di ebrei?

Sì, di un vecchio ebreo di nome... di nome... Peres, forse, o Perez, con la zeta.

Ma quando c'è stato l'ultima volta, Mr. Silvera? Forse all'epoca in cui gli affreschi del Pordenone erano ancora a Santo Stefano?

No, no, molto dopo, tre anni fa, massimo quattro.

Per vendere o per comprare?

Per vendere. Un cappotto troppo pesante, un loden con un'imbottitura spropositata.

Ah, ecco.

Il fatto è – riflette Mr. Silvera mentre traversano il campo San Geremia – che la superficialità è un'arte difficile da praticare, soprattutto con una donna come questa, dotata di un forte senso dell'implicito. Del resto il non-precisato, il non-spiegato, il non-detto, comincia a premere anche su Mr. Silvera, la finzione del "come se niente fosse" costa sforzi sempre maggiori anche a lui. Nelle ultime ore ci sono state da parte sua alcuni piccoli cedimenti, determinati certo dalla sua condizione di stanchezza, ma spiegabili anche – è inutile negarlo – coi sentimenti che Mr. Silvera prova per la sua compagna.

Per emergere da quest'acqua emotivamente, pericolosamente alta, e rimettere i piedi su un terreno più spensierato e frivolo, Mr. Silvera le prende il braccio (gesto affettuoso, ma anche simbolico) e la interroga su questa signora della cena, su questa Cosima.

Una donna – non tarda ad apprendere – sposata e divorziata due volte, molto vista l'inverno scorso al seguito di un influente giornalista economico, ma attualmente in crisi d'identità e perciò più che mai in cerca di saldezze, più che mai scatenata nell'organizzare le sue cerimoniali cene in onore di qualche potente, di qualche Personaggio ufficialmente riconosciuto. Un po' ingenua e anche un po' stupida, insomma, ma dopotutto simpatica. Una vecchia amica. Cioè: non esattamente amica-amica, ma in un senso...

– Bella?

– Bella... diomio, sì, bella, in un senso... se per bellezza s'intende una certa.... da un punto di vista non troppo... ma insomma... sì... una bella donna.

La bottega che Mr. Silvera non era sicurissimo di ritrovare subito è sempre all'imbocco della calletta, dopo la macelleria d'angolo, ma non ha più nulla di timido, di furtivo. Ha montato sopra la porticina un'orgogliosa insegna in anglo-veneziano, "Thrifteria - Strazzaria", e si è molto ingrandita all'interno, annettendo locali adiacenti. Anche l'illuminazione, che Mr. Silvera ricordava piuttosto rembrantiana, per non dire avara, è adesso poco meno che accecante, e insieme alle ragnatele dell'ombra sono state annientate le farfalle del silenzio, mediante un pervasivo pesticida rock che agisce in sottofondo.

Il vecchio ebreo (Mendes, si chiamava, Abramo Mendes!) è morto, la bottega è stata presa in mano da una sua nipote che ne aveva già due analoghe a New York e che in poco tempo ha trasformato anche questa in un successo. Una donna in gamba, con un gran fiuto per le mode, il mercato, che sa far funzionare le cose anche da lontano.

La ragazza che spiega tali vicende è alta, magra, con lunghi capelli neri tirati spietatamente sulla nuca alla maniera delle ballerine d'opera. Così denudato e spinto in avanti, il suo viso ha una durezza drammatica, smentita però dal sorriso accogliente, dalla soffice cadenza veneta con cui illustra ai visitatori le varie ricchezze della thrifteria. Una parete intera è occupata da un'esposizione di maschere e bautte di tutti i colori, argentate, dorate, smaltate, di cartapesta, di raso, di legno, di velluto, di pelliccia, in forme grottescamente diaboliche, delicatamente floreali, mortuariamente anatomiche.

No? I costumi, allora?

Siepi di costumi carnevaleschi occupano quasi tutta la prima stanza. Mr. Silvera scuote la testa, ma la donna che è con lui non può rinunciare a estrarne uno, due, cinque – tutti maschili – e ad ammirarne e commentarne gli ampi drappeggi, gli alamari, i cappucci, i collari, i ricami, gli sbuffi. A lui non rivolge parole né sguardi, ma è chiaro che le piacerebbe farglieli provare tutti, fargli attraversare secoli di storia, dalla guarnacca al giustacuore e alla finanziera, per insediarlo finalmente in una cornice precisa: Trecento, o Cinquecento, o Medioevo barbarico, o Età romantica...

Mr. Silvera sorride, aspetta paziente, prosegue con le due donne verso lo strabocchevole reparto dell'usato, si addentra in un vago odore di lavanderia tra lunghe e sovrapposte file d'impermeabili, soprabiti, giubboni, giacche, completi a uno e a due petti, tra scaffali di camiceria e rastrelliere

143

di accessori, dalla cintura alla cravatta e all'ombrello. Quasi tutto è di provenienza americana e la ragazza esibisce orgogliosa certi "pezzi da collezione" degli Anni Cinquanta, Trenta, e perfino un grembiulone operaio di tweed risalente all'inizio del secolo.

Poi li guida in uno stretto locale dove pendono paralleli i vuoti involucri da cerimonia, a destra le multicolori tenute femminili, a sinistra la fila in prevalenza nera – ma ci sono dei bianchi, degli *écru*, dei blu-notte – degli abiti maschili.

– Ecco, qualcosa qui si dovrebbe trovare.

Mentre le donne, impazienti, lo precedono nella ricerca, Mr. Silvera contempla assorto gli schieramenti di quel ballo di fantasmi.

6.

La signora contessa (cioè Cosima) aveva telefonato pochi minuti dopo che la signora principessa (cioè io) era uscita, mi spiegò il portiere porgendomi la chiave. E non trovando me s'era rivolta direttamente a lui, Oreste Nava, in quel grave frangente. Era infatti accaduto... Ma io, forse, ero già informata di tutto?

– No, di niente, – dissi allarmata, – quale frangente?

La frattura (o quanto meno lo slogamento, non si sapeva ancora) d'una caviglia del maestro di casa, che aveva incespicato in un tappeto proprio durante i preparativi per la cena di stasera. Per cui la signora contessa sapendo che lui (Nava) aveva già soccorso altre famiglie in casi analoghi, aveva pensato di chiamare me perché pregassi vivamente lui...

Qui il portiere s'interruppe con un gesto di riprovazione verso il suo aiutante, un giovane dall'aria sveglia ma un po' cretina, il quale tardava a liberare David dalla sacca della thrifteria e dagli altri pacchetti degli acquisti.

Ma dovette interrompersi anche per modestia. Secondo

la smarrita Cosima, a quanto potei capire, io avrei dovuto supplicarlo, intercedere praticamente in ginocchio presso di lui, promettergli qualsiasi cosa perché stasera venisse a sostituire l'infortunato Cesarino.

Era comunque bastato il mio nome a deciderlo, mi assicurò. Per cui adesso – malgrado i suoi anni, i suoi reumatismi e la giornata di lavoro che aveva già sulle spalle – si disponeva appunto a correre dalla signora contessa col suo aiutante Luigi.

– Io, – disse con vivacità quest'ultimo, – sostituisco un moro, inquantoché...

Nava lo mise a tacere con un'occhiata, ci pregò desolato di scusarlo, e si mise a spiegarci lui come la padrona di Cesarino tenesse per i ricevimenti d'apparato due mori, che essendo però uno etiope e l'altro somalo, tendevano a litigare. Era dunque sembrato più prudente, date le circostanze...

Ma io avevo smesso di ascoltarlo, sia perché dei mori lo sapevo già, sia perché m'era parso d'indovinare, d'un tratto, a quali superiori disegni dovesse servire la cena da Cosima.

Non si trattava d'intrattenere un qualsiasi trombone di questa terra, presidente di consiglio, repubblica, multinazionale o altro che fosse. Si trattava di decidere di onorare definitivamente Mr. David Silvera, l'errabondo eroe dell'Imperial Tours, nelle recuperate vesti del divino Ulisse.

Era quello lo scopo d'un così largo consesso di Numi, da Cosima in veste di maga Circe al grave dio Nava e al suo coppiere Luigi... allo zoppo Efesto nei panni di Cesarino... alla litigiosa coppia di divinità africane... a me stessa come sventurata ninfa Calipso... e a tutti i semidei, a tutte le semidee invitate stasera.

VIII
LA LIVREA DI CASA, GIUBBA DI PANNO

1.

La livrea di casa – giubba di panno amaranto, gilè bianco – va un po' larga al giovane Luigi: le maniche sono di un buon dito troppo lunghe, le spalle lievemente abbondanti, e il colletto non aderisce bene, s'inarca sotto la nuca in un'ansa spiacevole.

Accigliato, Oreste Nava esamina ancora una volta da capo a piedi il suo aiutante poi volge lo sguardo a Cesarino, l'infortunato maestro di casa, che siede in poltrona, faccia al televisore spento, col piede poggiato sopra uno sgabello e avvolto in una cospicua fasciatura. La camera ha il soffitto basso ma è molto spaziosa e arredata con solida, vecchiotta eleganza: stampe alle pareti, tappeti, e in un bel cache-pot di bronzo una rigogliosa aspidistra. Accanto all'alto letto di ferro è stata premurosamente sistemata una brandina, in modo che il povero Cesarino non abbia problemi di arrampicamento quando andrà a dormire.

Oreste Nava e Luigi sono saliti quassù per il riepilogo e il controllo finali, e ora Cesarino fa un cenno di approvazione.

– Può andare, – dice senza entusiasmo. – Come ti ci senti dentro?

Luigi si dimena nella livrea al modo dei contorsionisti da fiera.

– Benone! – annuncia euforico.

– Mi raccomando, ti devi muovere solo quel tanto che basta, devi soprattutto controllare i gesti. Una cena non è una partita di pallacanestro.

146

– Mai giocato a basket – ribatte Luigi, spiccando un salto e mimando una presa volante.

I due uomini si scambiano un'occhiata sospirosa, e Oreste Nava si china a raccogliere il plaid – morbidissimo – che dalle gambe di Cesarino è scivolato a terra. Il mastro mormora un grazie in bilico tra la regalità e l'autocompassione, dà un'occhiata all'orologio.

– Andate, adesso.

– Tu prendi quel vassoio, lo portiamo giù noi, – ordina Oreste Nava al suo aiutante.

Luigi, che si sta ammirando nello specchio sopra il comò, solleva dal piano del mobile il ricco vassoio col quale Cesarino è stato rifocillato alle cinque, e si avvia alla porta.

– E mi raccomando quel tappeto, – lo ammonisce ancora il mastro, – ci vuole niente a incespicare.

In cucina il cuoco e i suoi aiutanti si muovono come chirurghi in sala operatoria, sobbalzano indignati quando Luigi depone di schianto il vassoio sul mortaio di pietra, unico posto libero. Ma non aprono bocca. Entra in fretta la padrona di casa, mettendosi a confabulare sottovoce col cuoco, e Oreste Nava nota che la deferenza di costui non è servile, indica rispetto professionale, da competente a competente. Del resto la signora è una perfezionista occhiutissima, di quelle che rompono un po' ma sanno apprezzare. Nulla le sfugge, e quando si volta a scrutare Luigi, due secondi le bastano per cogliere tutto quel che c'è di insoddisfacente nel giovanotto e nella sua tenuta.

Anche se conclude con un caldo sorriso d'incoraggiamento:

– Benissimo. Magnifico. Perfetto.

Bella donna, già vestita e truccata, ma senza ancora i gioielli. Bella pelle, splendide spalle nude. E il bianco le dona, niente da dire. Percorre svelta l'infilata di salotti e salottini verso la sala da pranzo, per un'estrema ispezione, e Luigi, seguendola, ne esagera voluttuosamente l'ancheggiamento.

Oreste Nava cerca di ricordare se a quell'età anche lui

non avesse altro per la testa, se un bel sedere sembrasse anche a lui il supremo risultato della Genesi. Ma è certo comunque di non essere stato un buffone.

Rifila con discrezione una botta nelle costole dell'insolente pagliaccio e pensa: un pagliaccio e un moro, che Dio ce la mandi buona.

2.

Ci sono a Venezia altre due padrone di casa che contendono a Cosima il primato mondano. Nel loro piccolo, cioè, e con gli artigianali strumenti del pranzo e della cena, del cocktail e del ballo, tutte e tre cercano la soluzione di un problema di fronte al quale impallidiscono i più agguerriti sociologi, impazziscono i computers più sofisticati: stabilire chi conti davvero, e chi no, nel fluido mondo di oggi.

Una delle tre (la più rocciosa, la più patetica) opera con pervicacia nel tradizionale ramo nobiliare europeo, puntando sugli ultimi regnanti in attività, monarchi spodestati, dimenticati, creduti morti da anni, sparsi principi del sangue, problematici eredi di imperi scomparsi. Un "giro" che le altre chiamano "archeologico" o "sepolcrale", precisando che la sede appropriata di quei conviti sarebbe a rigore l'isola di San Michele col suo cimitero.

Non manca naturalmente una segreta invidia, in questi sarcasmi. Ma di invidia e sarcasmo è oggetto anche la seconda (la più aggressiva, la più ilare) che rincorre invece sfacciatamente, indiscriminatamente, l'attualità internazionale, pur sotto pretesti connessi bene o male con la cultura: il grande violoncellista russo, ma anche, perché no, la forsennata rock-star; il massimo specialista dell'arte incaica, ma anche, non dirmi, il bellissimo attore inglese adorato da tre miliardi di telespettatrici. In altre parole cani e porci, sibilano le altre due. Divorandosi tanto più di curiosità quanto più quei personaggi sono popolari, volgari, infrequentabili.

Il Sangue. La Notorietà. E infine il Potere, che Cosima (la più orgogliosa, la più smarrita) associa, come il pane al burro, al titolo di Presidente: del partito o del consiglio, della multinazionale o della banca, della fondazione o dell'associazione, dell'ente mondiale o dell'istituto intercontinentale. È un titolo che l'affascina di per sé, una parola che pronuncia con indugiante sensualità, presidente... presidente...

Lei stessa è, o è stata, presidentessa di mezza dozzina di comitati di beneficenza, d'intervento, di soccorso, vecchi grimaldelli per aprire le porte del potere. Ma i tempi sono sempre più infidi, le gerarchie sempre più instabili, non di rado le porte si rivelano finte, o danno su uno sgabuzzino polveroso, su una fogna, sul vuoto: il potere non è più lì, forse non è mai stato lì.

Continuamente, dolorosamente spiazzata, Cosima ricomincia da capo, con un altro presidente, soffocando ogni volta la voce che le sussurra: e se i fili del vero potere passassero magari per le mani del vicepresidente? E ci sono presidenti onorari, forse tagliati fuori o forse invece ancora influentissimi. Ci sono ex presidenti, alcuni dei quali conservano il diritto al titolo, altri no. Ci sono futuri presidenti, presidenti ad interim, presidenti di fatto, presidenti-ombra, cripto-presidenti...

Per non sbagliare, Cosima allestisce una cena in onore di ciascuno, nella sua classicheggiante, tardo-rinascimentale dimora sulla Sacca della Misericordia, scegliendo con cura gli ospiti di contorno: le donne belle, o interessanti, o spiritose, o aristocratiche; gli uomini importanti, ma non troppo, intelligenti, ma con misura, brillanti, ma fino a un certo punto. Più che cene, dice Raimondo, sono in realtà dei monumenti, dove gl'invitati hanno il ruolo delle statue allegoriche attorno allo zoccolo sul quale svetta, solitario e marmoreo, il Presidente.

– Ma presidente di cosa? – sussurrai a Raimondo che ci era venuto incontro a mani tese tra le semi-colonne dell'atrio. In mancanza di un marito o di un amante consolidato dall'uso, era lui, come cugino di Cosima, a ricevere gli ospiti.

– Come dici, scusa?

Si girò distratto verso di me, mi prese, complice, per un braccio.

– Il presidente.

– Ah, sì, di un qualche anno del... non so bene. Ma senti...

Guidandomi in direzione del vestibolo accennò col mento a David che aggirava una colonna pochi passi più in là, e abbassò la voce, chiuse perfino gli occhi, per mormorare:

– Folgorante, il tuo giudeo.

– A chi lo dici.

– Con l'età non ci siamo, ma ti giuro che quasi quasi...

– Raimondo, ti prego!

– Sai che non sono riuscito a saperne niente, dalle mie spie? Dove l'hai trovato, chi è?

– Ah, – dissi io, meglio che potevo.

Ma l'imitazione andò comunque perduta, perché nel vestibolo c'era già un gruppo di altre statue allegoriche intente a liberarsi di cappotti e pellicce e ci trovammo risucchiati in un fitto cruciverba di sorrisi, occhiate, inchini, presentazioni. Conoscevo qualcuno, qualcuno no. Sopra una console autenticamente veneziana, sormontata dal ritratto di un'antenata autenticamente medicea di Cosima, notai la preziosa lamina segnaposti, un pizzo d'avorio traforato e istoriato in cui, attorno a un rettangolo simulante il tavolo, erano infilati i cartoncini coi nomi degli ospiti per fargli sapere in anticipo dove sarebbero finiti e vicino a chi. Andai a sbirciare.

Al centro, Cosima e Raimondo faccia a faccia, ovviamente. E ovviamente il Presidente alla destra di lei. Alla sua sinistra un (vicepresidente?) cinese, Mr. Wang Weimo. Poi venivo io, con alla mia sinistra un Monsieur Un Tel. Avrei avuto David quasi di fronte, accanto alla signora Wang.

Tornai alla carica con Raimondo.

– Ma che tipo di Presidente? Uno che dà i soldi o che li chiede?

– Francamente non so. È Presidente di un anno, preparano un altro di quegli anni internazionali: l'Anno del Cardiopatico, l'Anno dello Zio, l'Anno della Mucca, sai, no?... Cosima aspira alla presidenza per l'Italia, presumo.

– Ho capito. Ma lei dov'è sparita?

– Si sta già lavorando il Presidente, gli fa vedere i dessous del palazzo.

– E non esiste una presidentessa?

– Esiste, ma pare che sia il genere che resta a casa ad allattare i presidentini. Vieni, andiamo a prenderci qualcosa da bere.

Nel salottino degli stucchi David s'era messo a parlare con una bella donna a me sconosciuta che rideva molto, troppo.

Ed era lui, leggermente inclinato in avanti, che la faceva ridere.

Ed ero io che l'avevo portato qui, a condividerlo con cani e porci, invece di tenermelo tutto per me nella nostra isola alberghiera.

L'anno della cretina internazionale.

E mentre anche Raimondo mi tradiva con un signore dalla serissima barba grigia e la rosetta della Legion d'Onore all'occhiello, mentre sua nipote Ida marciava su di me con l'evidente intenzione di rifilarmi la moglie del cinese, deliziosa ma sicuramente non-parlante-se-non-il-cinese, Cosima fece la sua drammatica apparizione: tratta in arresto dal Presidente.

Costui, un omone di pelo rossiccio, di pelle lentigginosa, le aveva messo famigliarmente una grossa mano attorno al collo e la sospingeva verso il più vicino commissariato. Un cordialone. Un giovialone.

Lei, di là sotto, ci falciò tutti con un'occhiata di sfida che diceva: a un Presidente è permessa qualsiasi cosa e il primo che si azzarda al benché minimo sorrisetto entrerà per sempre nel mio libro nero. Fu forse un caso (o forse no?) se il suo sguardo fece in tempo a cogliere sulle labbra di Mr. Silvera quel sottilissimo sorriso a filo d'erba.

Un inizio poco promettente.

3.

Mr. Silvera sa di essersi già fatto un amico e una nemica, un ammiratore e una disprezzatrice. L'amico e ammiratore è questo Raimondo, che siede ora accanto a lui su un pallido divano in attesa della cena e si va informando sul suo abbigliamento con liquidi mormorii di meraviglia. Sembra incantarlo soprattutto la camicia da sera, che ha un vaporoso jabot ottocentesco e contemporaneamente un colletto tenuto a posto sulle punte da due bottoncini. È una camicia americana di oltre vent'anni fa, spiega Mr. Silvera, con l'etichetta dei Brooks Brothers, trovata alla Lista di Spagna questo pomeriggio stesso.

– No, ma è divina, – fa l'altro sfiorando con le dita il jabot. – E che idea pro-di-gio-sa di andare in una strazzeria, le cose nuove sono sempre spa-ven-to-se. Una volta, a St. Moritz, mi avevano invitato a...

Segue un aneddoto in cui Raimondo risulta aver fatto una figura penosamente ridicola, ma Mr. Silvera non è tratto in inganno dalla volubilità mondana e dalla ostentazione di omosessualità dell'interlocutore. Sa che il vero movente è generoso, protettivo. Raimondo ha visto poco fa la padrona di casa squadrare con sospetto Mr. Silvera, prendere atto della singolare camicia, rilevare la quasi impercettibile differenza di tonalità tra la giacca, di un blu così notte da sembrare nero, e i pantaloni, che sono del nero classico. E ha sentito la padrona di casa sottoporre Mr. Silvera a un breve, acidulo interrogatorio.

Imparentato coi Silvera di San Paolo del Brasile, quelli che...

No, no.

A Venezia di passaggio?

Sì, per qualche giorno.

Turismo? Lavoro?

Lavoro, lavoro.

Antiquariato anche lui?

No, no. Agenzia di viaggi. Imperial Tours.

Ah, per la settimana "Turismo e Informatica" che si apre dopodomani alla Fondazione Cini, presieduta da...?

No, no.

Ma Mr. Silvera rappresenterà la Imperial al summit di Trieste? Ne è per caso il presidente? Il vicepresidente?

No no, Mr. Silvera è semplicemente un accompagnatore, una guida, insomma quello che porta le comitive a vedere Rialto e il Ponte dei Sospiri.

Raimondo ha sentito la padrona di casa emettere una risata altamente innaturale, ha letto nei suoi occhi il dilemma: scherzo niente-spiritoso o verità-da-svenimento-immediato? L'ha vista riprendersi, girare brusca le spalle a Mr. Silvera, lasciandolo cadere come persona comunque non grata, che la sua amica romana mai e poi mai avrebbe dovuto sognarsi di portarle in casa, e per di più a una cena di questa importanza.

È stato allora che Raimondo si è preso cura di Mr. Silvera, gli ha teso una mano solidale, amica, sotto specie di vacuo chiacchiericcio. Mr. Silvera non ne ha bisogno, non si sente minimamente a disagio in questa che è fondamentalmente una comitiva come qualsiasi altra comitiva. Ma apprezza l'intenzione, è grato per il piccolo gesto.

Ora il buon samaritano prende una mandorla dal vassoio che gli presenta un bruno domestico in livrea amaranto, mordicchia lezioso, avvicina la testa a quella di Mr. Silvera e gli sussurra un altro aneddoto, questa volta sulla padrona di casa: che ci teneva tanto all'idea di avere due domestici di colore – due "mori" come si usava nelle antiche case veneziane – e alla quale uno dei suoi comitati contro la fame nel mondo aveva infine procurato due africani molto decorativi ma purtroppo di due etnie diverse, etiope scioana e somalo migiurtina, nemiche mortali da secoli; sicché non potevano essere utilizzati insieme, combinavano terribili malestri.

Mr. Silvera ride quanto è necessario a questo che sembra un pettegolezzo di malalingua alle spalle della padrona di casa; e che è invece un segnale di riconoscimento tra uguali, tra saggi, disincantati conoscitori delle umane debolezze. E per far capire che ha capito, scivola con leggerezza dalla perfidia all'indulgenza, osserva che il desiderio di avere ai lati di una porta due "mori" di carne e ossa anziché di legno o ceramica, è in fondo un sintomo di freschezza, di simpatica ingenuità, un capriccio da bambina che cura meticolosamente la sua casa di bambole.

Gli occhi dell'altro sfavillano di gratitudine. Ma infatti, ma infatti! Cosima non lo sa, ma il suo massimo charme è proprio questo. È una donna che si crede pratica, realistica, astuta, dura, e che vive al contrario in una perpetua favola, in un mondo popolato di figure allegoriche, la Fame, la Speranza, la Fratellanza, l'Epidemia, il Capitale, lo Sviluppo. Una donna semplice, segretamente timida, sprovveduta, che con queste astrazioni si protegge dall'urto con i Fatti della Vita.

Il passaggio alla psicologia è compiuto, ogni velenoso vapore di pettegolezzo è dissipato. E quando l'oggetto della conversazione fa di lontano un cenno di richiamo a Raimondo, questi si alza sussurrando benevolo:

– Con Cosima, bisogna in un certo senso mettersi sempre in costume, altrimenti non capisce, non apprezza, non si diverte.

E a voce ancora più bassa, sfiorando ancora il jabot, aggiunge:

– Lei non ha un qualche vestito allegorico da mettersi?

Mr. Silvera annuisce, sorridendo anche lui:

– Più di uno, – dice. – Più di uno.

4.

I commensali hanno appena finito di prendere posto attorno al prolungato ovale del tavolo e Oreste Nava, ritto fra due mensole, severo nel suo frac, li domina come un direttore d'orchestra. Ciò che vede lo soddisfa, gli piace.

Sull'immensa tovaglia, che oltre allo stemma di famiglia alle due estremità esibisce la civetteria di qualche piccolo rammendo, sfolgorano i cristalli e gli argenti, i fiori e le porcellane, e la luce di ventiquattro candele impreziosisce i candidi sparati dei signori, gli occhi delle signore, le loro unghie laccate, i loro inestimabili gioielli. È una scena di armonia e di magnificenza, cui contribuiscono in secondo piano, alle pareti, sei grandi tele traboccanti di fiori, fogliami, selvaggine, pesci, molluschi, frutti. E dall'alto, stucchi cremosi, legni rosseggianti e dorati chiudono delicatamente questa nobile scatola, mentre in basso i mosaici del pavimento fanno ala a un tappeto di proporzioni imponenti che tuttavia mantiene una sua aria di sommessa, supina praticità.

È il tappeto in cui Cesarino ha inciampato, e Oreste Nava ne ripercorre con l'occhio il perimetro in cerca di eventuali pieghe o subdole gobbe. Tappeto traditore ma propizio, perché senza di lui Oreste Nava ora non sarebbe qui, spettatore e attore in questa bella cerimonia. Ai due lati del paravento che occulta il corridoio di servizio, il giovane Luigi e il giovane Issà si tengono pronti a un suo segnale, il moro più sciolto, più teso e impettito Luigi. Oreste Nava pensa che, come capita agli sbruffoni, il ragazzo sia infine intimidito, se non spaventato, dalla solennità del momento; ma deve ricredersi quando i loro sguardi s'incrociano e il pagliaccio s'irrigidisce ancora di più, serra la mascella, tira indietro le spalle, gonfia il petto in una posa grossolanamente caricaturale. Nessuna serietà, mai. Nessuna coscienza.

Oreste Nava, impotente, lo fulmina; ma se anche ci fosse modo di rivolgergli la parola, che cosa saprebbe dirgli, in pratica? Che ci vuole un po' più di rispetto, ossia esattamente ciò che ripetono i vecchi brontoloni e rompicoglioni esponendosi alla replica immediata: quale rispetto, per chi, per cosa?

Impotente, Oreste Nava smette di arzigogolare. Una cena, ecco, deve riuscire perfetta, e tutti quelli che vi partecipano devono collaborare alla perfezione artistica dell'insieme.

In questo momento avviene il sacrilegio, ma perpetrato non dal povero Luigi, non dal moretto. Il colpo arriva dal rosso Presidente (mai fidarsi di un pelorosso!) che finisce di dire qualcosa alla padrona di casa, rivolge brevemente la parola alla sua vicina di destra, e poi dedica la propria attenzione alla tazza di ambrato consommé che ha sul piatto. Esita un momento. Dov'è il cucchiaio?

Oreste Nava rabbrividisce, se potesse si coprirebbe gli occhi con la mano. Perché quello infatti lo trova, il cucchiaio, lo impugna contento, lo immerge, lo porta alla bocca. Ma è un delicato, squisito, piccolo cucchiaio di vermeil! Un cucchiaio puramente di figura! Il cucchiaio del dolce, che non andrebbe mai usato nemmeno per il dolce!

Oreste Nava vede la padrona di casa afflosciarsi per un istante sotto lo choc, poi rialzare le spalle e la testa, impettirsi tutta come Luigi, e far scorrere lungo l'ovale del tavolo uno sguardo imperioso. E via via gli ospiti, chi per amicizia, chi per acquiescenza, chi per divertimento, cominciano anche loro a prendere il cucchiaio di vermeil e a immergerlo nel consommé, uno dopo l'altro. Una grande prova di forza, una prova di grande tatto.

Imposto il suo gioco, la padrona di casa beve un sorso d'acqua e lascia intatta la sua tazza, scegliendo per sé la via del compromesso, o piuttosto del privilegio indiscutibile.

Ma no! Qualcuno non ci sta, qualcuno tiene duro!...

Paralizzato nel suo frac, prigioniero del silenzio, Oreste Nava non ha mai tanto desiderato che la telepatia fosse una cosa più o meno come il telefono. Perché senza dubbio il denso Luigi si lascerà sfuggire la grande lezione offerta da Mr. David Silvera, il quale ora solleva come si deve la tazza per i due manici e se la porta alle labbra, appena dischiuse per bere ma che sembrano atteggiate a un sottilissimo sorriso.

5.

Mi chiedo se non fu proprio la Battaglia del Consommé a cambiare il corso della serata. Io assistetti solo alla metà, per così dire, dello scontro, dato che dal mio posto potevo vedere David, non Cosima. Ma Raimondo mi faceva da specchietto retrovisore, e l'occhiata che mi gettò tra due cucchiaiate per lui obbligatorie era di puro gongolamento: ne dedussi il furore della padrona di casa, raddoppiato tre secondi dopo dalla defezione della cinese che, seduta alla sinistra di David, si schierò in tutta innocenza nel campo del ribelle.

Giusta punizione per un brutto scherzo disinvoltamente giocato sia a me che al mio cavaliere. Tu gli piazzi a fianco l'ospite più difficile e disperante che balbetta solo qualche yes e qualche sorry? E lui subito se ne fa un'alleata.

Ma conoscendo le donne mi chiedo se, così contrastata, battuta, Cosima non abbia proprio da quel momento cominciato a rivalutare il misero fattorino turistico vestito di thrifteria, a vederlo emergere dai cangianti aloni delle candele come un elegantissimo, bellissimo, affascinantissimo Presidente del Mistero. A vederlo, insomma, come lo vedevo io. Anzi, come io l'avevo superficialmente visto tanto tempo fa, piramidi fa, perché ora, tra me e David, c'era ben di più che l'intimità di due amanti, c'era questa cosa, questa compenetrazione totale che...

Lo guardavo con un fiero e tenero sentimento di possesso, che un tremolio di fiamma bastava a mettere in crisi. Quale possesso? Quale compenetrazione? Di Mr. Silvera continuavo a non sapere praticamente nulla, tra noi tutto poteva finire domani, dopodomani, e la nostra piramide non era più alta o imperitura di una goccia d'acqua.

Passavo all'amarezza più cupa, all'ansia più strangolante, per poi tornare a chiedermi: perché? Perché avevo accettato e continuavo ad accettare l'idea che non ci fosse niente da fare? M'ero arresa troppo presto, m'ero rassegnata alla separazione, all'addiopersempre, senza che lui avesse dato una sola buona ragione, o almeno una scusa decente. Pochi "ah" gettati come fumo negli occhi, poche frasi oblique e a zig-zag come la Linea 1, gli erano stati sufficienti per chiudermi la bocca.

Ma il Presidente aveva da tempo aperto rotondamente la sua, il diesel pastoso, regolare, ben lubrificato che il mio udito tentava invano di ignorare, era la sua voce.

Queste cene di Cosima funzionavano un po' come consigli d'amministrazione, in cui il Presidente veniva messo in condizioni di avere la prima, la media e l'ultima parola, cioè aiutato a sviluppare i suoi propri argomenti e sorretto via via con commenti e apprezzamenti adeguati, mentre gli eventuali focolai di conversazione autonoma che nascessero attorno al tavolo venivano spenti spietatamente. I poveri consiglieri dovevano mettersi in testa che a loro spettava la variazione, l'elaborazione su tema presidenziale, niente di più.

E il tema del Presidente Diesel era (sorpresa! sorpresa!) Venezia, ovvero il suo famoso carnevale, che verso la fine del Settecento e della Repubblica durava sei mesi, un'intera città che per mezzo anno cantava e ballava per campi e campielli, di giorno e di notte, in una fatale febbre dissolutoria. Così andava pontificando il brav'uomo in un palazzo veneziano; era il tipo di conversatore che spiega a Omero la guerra di Troia.

– La douceur de vivre, – disse sognante la donna alla destra di David, quella che rideva troppo.

– Il sogno di ogni assessore al turismo, – disse soave Raimondo.

– Ma anche una bella fatica, – dissi io lugubremente –

e soprattutto un gran strazio per quelli che non ne avevano voglia, immagino.

L'idea di trovarsi per sei mesi di seguito in mezzo a una folla di maschere gioiose mi pareva un supplizio da girone dantesco.

– Ma per chi non ne aveva voglia, – disse David rivolto non a me, ma alla padrona di casa – c'era una scappatoia elegante, bastava che s'infilasse una carta da gioco nel cappello e le maschere lo lasciavano in pace.

– Molto interessante, – disse il diesel, – molto molto civilizzato. Dimostra come il pragmatismo democratico dei veneziani fosse...

Io vidi David sul Ponte di Rialto con un fante cuori nel tricorno, che si apriva un varco (ma senza toccare nessuno) tra scheletri, arlecchini, scimmioni, pascià, colombine. Dove andava? Come ci si trovava, nel Settecento?

Lo guardai per raccogliere almeno un'occhiata, se non un ammicco, ma lui s'era già rimesso a parlare con la sua vicina di destra, che rideva più di prima, tutta animata, tutta esuberante dal capello al capezzolo.

Forse non lo divertivo più, s'era già stufato di me. Mi venne in mente un mio amico, un antiquario di Parigi al quale, con ogni nuova donna, bastava una notte, talvolta un mezzo pomeriggio, per provare una noia lancinante, il tedio assoluto, metafisico, da suicidio. Appena finita la cosa, mi aveva confidato, si sporgeva dal letto e al posto della moquette vedeva il vuoto cosmico, il gouffre. Casanova doveva essere così. E Lord Byron. E D'Annunzio. Ecco cosa ci faceva David Casanova nel Novecento. Un rapido visitatore di corpi femminili, un turista di donne. Non volgare, certo, non brutale, macho, o allegrone gaudente (ma nemmeno quelli là lo erano). Dolce e delicato e irresistibile, con quel sorriso carico di malinconia e rassegnazione, il genere di sorriso nel quale sarebbe cascata anche l'Assunta, buttandosi a capofitto dalle nuvole di Tiziano. Solo che la rassegnazione era destinata a mio uso e consumo, un programmino, un avvertimento: guarda cocca che io mi stufo subito, ti dovrai rassegnare.

– Era indubbiamente una delle chiese più suggestive di Venezia. Demolita, rasa al suolo, non è rimasto che un rudere, qui dietro sul rio dei Servi – diceva con sentimento il mio vicino di sinistra.

– Ma è terribile! – rispondevo con pari sentimento. Quale chiesa? I Frari con l'Assunta dentro? E quando, perché? Non avevo seguito, non me ne importava niente. Ero io, la rasa al suolo.

Mangiavo come s'imbocca un altro, un malato, indifferente al piatto "storico" che il cartoncino del menù annunciava nella cornice dorata: "Pavone rivestito, con ripieno di tordi e contorno di maccaroni alla muratora". Alle cene di Cosima c'era sempre qualche tocco di filologia gastronomica, ogni volta diverso, pescato da antichi libri di cucina veneta. (Il libro era quello di Bartolomeo Scappi, in questo caso, e il pavone – durissimo – era "rivestito" nel senso che gli avevano rimesso la coda, mentre i "maccaroni" erano una specie di gnocchi alla piemontese.) E c'era anche sempre, come adesso, un copioso contorno di domande di profani con spiegazioni di filologi e gastronomi, considerazioni storiche su fondachi e commercio di zafferano, zenzero, coriandolo, sulla Via delle Spezie, su caravelle e caracche, Magadazo (o Mogadiscio), Calicut, le Molucche, look, look, Mr. Silvera...

Io l'avevo stufato col *mio* menù storico, Mr. Silvera. Ecco perché ora se ne stava tutto inclinato verso sinistra a tentare di far ridere (diosacome, a smorfie, a gesti) anche la cinesina monoglotta. Ma almeno quella non poteva fargli una testa così sul Pordenone e Santo Stefano, non lo costringeva a interessarsi per ore a una collezione di croste, non lo forzava a passeggiare nel chazèr tra rabbini e marrani e prestasoldi.

In una piccola pozza di silenzio cadde distintamente la parola *ghosts*.

Fantasmi? Chi parlava di fantasmi?

– Ma no, – chiariva Raimondo, – spiriti nel senso di

"begli spiriti", di *wits*, che si riunivano lì in amabili conversazioni.

Ancora Venezia, ovvero il Casino degli Spiriti, una costruzione quadrata che s'intravedeva dalle finestre di uno dei saloni di Cosima laggiù, tra gli alberi di un grande giardino in abbandono.

– Niente fantasmi, – diceva qualcuno, – peccato.

– Peccato davvero, – diceva la vicina caucasica di David, giungendo mani esuberanti di anelli. – Pensa essere a cena coi fantasmi del Bembo e di Caterina Cornaro! Quelle sì che erano conversazioni!

E questa sì che era una gaffe. Nel mio retrovisore (Raimondo) vidi riflesso il corruccio di Cosima, spianato dall'intervento di David.

– Io non credo che fossero poi molto divertenti, era un gioco piuttosto elaborato, formale, non privo di pedanteria, un po' come i balli dell'epoca...

– Ma ci veniva anche l'Aretino, – precisò qualcuno, – ci venivano, col Bembo, Tiziano e il Sansovino...

– Gente eccezionale, – concluse ammirato il diesel, – dovevano essere "ragionamenti" ad altissimo livello.

Altissimo livello? Ma se, secondo voci raccolte dal Vasari, erano stati proprio quei tre a far fuori il Pordenone! E proprio lì, forse, in quel Casino nel folto degli alberi era stato discusso e preparato il piano, procurato il veleno, il sicario... Vidi David staccarsi dall'ombra di un platano gigantesco, sgusciare rapido all'interno per una porticina laterale. Che ci faceva lì, nel Cinquecento? Vidi il canuto, catarroso Tiziano consegnargli una fiala, che David faceva sparire in una tasca. Vidi l'Aretino tendergli con un soghigno una borsa di velluto piena di monete d'argento false. Un quadro, una buia, grande crosta di due metri per tre scovata da Palmarin in una villa di Ferrara e che ora la Federhen avrebbe esportato in Sudafrica o in Sudamerica; c'erano ostriche, brocche e frutti sul tavolo in secondo piano, il Sansovino e il Bembo facevano capolino da una tenda damascata, un cane dalmata dormiva in un angolo.

– Dopo Napoleone, naturalmente, – disse una voce in fondo alla tavola. Dal Cinquecento all'Ottocento. La chiesa demolita, rasa al suolo, era chissà come risorta e ricadeva ora sulla tovaglia stemmata con altre rovine seguite all'arrivo dei francesi e alla chiusura dei conventi, alla confisca dei beni ecclesiastici, alla soppressione degli ordini religiosi. Santa Maria dei Servi era solo una delle tante. Ma anche interi palazzi erano scomparsi, intere collezioni d'arte erano state vendute, disperse.

– Ma il ghetto, però... – cominciai a dire, pensando al ballo gioioso dei rabbini.

M'interruppi, ero senza voce, l'Armée d'Italie me l'aveva confiscata. Mentre bevevo un sorso d'acqua e il Presidente prendeva a parlare di guerra e di pace, di America e Russia e Terzo Mondo, percepii un rumorino sottile, una specie di pigolio prolungato che insidiava il battito solenne del suo diesel.

Era la cinesina che rideva, David Casanova ce l'aveva fatta e la verità era che, una volta ancora, non avevo capito niente di lui. Fra tante ipotesi e fantasticherie, la più semplice non l'avevo nemmeno presa in considerazione. Altro che piramidi: era un farfallone d'inaudita efficienza che svolazzava velocemente attorno, suggeva rapidissimo il primo fiore che gli capitava, passava a un altro, suggeva non meno rapido, passava a un altro, suggeva...

– Napoleone la detestava, – confidai al mio vicino di destra. – Ma era una donna che sapeva prendersi quello che voleva.

– Chi, scusi? – fece lui, rimasto forse nel Cinquecento o già saltato nel Novecento.

– Madame de Staël.

– Ah, sì, certo, una donna eccezionale. Perfino il duca di Wellington, che era il duca di Wellington...

Ecco, vedi. Quella non si lasciava suggere da nessuno, aveva saputo tenersi stretto per anni il suo Benjamin Constant (che era Benjamin Constant) benché lui non sognasse che di filarsela. Senza tanti scrupoli, con urli, pianti, scenate, ricatti, svenimenti, fregandosene allegramente di tutte le belle favole sulla delicatezza, il riserbo, il fair-play, il tatto, lo stile. Una megera? Una pescivendola? Ma intanto il Benjamin Silvera – sempre insufficiente, mai necessario – era sempre lì a portata di mano.

Vidi David che mi faceva annusare una boccetta di sali dopo una crisi isterica. Aveva la faccia tutta graffiata dalle mie unghie, il jabot a brandelli, e mi sussurrava di stare calma, che non sarebbe partito più, né domani né mai...

Il pigolio s'era fatto più acuto, tintinnava lungo tutta la tavola come un concerto di bicchieri di cristallo. Che tipo di risata era? Libera e irrefrenabile, per un orecchio cinese? O sullo scandalizzato-divertito? O magari sul malizioso-galante? Non c'era modo di capire, bisognava conoscere il Catai, usi e costumi. Retrocessi David nel Duecento, vestito come Marco Polo, che s'illudeva di aver definitivamente conquistato la Mandarina con le sue smorfie, e invece quella risata era il segnale della sua caduta in disgrazia, anzi della sua condanna a morte, zac, decapitato.

Gli occhi brillanti, eccitati, la Mandarina si rivolse a suo marito, che sedeva alla sinistra di Cosima. Corsero tra i coniugi rapide sillabe, altri entusiastici pigolii, poi David confidò a tutti e due allegramente:

(*)	搔首踟蹰	愛而不見	俟我於城隅	靜女其姝

Sentii la voce sbalordita di Cosima:
– Ma lei conosce il cinese?
– Ah, – disse Mr. Silvera.
Eh, no, dissi io, a me stessa. Eh, no.

(*) Cioè: "Ch'ing nü ch'i shu, szü ê yu ch'eng yü. Ai êrh pu chien. Sao shou, chih p'ieh." [N.d.R.]

6.

Oreste Nava considera spassionatamente la colpa di cui si è appena macchiato. Con la salsiera in mano, è venuto a trovarsi alle spalle della signora ridanciana seduta alla destra di Mr. Silvera nel preciso momento in cui Mr. Silvera concludeva il suo discorsetto in cinese. Cinese-cinese, non il pidgin di cui Oreste Nava conserva qualche ricordo dai suoi lontani anni di Singapore.

Immediatamente la padrona di casa ha voluto sapere di che cosa si trattasse. Di una poesia o piuttosto canzoncina dello *Shih Ching* – ha spiegato in inglese il signor Wang – di cui la signora Wang non ricordava le parole e che il suo onorevole vicino ha avuto la compiacenza di recitare. Come i suoi onorevoli commensali sapevano – ha aggiunto il signor Wang – lo *Shih Ching* o "Libro delle Odi" era una raccolta di antichissime poesie cinesi curata dallo stesso Confucio, duemila e cinquecento anni fa.

L'informazione ha visibilmente impressionato la padrona di casa e tutti i presenti, e la richiesta al signor Silvera di una immediata traduzione italiana ha disteso sulla tavola una tovaglia di silenzio, di palpitante attesa. Sarebbe stata seria scorrettezza, grave mancanza di sensibilità, intromettersi a quel punto con una salsiera, sia pure di cesellatissimo argento.

Ma Oreste Nava sa benissimo che queste sono scuse indegne di lui, giustificazioni a posteriori buone tutt'al più per un giovane come Luigi. Sa benissimo di essere venuto meno ai suoi ideali di efficienza e imperturbabilità, di essere rimasto lì imbambolato, con la salsiera in mano e il labbro pendulo, dimentico del dovere, del servizio, della divisa, attento solo a non perdere una sola parola della traduzione, che i suoi ricordi d'Estremo Oriente gli hanno fatto automaticamente alli neare dall'alto in basso e da destra a sinistra, come va letto il cinese:

(14) Gratto	(10) Amo	(5) Aspetto	(1) Obliosa
(15) Testa	(11) Ma	(6) Io	(2) Signora
(16) Dubbioso	(12) Non	(7) Presso	(3) Tua
(17) Rimango	(13) Vedo	(8) Bastioni	(4) Beltà
		(9) Angolo	

Ch'ing nü, tutti provano a sillabare entusiasti, ch'ing nü, obliosa signora, che ha dimenticato l'appuntamento. E quello, poveretto, lì a grattarsi la testa. Ch'ing nü: un gioiello, un incanto, un capolavoro!

Oreste Nava conosce bene questi scoppi iperbolici, ma la poesia è sembrata bella anche a lui, una poesia semplice, fresca, gentile. Una poesia d'amore, apprezzabile anche dal giovane Luigi, anzi, soprattutto dal giovane Luigi. E sempre con la salsiera in mano si è perso a riflettere sulla seguente, incredibile verità: duemilacinquecento, o addirittura tremila anni fa, l'amore era già come adesso più o meno. Stesse situazioni, stessi sentimenti...

A questo punto i suoi occhi divaganti verso l'angolo dei bastioni hanno incontrato quelli della padrona di casa, come già innumerevoli volte durante il corso della cena in un fitto scambio di muti segnali. Colto in fallo, il colpevole ha avuto un risveglio mortificato. Ma lo sguardo della padrona di casa non conteneva il minimo rimprovero, è scivolato su di lui con infinita indulgenza, illimitata comprensione, per posarsi poi estatico su Mr. Silvera (che ha rifiutato la salsa, come del resto la sua vicina).

Gran cosa la saggezza orientale, si dice ora Oreste Nava mentre la padrona di casa rivela a Mr. Silvera di aver sempre enormemente ammirato, e anche saltuariamente praticato, la filosofia cinese, giapponese, tibetana e indiana.

– Sono civiltà molto interessanti, – dichiara il Presidente del Cucchiaio. – Molto molto interessanti, che noi occidentali...

Ma le sue considerazioni non hanno pubblico, la sua quotazione è ormai chiaramente in ribasso, Oreste Nava l'ha vista declinare a poco a poco, dal consommé in avanti.

Non è a lui che la padrona di casa si rivolge per esprimere le proprie affinità con Confucio e Budda, la propria fede (un buon fifty-fifty) nella trasmigrazione delle anime, non è con lui che si abbandona a una appassionata difesa del guru siculo-tibetano Turiddhānandā di cui ha seguito l'anno scorso i corsi di meditazione ad Ascona, poco prima dell'arrivo della polizia cantonale. Un uomo di superiore spiritualità, e appunto per questo calunniato dai suoi molti, invidiosi nemici. Un uomo che sa dare ai suoi seguaci quel distacco, quella pace interiore, quel senso mistico della vita che sono, come Mr. Silvera certo vede, completamente assenti dalla civiltà occidentale, così materialistica e assurdamente competitiva.

– Io trovo però che i valori fondamentali dell'Occidente, – obietta in tono minore il Presidente del Cucchiaio, – sebbene siano entrati...

Non può continuare.

– Io trovo che il lavoro a maglia, – lo sovrasta una voce femminile, – mi tranquillizza spiritualmente più di qualsiasi altra cosa. Una bella manica a raglàn è un vero e proprio esercizio di concentrazione trascendentale, almeno per me. E anche l'uncinetto.

È stata la principessa del 346 a parlare. Polemica, quasi sarcastica.

Oreste Nava ha già notato in lei altri piccoli segni d'impazienza, di nervosismo, ed è chiaro che qualcosa stasera non le va a genio, forse la conversazione ha preso una piega per lei noiosa, troppo intellettuale e storica tra Tiziano, Napoleone, Confucio e il discutibile guru Turiddhānandā. Peccato. Avrebbe bisogno anche lei di un po' di quella saggezza orientale che ti mette al di sopra delle piccole contrarietà, dei meschini risentimenti della vita.

Oreste Nava pensa nostalgicamente ai giardini di Singapore lussureggianti di fiori esotici, accanto ai quali rimpiccioliscono le tremende incazzature che gli faceva prendere il personale *native*, cinesi, malesi, canachi, indiani e altri battifiacca della zona. Quando si accorge che nel servire l'insalata il ch'ing testone, l'oblioso Luigi, ha "saltato" la moglie del vicepresidente di un gruppo editoriale, l'occhiata che gli getta per indurlo a rimediare non è l'equivalente ottico di un gran calcio nel sedere ma appare soffuso di millenaria indulgenza, di tutta la filosofica, mistica comprensione che si può trovare a est di Suez.

IX
IL MONDO PUÒ CADERTI ADDOSSO

1.

Il mondo può caderti addosso mentre prendi il caffè. Ero seduta su una poltroncina nel salone del Veronese e il buon Nava mi stava porgendo la zuccheriera con un'espressione di inesplicabile melensaggine, quando con la coda dell'occhio vidi David che puntava dritto su di me.

Più che normale, dopo la nostra lunga separazione. Routine di cortesia, da parte di un qualsiasi marito o amante gentile e affezionato. Ma appunto questo m'infiammò. Cosa c'era di normale tra di noi? Tutto a un tratto non sopportavo che si fosse adattato così bene alle regole formali della serata. L'obbligo che avrebbe dovuto sentire, a questo punto, era semmai di un gesto di rottura, clamoroso, scandaloso, non so, strisciare fino a me sulle ginocchia, baciarmi appassionatamente davanti a tutti, strapparsi di dosso quella sua giacca, quell'assurda camicia, sollevarmi tra le braccia e proclamare: ladies and gentlemen, io amo questa donna e adesso me la porto via.

Ma se non ci pensava da sé, se preferiva giocare al perfetto uomo di mondo, non ero certo io che potevo fare il primo passo. Tutte le cose che durante la cena avevo pensato su di lui (*contro* di lui!) mi si agitarono dentro come le mani degli zombie si sporgono disperatamente per uscire dalle tombe nei film dell'orrore. E orrore sarebbe stato lasciargliene vedere anche una sola, un mignolo. Era essenziale, era questione di vita o di morte, avere la forza e la freddezza di ricacciarle sottoterra. A qualsiasi costo, dovevo presentargli una faccia altrettanto normale.

Col sangue in surgelo, i muscoli facciali tornati all'età della pietra e la voce chissà dove, mi preparai ad accoglierlo da perfetta donna di mondo.

– Tutto bene? – disse lui.

– Benissimo, ottima cena, – dissi io. – Non ho ancora fatto i complimenti a Cosima ma voglio...

– Simpatica persona, – osservò lui.

– Sì, te l'avevo detto, e molto en beauté, stasera. E anche la cinesina, non era male. E anche quell'altra estroversona che avevi a destra. Ti sei divertito?

– Be', sai... – fece lui.

– Io mi sono proprio divertita, è stata una conversazione molto molto interessante, davvero ad altissimo livello. Fin troppo, per me. Addirittura Confucio.

– Confucio era dedicato a te.

– Non mi dire. Come Shakespeare?

– Be', sai... – ripeté lui.

– Ma cosa so, – dissi io con tutti i miei denti fuori. – Non so niente.

– Bevi il tuo caffè, – disse lui, doloroso. – E appena si può, ce ne andiamo.

– Ma a che scopo, scusa? Io mi sto divertendo.

– Bevi il tuo caffè.

Un disastro, il peggior tra-due-sedie possibile. Rinunci allo stile pescivendola allucinata tipo Madame de Staël? Ma allora devi saper fare fino in fondo Caterina Cornaro regina di Cipro, che nemmeno le nota, certe miserie. La débâcle più completa, la fine della Serenissima.

Bevvi il mio caffè come se fosse stato cicuta, grata a Ida, la nipote di Raimondo, che venne a portarmi via il confuciano.

– Te lo posso rubare un momento?

– È tutto tuo.

Un successo, un vero trionfo che andò avanti per un'ora buona. Se lo passavano di mano in mano, di puf in sgabello, il mystery man. E venivano da me come se fossi il suo manager, ma chi è, cosa fa, da dove arriva, dove va. Coltelli rigirati nella piaga. Venne a un certo punto anche Raimondo, che aveva capito tutto.

– Mi faresti un bel maglione girocollo per Natale?

– Comincio domani. Come lo vuoi, con le trecce, a maglia inglese o...

M'interruppi, trafitta.

– Gli ho anche regalato un cardigan, – balbettai. – Bordò. Di cachemir.

– Allora parliamo di domestici, – disse Raimondo in soccorso. – Lo sai che il mio Alvise se ne vuole andare in pensione? Gli ho detto senza mentire che è l'uomo più importante della mia vita, ma lui tira fuori la scusa dell'enfisema, mi esorta a guardarmi in giro. Ma come? Dove? Tu pensi che Cosima mi cederebbe uno dei suoi moretti?

Mi guardai in giro. David era lontano, in un crocchio attento di cui faceva parte anche Cosima.

– È proprio irresistibile, – dissi.

– Vieni, hai bisogno di un whisky.

– Sì, quel pavone storico mi è rimasto tutto qui.

Mi condusse, whisky in mano, fino a uno dei finestroni che davano sul giardino. Erano finestre dai vani profondi, con sedili di pietra protetti da tende che arieggiavano il confessionale. Ci sedemmo.

– Sembra un confessionale.

– Profittane per confessarti, pecorella mia. Quante volte?

– Mah... non poi molte, se si va a vedere.

– È la qualità, che conta. Sei completamente partita, eh?

– Sì, come mai in vita mia. Letteralmente liquefatta.

– E lui invece niente. È questo il problema?

– E lui invece non so. Se stiamo ai fatti...

Così gli raccontai della moneta che mi aveva regalato e poi di quel tramonto sulla nave per Chioggia. Di certe straordinarie delicatezze che aveva avuto verso di me, di certe minuscole, magiche intuizioni a letto e fuori dal letto. Gli raccontai dei baci che mi aveva dato in tutti gli angoli di Venezia, e della pensione Marin e della suite dove avevamo letto dei pompieri alla Giudecca. Gli raccontai del Ghetto, del rabbino Schmelke e della panchina. Tra un sorso di whisky e l'altro, gli raccontai: fatti? ma no, un profluvio di caotiche frasi, sviscerando particolari inessenziali, accatastando sconnesse impressioni, sfumature inesprimibili, di volta in volta pensosa, drastica, sognante, ridente, freddamente deduttiva, tortuosamente induttiva, e nell'insieme totalmente confusionale.

– Capisci? – dissi riprendendo fiato.

Una parola che in via del tutto retorica avevo ripetuto un centinaio di volte. Ma questa volta Raimondo uscì dal suo silenzio.

– No, non capisco.

Mi fermai in ascolto. Tutto quello che avevo appena detto mi suonò come un catastrofico rovinio di stoviglie.

– Scusami per l'osceno sfogo, ma non ne avevo ancora parlato con nessuno.

– No, no, benissimo, figurati, sono qui per questo. Ma a sentirti sembra la descrizione di un grande amore impossibile. Quello che non capisco è perché sia impossibile. Tutti gli amori sono possibili, ormai. È questa la noia.

– Ma non lo capisco nemmeno io! Non lo so nemmeno io!

Raimondo mi posò una mano sul braccio.

– No, scusa, ma non gli hai chiesto, non hai un po' chiarito la situazione?

– Ma cosa vuoi chiarire con uno svicolatore di quel genere! Lui divaga, evita, ti passa tra le dita come acqua. Ci ho provato, non credere, e tutto quel che ne ho ricavato è che può essere "chiamato" da un momento all'altro, e allora addio.

– Chiamato? E da chi?

– E chi lo sa? Mystery man.

Raimondo si grattò la testa.

– Gratto testa, dubbioso rimango, – disse.

– Guarda, – dissi io, – potrei starti a dire dei suoi misteri fino a domattina e non ne verremmo a capo. Prova a farti dire da lui, se credi, ma so già che non ne caverai niente.

– Non è detto, vedrai che saprò confessare anche lui, – disse Raimondo mettendomi un braccio attorno alle spalle in maniera di assoluzione, e riconducendomi fuori.

Ma era troppo tardi. Con un braccio intorno alle spalle di Cosima, il mystery man stava entrando in quel momento in un altro confessionale.

2.

La bella mano di Mr. Silvera si stacca con un ondeggiamento di foglia dalla bella spalla della padrona di casa, e i due restano fianco a fianco, in piedi, senza guardarsi, rivolti verso l'alta, notturna fenditura della finestra. Non c'è imbarazzo né tensione in Mr. Silvera, che durante tutta la cena ha registrato la curiosità della donna, stimolandola qua e là facilmente, e che ora, nella relativa segretezza di questa nicchia, si accinge a procedere. Dalla thrifteria del suo passato, dai molti paesi e popoli che ha conosciuto, dalle tante situazioni in cui si è trovato, estrae senza difficoltà un tono confidenziale e insieme solitario, una voce tentata dal silenzio, come di trottola agli ultimi giri.

– Vede, Cosima – dice, – la verità è che io non avrei dovuto, non dovrei assolutamente essere qui.

Il suo sguardo sembra indicare il lungo giardino del palazzo col Casino degli Spiriti laggiù in fondo, e di fianco, luccicante dietro gli alberi, il nero rettangolo d'acqua della Sacca dei Miracoli.

– Qui... in casa mia, vuole dire?

La donna è sorpresa, ma lusingata, da questa preferenza negativa.

– No, – dice Mr. Silvera. – Qui a Venezia. Avrei dovuto restarci soltanto poche ore, il tempo di portare un po' in giro la mia comitiva...

Alza la mano e il polso ha un'annoiata torsione dimostrativa.

– San Marco, Palazzo Ducale, Murano... E poi ripartire subito... per...

Dalle luci dell'aeroporto che s'intravedono a nord, giusto davanti a loro, il gesto s'allarga verso est e il canale di San Nicolò, il Porto di Lido, il mare. Ma già, intanto, la mano vagamente ricade e la direzione del viaggio resta incerta. Gli occhi restano fissi sul Canale delle Navi, dove qualche raro vaporetto, debolmente illuminato, ancora va e viene tra la città e le sparse isole della laguna superiore.

Le labbra della donna si staccano una dall'altra come se la lunga pausa le avesse incollate.

– Ma lei... – comincia a dire guardando le cupe masse degli alberi.

Poi sembra scrollarsi come un passero bagnato, ricupera una scioltezza mondana, si volta animata verso Mr. Silvera.

– Io non voglio sembrarle indiscreta, per carità; non voglio sapere dove doveva andare e perché non c'è andato...

Si ferma, scontenta di sé, del suo strumento qui inappropriato, inservibile.

– Volevo solo dire, – continua a voce più bassa e di nuovo fissando il giardino, – lei non è sul serio una guida, un capocomitiva, no?

– No, non proprio, – lascia cadere Mr. Silvera.

La donna ora gli sorride senza impaccio, rincuorata, riconoscente per quell'ammissione che premia il suo intuito nonché – ritiene – le sue doti di persuasione.

– Mi pareva, – commenta, – un mestiere un po' strano, per uno come lei.

– Ne ho fatti di più strani, – si lascia sfuggire Mr. Silvera. – Ma il solo mestiere che ho mai fatto sul serio è un altro.

S'infila le mani nelle tasche della giacca lasciando fuori soltanto i pollici, e comincia a dondolarsi molto lentamente – avanti e indietro, tacchi e punte – come adeguandosi al leggero rollio di una nave.

– Ma purtroppo è una cosa... – aggiunge.

173

Si ferma, si gira verso la donna, lo sguardo fermo, deciso.

– Lei capisce, è una cosa che non ho più il coraggio di raccontare a nessuno. Una cosa molto difficile da dire, e soprattutto da... spiegare... giustificare... anche concepire.

La donna ha un fremito che subito controlla, come una cacciatrice trattiene il minimo ramoscello. Sta immobile. Più che l'attesa, nei suoi occhi sale il terrore, la spaventevole possibilità che questa "cosa" indicibile, inconcepibile, non le venga detta, che le labbra di Mr. Silvera decidano infine di non lasciarla uscire.

Poi avanza cauta nel fragilissimo silenzio. Accenna a voltarsi verso il salone come per guardare qualcuno, ma non si volta.

– E non l'ha detta nemmeno a..., – chiede a voce bassissima.

Mr. Silvera muove appena la testa da destra a sinistra.

– No, – dice, complice, ma breve – nemmeno a.

Legge ora negli occhi della cacciatrice la certezza della cattura, la decisione del balzo all'aperto, fuori da ogni circospezione.

–Provi a dire a me, allora, – lo supplica lei apertamente. – Provi a spiegare a me.

Tacchi e punte, avanti e indietro. Mr. Silvera riprende a dondolare.

– Se vuole, – dice sottovoce anche lui, cominciando a spiegarle.

3.

Non era un confessionale, era un teatrino, e la recita andò avanti oltre ogni limite di decenza e sopportazione. Le tende li inquadravano, li mettevano in risalto, attiravano l'attenzione su di loro. Per chi sedeva chiacchierando, o si serviva di cioccolatini, accendeva una sigaretta, posava un bicchiere, spostava un cuscino, si soffiava il naso, cercava qualcosa nella borsetta di lamé, era impossibile non gettare sempre più spesso uno sguardo in quella direzione. Un crescendo di sbirciamenti, un festival del collo torto e del sopracciglio inarcato. Cosa avevano da dirsi quei due?

Io presi varie decisioni definitive.

Di ignorarli completamente.

Andai a scegliermi vicino a Ida una seggioletta dorata di faux bambou che feci ruotare in modo da dare le spalle alla coppia, e la reimpegnai energicamente in una nostra polemica sugli ultimi direttori della Biennale: tutti deficienti secondo lei; passabili alcuni, secondo me. Ma dopo un vivace palleggio e un paio di servizi che ci portarono sul 40 pari, lasciai il campo.

Decisi di ascoltare senza falsi scrupoli quello che si dicevano.

Tra la seconda e la terza finestra (la loro) a non grande distanza dal muro, c'era una cerchia di posti a sedere che promettevano bene. Me ne andai vagabonda e casuale per il salone fino al sofà desiderato, sorrisi al vicepresidente editoriale che mi fece segno di sedere accanto a lui, sedetti a metà sul bracciolo e tesi l'orecchio.

Niente. Un mormorio. Di lui, soprattutto. Una *musique de robinet* senza un acuto, una dissonanza, un trillo. Un parlottìo inafferrabile, esasperante, come accade di sentire nella camera accanto, in albergo (e il mattino dopo scopri che erano due businessmen albanesi). Mai avevo provato tanta comprensione per il tormento dei sordi. Nel silenzio assoluto sarei forse riuscita a captare qualcosa, ma l'editore si era messo a farmi la corte, stava liquidando come scontata la mia superiore bellezza per arrivare (il punto debole delle donne!) alla mia superiore intelligenza.

Decisi di disturbarli.

Rispondevo a voce altissima al corteggiatore, scoppiavo a ridere, ora invitante, ora ritrosetta, e reagivo alle sue blande proposte (circa non so quale collana di libri d'arte, una rubrica d'antiquariato su una delle sue riviste) come se mi stesse chiedendo prestazioni da cortigiana cinquecentesca. "Io vedrei bene una colonnina sulle aste più importanti",

"Io sono una tosa onesta, non mi faccia arrossire, avogador illustrissimo!" Il poverino, con le sue orecchie a sventola color rosa sempre più carico, non si raccapezzava.

Un dialogo inutile, oltre che assurdo, perché nelle pause sentivo i due andare avanti come se niente fosse.

Decisi di metterli a disagio.

Andai a sistemarmi su un divano appoggiato contro la parete opposta, sotto il *Ratto d'Europa* (Veronese e allievi), e presi a fissarli apertamente, ostinatamente. Erano sempre in piedi, di profilo, ed era sempre lui a parlare. Lei pendeva quasi letteralmente dalle sue labbra, se lo guatava di sotto in su, e ogni tanto diceva qualcosa, obiezioni o domande che fossero. Crollava il capo, un paio di volte giunse le mani, una volta gli toccò l'avambraccio. Molto emozionata, intensa. Meglio, rapita. Lui faceva qualcosa che non gli avevo mai visto fare, a tratti si dondolava adagio avanti e indietro, le mani nelle tasche della giacca, i pollici fuori. Mai comunque un sorriso. E non si voltavano mai verso il salone, verso di me.

– Siamo alla Fenice, – venne a soffiarmi Raimondo, – il Duetto della Finestra.

– A te pare una scena di seduzione?

– Francamente no. Piuttosto una scena dal commercialista.

– Ma non si può intervenire? Dopotutto lei è la padrona di casa, ha dei doveri elementari verso gli ospiti, no?

– Lo so, e c'è infatti il presidente che si sta innervosendo, domattina deve prendere un aereo alle 7, vorrebbe andarsene a letto.

Lui parlava e parlava. Lei sgranava gli occhi, poi annuiva (intelligente, aveva capito). Poi alzava il mento, chiedeva qualcosa (stupida, non aveva capito). A un certo punto si mise una mano sulla bocca e spalancò talmente gli occhi da far pensare a un prossimo svenimento. Doveva aver avuto chissà quale, secondo lei, rivelazione suprema.

Raimondo si guardò in giro, raccolse da un tavolino un piatto d'argento sparsamente popolato di cioccolatini.

– No, grazie.

– Ma non sono per te, – disse Raimondo strizzandomi l'occhio. – Mando in missione il Nava. Ci penserà lui a far cadere il sipario.

4.

È con vero sollievo che Oreste Nava si accinge a eseguire il suo mandato. Quel troppo lungo colloquio nel vano della finestra ha messo sulle spine anche lui. Non certo perché abbia bisogno di una guida per svuotare posacenere, portar via bicchieri vuoti, offrire bevande; ma perché ha avvertito sempre più nettamente dapprima la curiosità, poi l'imbarazzo, infine la disapprovazione degli ospiti.

Brutto, deludente finale per una serata che altrimenti è filata via nel modo più "artistico", almeno per quanto riguarda il servizio. Dopo l'iniziale Sacrilegio del Cucchiaio e la piccola *défaillance* della salsiera, non c'è più stato un incidente, un errore; i due *boys* si sono dimostrati superiori a ogni elogio e il temuto tappeto non ha fatto altre vittime. Soltanto la padrona di casa, purtroppo, non si è dimostrata all'altezza e nulla di ciò che può averle detto Mr. Silvera giustifica un contegno così irresponsabile, per non dire sfacciato; soprattutto in una signora che sembrava tenerci tanto alle forme.

Ma che cosa può averle mai detto in tutto questo tempo Mr. Silvera?

Un serratissimo corteggiamento seguito a un colpo di fulmine parrebbe l'ipotesi più verosimile, ed è evidentemente ciò che tutti gli spettatori stanno pensando. Ma le quattro o cinque volte che si è trovato a passare (per puro caso) davanti alla finestra, Oreste Nava non ha sentito una sola parola cui si potesse attribuire un senso galante. Dalle tende è uscito per esempio il nome di Rembrandt, tipico nome da conversazione sull'arte. Più tardi, il nome di San Paolo, segno che il discorso aveva preso una piega religiosa. Poi il nome di una località turistica, Antiochia. Poi quello di un certo Fugger, un probabile conoscente comune. E c'è stata una domanda della signora circa le corse delle bighe a Bisanzio, un tuffo nella storia antica, quindi.

Ma non vuol dire, riflette Oreste Nava dirigendosi col suo piatto d'argento verso la finestra, non vuol dire, assolutamente. La seduzione amorosa conosce mille strade, mille ghirigori, mille false piste per arrivare al suo scopo. Solo un giovane frettoloso come Luigi si ostina a cercare sempre e soltanto la linea retta, ignorando quanto sia più interessante, emozionante, e in conclusione soddisfacente pervenire alla mona via Rembrandt e Bisanzio.

Con un ben dosato colpetto di tosse Oreste Nava si affaccia alla nicchia e senz'altro infila tra i due supposti colombi i cioccolatini. La padrona di casa sta un po' lì a fissarli come se fossero grossi insetti marrone di origine extragalattica; poi leva su Oreste Nava due occhi che non vedono; poi, ecco, lo riconosce, gli sorride stupita, guarda oltre la sua spalla verso il salone che ha disertato così a lungo.

– Oh, miodio, – mormora.

È uscita dall'ipnosi, l'incantesimo è rotto.

Ma tornando (era ora!) tra i suoi ospiti le resta un alone di stranulatezza, un'aria dolcemente smarrita, un evidente torpore nei passi, nei gesti, nella voce. E mentre saluta il Presidente del Cucchiaio e poi via via gli altri che lo seguono, viene in mente a Oreste Nava la porta di una chiesa dopo un funerale. Non che l'atteggiamento della signora sia lacrimoso, affranto. La sua è piuttosto languidezza di fiore reciso, assorta trasognatezza, come di una che, tutta ripiegata in se stessa, si conceda di lontano ai condoglianti, già accarezzando in segreto un suo tenero struggimento.

Da Mr. Silvera si congeda con uno sguardo interminabile, ma senza una parola. E poi d'impulso (ecco di nuovo il tipico gesto da dopofunerale) abbraccia forte e a lungo la principessa che è con lui.

Quando tutti sono usciti Oreste Nava ritorna in salone dove già Luigi e il moretto attendono diligenti di poter cominciare a riordinare. Ma come mai non hanno ancora cominciato? Agitando il pollice nel gesto dell'autostop Luigi indica la terza finestra, alla quale infatti, constata Oreste Nava, la padrona di casa s'è di nuovo installata e sta guardando gli alberi, l'acqua, la notte oscura. Luigi batte con la mano destra sul polso sinistro, a significare tagliamento di corda. Il moretto sorride odontoafricanamente. Oreste Nava va rispettoso ma deciso alla finestra, tossicchia, attende che la sonnambula si riscuota dalla sua contemplazione.

– Sì... – fa infine lei, con un filo di voce.

Esce a malincuore dalla nicchia proprio mentre suo cugino rientra in salone. Il signor Raimondo ammicca a Luigi, dà un buffetto sulla guancia al moretto, poi fa segno a Oreste Nava di lasciar perdere tutto, prende per la mano la padrona di casa e se la porta fino a un divano, si siede accanto a lei.

Si versa un whisky, accavalla le gambe, e dice in tono risoluto, quasi minaccioso:

– Dunque.

5.

Non c'è la luna, non ci sono le stelle, ma la notte veneziana può far a meno di questi addobbi cosmici, ha un suo ben più sofisticato magazzino romantico, dispone di così sospirosi congegni, di così carezzevoli apparati, che Mr. Silvera e la sua compagna, nel critico momento dell'uscita dal palazzo di Cosima, ne subiscono l'immediata seduzione.

Già nel modo in cui si sente prendere il braccio Mr. Silvera rileva assenza di rimprovero o riappropriazione, e la testa di lei trova d'istinto il suo posto sulla spalla di lui, i loro passi scivolano in una facile consonanza, mentre le tensioni e contrazioni di una serata come questa si vanno via via placando, stemperando nell'aria sciroccosa, nel quieto, minuto, smussante lavorio dell'acqua contro la pietra, nelle sfumate variazioni d'ombra tra i latenti edifici.

Così, in silenzio, s'infilano in un angusto sottoportico, sbucano nel minuscolo campo dell'Abbazia, che si presenta come un omaggio inatteso, un premio destinato esclusivamente a loro due, vecchio trucco della vecchia città, ripetuto milioni di volte negli annali amorosi, eppure sempre infallibile. Così, in silenzio, sostano fra le due sacre facciate, la coppia di statue, i due canali ad angolo retto che limitano il campo, e infine Mr. Silvera, sempre in silenzio, stende come un manto il suo impermeabile sui gradini davanti a Santa Maria Valverde e tutti e due siedono a contemplare appagati quell'intimo territorio, Adamo ed Eva in un Eden di forse cento metri quadrati ma tutto dovuto alla mano dell'uomo.

A Mr. Silvera (allungato all'indietro su un gomito, mentre lei intreccia le dita attorno alle ginocchia) non viene in mente nessun altro punto della terra, fra i tanti che gli è capitato di vedere, dove l'artificio tocchi questi vertici di naturalezza, diffonda questo senso di pienezza non perfettibile né aumentabile, come il mare, una foresta, un deserto. Il meglio – riflette – che si potesse mettere insieme col sudore della fronte dopo la cacciata dall'Eden di fabbricazione divina.

Dall'acqua salgono tonfi sommessi, gli urti delle imbarcazioni attraccate una accanto all'altra, e amichevoli cigolii, lievi, metallici arpeggi di catene. Di fronte, un ponticello di legno protende le sue umili travi aldilà del rio.

Non c'è niente da dire, in un luogo simile, e Mr. Silvera e la sua compagna tacciono, guardano, comprimono in questi soffici minuti gli anni delle piramidi.

*

* *

Più tardi, dopo aver peregrinato a caso negli intricati chiaroscuri di strettoie, dilatazioni, cavità, rientranze, sporgenze, dopo aver sfiorato altri labili abitatori della città notturna – gatti, passanti, foglie secche – finiscono per intersecare l'insinuante serpentina del Canal Grande.

Sulla loro destra, a qualche segmento di muro, brillano le luci di un imbarcadero, che raggiungono con pochi scantonamenti. Il pontile galleggiante è quello di S. Marcuola, e dentro le sue pareti di vetro l'uomo che occupa una delle panchine non alza nemmeno gli occhi al loro arrivo, sta pensando ai casi suoi, curvo, le mani abbandonate tra le ginocchia, ed è di aspetto assolutamente anonimo, innocuo. E tuttavia emana da lui una forte, urtante estraneità, quasi un odore, un maligno, sardonico puzzo di lancette, quadranti, clessidre, orari di vaporetti, l'inafferrabile putrescenza del tempo reale, del tempo finito, nel quale Mr. Silvera e la sua compagna si sentono ora rientrare, precipitare come dentro un canale imprudentemente dimenticato. Con una certa sbigottita impotenza prendono quindi posto anche loro su un sedile e lì restano in attesa, taciturni e un po' discosti, separati da un'onda improvvisa di stanchezza fisica.

Altre onde vengono a lambire il pontile, ora mollemente, ora – ma di rado – con schiocchi aggressivi, quando sul canale passa un grosso motoscafo o barcone. Allora il rigido parallelepipedo si scuote e s'impenna in tutte le direzioni come se le sue facce trasparenti stessero per ribaltarsi in chissà quale stravaganza della geometria.

Poi l'uomo si alza faticosamente in piedi, con ciò annunciando l'arrivo del vaporetto, un occhio di luce che taglia l'acqua di sbieco, accosta, rivela solo all'ultimo lo scafo nero, gli azzurri sedili semivuoti all'interno. Nessuno ne sbarca e soltanto l'ignaro cronoappestato sale a bordo, dato che Mr. Silvera e la sua compagna devono andare nella direzione opposta. Ma il male è fatto.

Mr. Silvera si alza a sua volta e comincia a percorrere su e giù il bordo aperto della cabina di vetro, guardando la curva spettrale dei palazzi, i fiochi, sparsi lampioni, le luci lontane di altre fermate come questa.

– Non sei stanco?

– Sì, un po', – dice Mr. Silvera fermandosi. – Volevo vedere se passava un taxi.

– Non importa.

Risalendo energicamente il canale, un motoscafo della polizia scoppietta a pochi metri dall'imbarcadero e le due sagome nere ritte a prua voltano un momento la testa verso Mr. Silvera. La scia viene presto a rompersi contro il pontile e Mr. Silvera si regge in equilibrio assecondando il moto delle onde, tacco e punta, avanti e indietro.

– Ma si potrà poi sapere cosa raccontavi a Cosima?

– Ah, – si lascia sfuggire sottovoce Mr. Silvera.

– Siete stati un'ora a parlottare dietro quelle tende...

Il tono è di vasta, divertita indulgenza, ma Mr. Silvera sa che dietro queste intenzioni sinceramente bonarie tigri inferocite sono pronte al balzo. La minima evasività le scatenerebbe.

– Abbiamo parlato soprattutto della Diaspora, – riferisce dopo una onesta riflessione contabile.

– Della Diaspora? Mai saputo che a Cosima interessasse la storia ebraica.

I grossi felini si agitano sospettosi, il pelo irto.

– Le hai raccontato che siamo stati nel Ghetto?

– No, – dice Mr. Silvera con convincente fermezza. – È stato per via della Cina. Le spiegavo la Diaspora d'Oriente, il fatto che i mercanti ebrei erano arrivati in Cina secoli prima dei gesuiti, di Marco Polo, secoli, sembra addirittura, prima di Cristo.

– Prima di Confucio? Prima di Ch'ing nü, l'obliosa signora?

Mr. Silvera scansa la zampata prendendola alla lettera.

– Prima no, più o meno alla stessa epoca, a quanto dicono alcuni studiosi.

E profittando del momentaneo sconcerto delle fiere procede in fretta a descrivere la famosa sinagoga di Kai Fungfu, fondata nel 1163, si avventura lungo le piste segrete che portavano all'India e alla Persia (e viceversa), raggiunge Costantinopoli (dove per un breve periodo tutti gli aurighi dell'Ippodromo erano ebrei), risale in Grecia, ridiscende a Babilonia, si ferma un attimo a Cartagine e vorrebbe passare in Spagna quando all'orizzonte appare un vaporetto fenicio (Linea 1, direzione San Marco-Lido), che sui flutti del Canal Grande viene opportunamente a interrompere la Diaspora d'Occidente.

Mr. Silvera e la sua compagna non scendono nella squallida stiva, restano di sopra, faccia al vento, in piedi. Ma tra loro non ci sono baci né abbracci, la magica Chioggia è più lontana della Cina, la signora non è affatto obliosa, le tigri ancora non dormono.

– E tutto questo non glielo potevi raccontare su un sofà?

Il vento, il frastuono del motore, lo scroscio dell'acqua contro la prua spogliano la frase dalle sue inflessioni amaramente incredule, ne vanificano le parole, ne disperdono le sillabe, sicché Mr. Silvera si sente autorizzato a ripararsi dietro un ambiguo gesto d'impotenza: allarga le braccia e non risponde.

Non si parlano più fino alla porta dell'albergo, quando lei chiede:

– E tu il cinese dove l'hai imparato?

Ma subito s'infila decisa nel tamburo girevole, come se avesse rinunciato alla risposta, o se l'aspettasse comunque menzognera. E sempre in questo suo umore di scattante corruccio va dritta al banco e riceve dal portiere di notte la grossa chiave e un foglietto piegato. Lo apre, gli getta un'occhiata distratta, se lo lascia scivolare dalle dita. Mr. Silvera si china a raccoglierlo.

– È per te, – dice lei, con una voce che per inerzia è rimasta tagliente, sfasata rispetto allo smarrimento dello sguardo.

È un biglietto dell'albergo, che registra una chiamata telefonica per Mr. Silvera alle 21,20. Nella apposita casella non c'è un nome, solo un numero telefonico (di Venezia) e la frase scarabocchiata dal portiere: richiamare a qualsiasi ora.

– Ah, – dice Mr. Silvera.

6.

La chiamata era venuta, dopotutto, e io ovviamente scoprivo di non essere affatto preparata, di averla, sì, temuta moltissimo, ma senza prenderla davvero in considerazione. Come la morte, era uno di quegli eventi così intrattabilmente, spigolosamente certi, che non si sa mai bene dove metterli nel quotidiano possibilismo della vita. Una va, fa, prende un vaporetto, un caffè al bar, mangia un pavone, passeggia: come potrebbe muoversi con quell'ingombrante, pesantissimo cubo di piombo nella borsetta?

Cercai e trovai le sigarette, l'accendino, e ricordo, per esempio, che mi tremavano le mani. Ma non ricordo altri particolari, di quei momenti decisivi. In qualche modo le gambe dovevano avermi portato a una poltrona dell'atrio, nella quale mi trovavo seduta. Lui era sparito nel piccolo andito dove c'erano le cabine telefoniche. Perché la cosa doveva essere urgentissima, drammatica, rimuginavo tra me. O per togliersi subito il pensiero. O non piuttosto perché, telefonando dalla nostra suite, io avrei per forza sentito quello che diceva? Ricordo anche, ai margini del mio affanno, la scheggiatura di un posacenere di cristallo davanti a me e una cervellotica ipotesi di gelosia: la chiamata era di Cosima, che voleva dirgli tutto il suo folle amore, non posso vivere senza di te, raggiungimi immediatamente altrimenti mi uccido. Mi sforzavo perfino di ricordare il numero che avevo lasciato cadere come una stupida invece di leggerlo attentamente e mandarlo a memoria. C'era un 7, mi pareva, e uno zero.

Ma erano cose che riuscivano soltanto alle spie, ad agenti addestrati per anni al colpo d'occhio mnemonico. In ogni caso non ricordavo il numero di Cosima. E in ogni caso (la testa mi funzionava ancora, sia pure au ralenti) alle 21,20 Cosima se ne stava al centro della sua tavola ovale, sotto i miei occhi o quasi, e ancora guardava di traverso quello strano, impertinente commensale in jabot e bottoncini, che già tornava dalla telefonata, non mi vedeva subito e restava un momento a scrutare nella penombra, lui stesso uomo d'ombra finemente inciso, bellissimo, il vero mystery man.

In quel momento mi parve (mi pare ancora) che con Mr. Silvera ogni mia propensione alla curiosità si fosse esaurita, prosciugata, atrofizzata per sempre. Mai più sarei stata capace di congetturare, ricamare, lavorare di fantasia, fare e farmi domande su nessuno. Non avrei più voluto sapere niente di nessuno, mai.

Venne a sedersi nella poltrona accanto alla mia ed ebbe pietà di me perché disse prontamente:

– Era solo un tale che vuole vedermi domattina sul presto.

Una noncuranza micidiale.

– Bella notizia, – commentai.

E aggiunsi:

– Perché se voleva vederti adesso, ci saresti andato?

Lui non rispose. Tutte le sue parole le aveva spese nel Duetto della Finestra, nel Colloquio con Cosima. Per me non restava niente, nessuna confidenza, nessuna spiegazione, nessuna rivelazione. Se aveva bisogno d'aiuto, non era alla mia porta che bussava. Se doveva liberarsi di un terribile segreto, non era con me che si confessava. Se gli servivano soldi, non era a me che li chiedeva.

Mi alzai dondolando la chiave.

– Allora andiamo?

Mi venne dietro come se io non ci fossi e anche nell'ascensore restò così, o perlomeno io lo vidi così, come quando si muoveva in mezzo alla folla, non evasivo ma evitante, rientrato in chissà quale suo guscio. Quasi mi stupii che davanti al 346 si fermasse con me invece di proseguire per il corridoio.

Tra le quattro pareti del salotto mi sentii perduta. Non avevo nessuna familiarità con quel genere di paralisi, non mi era si può dire mai successo di trovarmi, con un uomo, in una situazione in cui non sapevo che cosa fare. Era un'esperienza insieme angosciosa e umiliante, come trovarsi in cima alla guglia di una cattedrale senza sapere come scendere, e come, nello stesso tempo, non riuscire ad aprire il più banale dei cassetti. Ma era lui che mi aveva spinta su per quella maledetta guglia, era lui il dannato cassetto. Schiumavo.

Senza guardarlo, con una voce che avrebbe spaccato un tronco di sequoia, dissi:

– Bene, io sono morta, me ne vado a dormire, buonanotte.

Feci un passo iroso verso la mia stanza ma Mr. Silvera aprì il cassetto e tirò fuori il più triste, il più irresistibile dei suoi "ah".

*
* *

Non disse poi, non poté dire nient'altro, e variamente incollata a lui, serpentinamente adesiva, io non solo sentivo quei noduli di rabbia, esasperazione, gelosia sciogliersi uno per uno dentro di me, ma tra un'incandescenza e l'altra mi cullavo divertita, addirittura commossa, nel ricordo dei miei isterismi di tutta la serata. Dopotutto avevamo avuto la nostra litigata di amanti, mi dicevo contando le mie fortune, c'era stato anche questo, tra noi. E lo accarezzavo senza saper bene se si fosse addormentato o no, e poiché eravamo al buio, a un'ora impossibile della notte, pensavo: amo ma non vedo, e mi veniva da ridere. E pensavo teneramente a quei cinesi e al loro appuntamento mancato. E mi chiedevo libertinamente: ma dopo, quando Ch'ing nü, l'obliosa signora, si ricordava del convegno e veniva all'angolo dei bastioni e tutti e due si ritiravano in un boschetto di melograni o in un capanno di bambù?

Quegli antichissimi poeti avevano senza dubbio parole ancora fresche, ancora incontaminate, per cantare i successivi sviluppi. Preziosi, espressivi ideogrammi, vivaci suoni per evocare gesti insieme appassionati, eleganti, complicati, selvaggi, gentili. Argentine desinenze in *ing*, accoppiate a insinuanti *ieng* e *iang*, un accentato martellare di *u* e di *o*, e dolcissime labiali, voluttuose sibilanti culminanti magari in un esplosivo e soave *uang*.

Chissà come se la sarebbero cavata oggi, tremila anni dopo, in un mondo come il nostro, dove era impossibile nominare, fuori da ogni turpe incrostazione, anche solo questa coscia, questo lobo d'orecchio, questa nuca?

O forse anche loro, già allora, non nominavano niente, preferivano le metafore, la luna che si abbandona alle increspature del lago, il pino e la betulla che mescolano le chiome nella tempesta... E lentamente, metaforicamente, mi ci provavo anch'io, ma con Venezia, amorosa capitale, scendendo per esempio pian piano lungo una calle e risalendo passo passo per certe fondamenta, e poi indugiando in un campiello, contornandone un altro, infilando uno stretto sottoportico e scavalcando all'improvviso un ponte per ricominciare di là, dall'altra parte del canale, su per una calle larga, giù per opposte fondamenta, sfiorando la base di un campanile e insistendo attorno a una cupola, baciando i mosaici di una coscia, in un confuso dischiudersi di bifore e irrigidirsi di obelischi, in un intreccio sempre più ricco di unghie, facciate, lobi d'orecchio, gondole, porticati, da un sestiere all'altro, da un'isola all'altra, look look Mr. Silvera, uno svettante campanile, una preziosa vera di pozzo, un divino soffitto, un labbro, un'altra isola che sprofonda nella laguna, ah, Mr. Silvera, ah.

1.

L'aveva svegliata solo per salutarla, quando era stato pronto per uscire, ma poi non c'era stato verso di non farla alzare, correre in bagno come una spiritata e ripresentarsi in due minuti già mezzo vestita, infilare la prima gonna e giacchetta capitata sottomano, gettarsi un impermeabile sulle spalle visto che fuori faceva scuro, pioveva.

– T'accompagno fino a... dalla parte dove devi andare, non so... faccio chiamare un taxi... avevi detto alle otto... non hai neppure fatto colazione... hai ancora mezz'ora, no?...

Ora sono in un caffè di Rialto, in piedi al banco affollato, tra gente che entra e riesce frettolosa andando al lavoro, mentre un garzone in grembiule s'affanna a spargere segatura perché fuori piove più forte che mai, l'acqua gronda in fitti rivoli dagli ombrelli richiusi. Mr. Silvera porta un vecchio cappello, col suo impermeabile bucherellato, ma lei non ha niente, sta lì con i capelli bagnati, pallida e senza un filo di trucco, gli occhi pesti come...

Un'aria da Maria Maddalena nel deserto, pensa Mr. Silvera, cercando di ricordare se nel deserto avesse mai piovuto così. Le carezza la faccia, le prende una mano.

– Ciao. Io non so per quanto tempo ne avrò, ma tu aspettami in albergo o lascia detto dove sarai. Va bene?

– Va bene.

– E rimettiti a letto. Non avrai dormito nemmeno tre ore.

– Devo essere bruttissima, – cerca di sorridere lei.

– La più brutta di Venezia, – dice lui baciandola.

Poi si volta e se ne va in fretta, esce dimenticando di rimettersi il cappello, e traversato il mercato di Rialto Nuovo continua per un intrico di sottoportici, campielli, callette, sordidi portoncini e ingressi di cui stenta, sotto la pioggia battente, a distinguere la numerazione.

2.

Nel caffè rumoroso, affollato, stavo aspettando che smettesse di diluviare per correre in Riva del Carbon a riprendere un taxi, farmi riportare in albergo, benché l'idea mi sembrasse terrificante. Tutto sarebbe stato meglio che riandarmene laggiù a contare i minuti e le ore (due? tre? quante?) in attesa che David tornasse o telefonasse.

Ma nel caffè non c'era neppure da sedersi e non avevo altra idea di che fare, dove andare, distrutta com'ero. La pioggia non accennava a diminuire. L'unica tavola di salvezza sarebbe stato Raimondo, ma erano appena le otto e lui di solito s'alzava tardissimo, non osavo chiamarlo a un'ora simile. Senza contare – mi venne in mente – che stanotte, dopo che gli altri se n'erano andati, doveva essere rimasto da Cosima fino a chissà che ora, a farsi raccontare per filo e per segno tutto quello che David le aveva detto.

Poi, naturalmente, fu proprio questo a decidermi. Non solo fui ripresa dalla smania, incontenibile, di sapere tutto anche io, ma per la prima volta mi balenò che dovessi saperlo anche per altre ragioni, a cui finora non avevo pensato. La gelosia e il dispetto non c'entravano più. David poteva aver chiesto a Cosima qualche aiuto o appoggio che a me non aveva voluto chiedere, poteva averla informata di qualche cosa che a me non aveva osato rivelare. Poteva addirittura – pensai – averle detto del messaggio che s'aspettava di ricevere.

Quanto a Raimondo, per tardi che fosse rientrato, aveva

certo dormito più di me, mi dissi superando gli ultimi scrupoli. Infilai il gettone e feci il numero, preparandomi a parlamentare col suo vecchio e mezzo sordo cameriere Alvise.

Fu invece lui stesso a rispondere immediatamente.

– Raimondo? – dissi con un sospiro che era di sollievo ma che, al mio stesso orecchio, suonò come un singhiozzo disperato. – Posso venire subito da te?

– Sì, – disse, – certo.

Non stette a meravigliarsi né pretese la minima spiegazione. Ma s'accorse, dal rumore che avevo intorno, che non telefonavo dall'albergo, e volle saper dov'ero. Glielo dissi.

– Sola?

– Sì, lui è andato... cioè, è dovuto andare... Ma arrivo subito. Il tempo di cercare un taxi.

– Con questo diluvio? No, aspetta lì, vengo a prenderti, – disse riattaccando prima che potessi protestare.

L'eterno boy-scout, pensai con gratitudine, tenerezza, ricordandomi di quando l'avevo sorpreso dalle parti dei Frari a trascinare la valigia della vecchia turista tedesca. Ci mancò poco che mi mettessi a singhiozzare davvero, nello stato in cui ero.

Poi m'atterrì l'idea che David non m'avrebbe trovato in albergo, se per caso si fosse liberato subito, e infilai un altro gettone per avvertire il portiere, lasciargli il numero di Raimondo, spiegargli che la cosa era della massima importanza e che quindi...

Respirai di nuovo con sollievo riconoscendo la voce del Nava; il quale era già lì, m'informò, perché oggi era di primo turno. In che cosa poteva servirmi?

Glielo spiegai e gli lasciai il numero, gli detti per sicurezza anche l'indirizzo, pregandolo di raccomandare personalmente al centralino, per il caso che Mr. Silvera telefonasse, di...

– Ma cèrto, – mi rassicurò col suo tono autorevole e benigno, premuroso senza traccia di ossequio. – La signora principessa può stare tranquilla.

Tornai ad aspettare al bar. Con due protettori come Raimondo e Nava mi sentivo riconfortata, anche se non precisamente "tranquilla". Fuori pioveva sempre a dirotto. Specchiandomi nello specchio dietro il bar mi trovai a contemplare una specie di Ofelia annegata e smagrita, pallidissima, ma che malgrado gli occhi cerchiati, i capelli incollati alla faccia, non era ancora la più brutta di Venezia.

Mi sorrisi incoraggiante. Cominciai quasi a sperare che Cosima, qualche influentissimo presidente di Cosima, potesse fare o avesse già fatto qualche cosa per David, chissà. Forse il messaggio di ieri sera era stato proprio il risultato di... No, il messaggio era arrivato *prima* della conversazione con Cosima alla finestra, e la successiva telefonata non lasciava niente da sperare. Ma d'altra parte... Curioso che Raimondo, pensai, fosse già non solo sveglio ma pronto per venirmi a prendere, tanto più se stanotte era rientrato tardissimo.

Lo vidi appunto in quel momento nello specchio, che entrava richiudendo l'ombrello e guardando intorno per cercarmi. Portava uno spiegazzato trench, con un cappello altrettanto spiegazzato. Ma sotto, vidi voltandomi, era ancora in smoking, seppure col cravattino di traverso e le scarpe di vernice grondanti acqua.

– Dio santo, – disse venendomi incontro, – e volevi andartene in giro in questo stato?

3.

Il numero che Mr. Silvera è finalmente riuscito a trovare è quello di un andito scalcinato e mezzo allagato, senza portone, da cui si entra in un cortiletto adibito a deposito di ferraglia. Nel cortile c'è anche una vecchia insegna di tipografia, ma le rugginose saracinesche sottostanti sono chiuse, apparentemente in disuso. Una targa accanto alla scala indica tuttavia l'esistenza, al 1° piano, di uno STU-

DIO GRAFICO che si occupa di "Modulistica, Timbri, Dépliants, Stampati Commerciali in Genere".

In questo studio Mr. Silvera è ora seduto di fronte a un grassone in bretelle, dall'altra parte di una scrivania dal piano verde macchiato d'inchiostro. Una donna alta, in tailleur, con l'impermeabile sulle spalle, sta esaminando dei documenti ed è in piedi, accanto alla finestra, benché davanti alla scrivania ci sia un'altra sedia libera.

– Ma questi non sono tutti, – dice irritata, con accento vagamente straniero. – E il passaporto? Qui non c'è neanche il passaporto.

L'uomo accenna col mento a una porta a vetri, dietro la quale il ticchettio d'una macchina da scrivere si alterna a secchi colpi di timbro.

– È tutto quasi pronto, – assicura.

– Quasi? – dice la donna ancora più irritata.

– Questione di mezz'ora, un'ora al massimo, – dice il grassone, prendendo dal tavolo le sigarette e abbozzando il gesto di offrirle in giro, prima di accenderne una per sé. – Sono lavori che prendono tempo, – aggiunge, alzandosi senza fretta e avviandosi alla porta a vetri. – E poi ordinazioni, contrordinazioni... Se si decidevano prima, facevamo prima anche noi.

– Questi ordini dall'alto sono sempre un po' confusi, – dice conciliante Mr. Silvera, mentre l'uomo passa nella stanza attigua.

– Bürokratie! – dice la donna alzando gli occhi al cielo. – Bürokratische Wirrwarr!

Restano tutti e due a guardare la pioggia che frusta i vetri, inonda la ferraglia in cortile. Il grassone, dopo qualche istante, rientra sfogliando un passaporto turchino, non troppo nuovo, che consegna alla donna.

– Come data di emissione abbiamo messo l'anno scorso, – dice tornando a sedersi, – e le generalità come le abbiamo avute per telefono. Va bene?

La donna approva senza entusiasmo, dopo aver esaminato anche il passaporto che Mr. Silvera ha con sé.

– L'hanno ringiovanita parecchio, – dice restituendogli il libretto. – Lei non dimostra l'età che ha lì, ma dieci anni di meno non sono un po' troppi?

– Ah, – sorride Mr. Silvera, – non sono io che decido.

– Uno può essere invecchiato precocemente, – interviene inaspettatamente il grassone. – Basta che la fotografia corrisponda.

Fotografia e connotati, sui due passaporti, sono in realtà le due sole cose che corrispondano, oltre a una parte del nome. Cognome, data e luogo di nascita sono diversi, come pure la nazionalità. Dalla stanza attigua entra ora un ragazzotto, con dei moduli già compilati.

– Se intanto vuole controllare, – dice alla donna, – questi sono i fogli d'accompagnamento del carico. Ma mancano ancora dei bolli perché il timbro non è pronto.

– Questione di mezz'ora, – dice il grassone a Mr. Silvera. – Poi lei potrà portare tutto al... Ma il carico, – chiede alla donna, – da dov'è che parte?

– Da Marghera.

– Allora al Provveditorato di Porto, Porto Commerciale, Servizio Calate e Magazzini, Marghera. E chieda di parlare con Turriti Michele.

– Lomonaco, – dice il ragazzotto. – A Marghera c'è Lomonaco. Calata G, Magazzino 19.

– Ah, ecco, sì. Chieda dell'aiuto-magazziniere Lomonaco e gli dica che viene da parte dello studio. Così potrà accordarsi direttamente su tutto.

– D'accordo.

La donna, dopo aver esaminato e restituito i moduli, dice che avrebbe voluto controllare anche i bolli mancanti, ma che adesso se ne deve andare.

– Mi dispiace, – dice a Mr. Silvera, – che lei debba restare qui a perdere altro tempo.

Mr. Silvera le sorride col suo sorriso a filo d'erba.

– Bürokratie! – dice alzando gli occhi al soffitto.

Nonostante l'ombrello di Raimondo e il suo taxi, che ci aspettava alle Fondamenta del Vin, quando arrivammo in Ruga Giuffa eravamo fradici. Dovemmo cambiarci da capo a piedi tutti e due. Ci ritrovammo in biblioteca, lui in guru di cotone felpato e io con indumenti che, (a suo eufemistico dire), sua nipote Ida teneva lì per il caso appunto di nubifragi, acqua alta, altre emergenze del genere.

– Senti, – dissi, dopo che Alvise ci ebbe provvisti di tè, – dimmi per prima cosa se ieri sera sei rimasto da Cosima, e se lei t'ha detto...

Alzò una mano.

– No, – disse senza sorridere, – per prima cosa devi raccontarmi tutto tu. Per filo e per segno dal principio. Dove l'hai incontrato, come l'hai conosciuto esattamente?

– Ma te l'ho già detto ieri, no? – protestai disorientata. – Io comunque...

Non ricordavo bene cosa m'avesse chiesto e cosa gli avessi risposto, nel mio sfogo della sera prima, ma mi pareva di avergli raccontato anche troppo, compresa Chioggia e perfino la pensione Marin. E poi adesso, in taxi, gli avevo detto del messaggio trovato rientrando, della telefonata, della perentoria convocazione.

Io comunque potevo raccontargli di nuovo tutto quello che voleva, dissi. Ma perché me lo chiedeva? Questo almeno doveva spiegarmelo.

Stette a pensarci un momento.

– Perché a quello che lui ha detto a Cosima, – finì per dire, – soltanto Cosima poteva crederci. È per questo che l'ha detto a lei e non a te.

Rialzò la mano perché non interrompessi, disse che lui stesso non sapeva più cosa pensare, ma che era preoccupatissimo per me e che io dovevo dargli retta, ripetergli ogni cosa per ordine. Poi m'avrebbe detto tutto quello che sapeva lui.

– Tutto quello che hai saputo da Cosima?

– Non soltanto da Cosima, – disse. – Quando m'hai telefonato stavo ancora informandomi... da altri.

Lo guardai sbalordita, mi guardai intorno come se i misteriosi informatori potessero trovarsi ancora lì, nascosti in qualche angolo della biblioteca. Ma tutto stava diventando così assurdo che m'arresi, rinunciai a chiedere altro. Pensai solo che dovevo accontentare Raimondo (di cui non esclusi che avesse perso in tutto o in parte la ragione) se volevo venire a capo di qualche cosa.

– D'accordo, ogni cosa per ordine, – dissi, cominciando dalla vociante comitiva diretta a Corfù e passando alla mia sorpresa, il giorno dopo, nel ritrovare il suo singolare accompagnatore in campo San Bartolomeo. Lui – continuai – lì per lì m'aveva mentito, dicendo che il viaggio per mare non era compreso nel suo incarico. Poi però aveva ammesso che avrebbe dovuto imbarcarsi anche lui, anzi s'era già imbarcato, ma che all'ultimo momento...

– Comunque è a Venezia da martedì? – chiese Raimondo.

Aveva preso dal tavolino del telefono, che era accanto alla sua poltrona, un blocco da appunti e lo aprì, non capii se preparandosi a scrivere o per controllare dei fogli già scritti. Ma niente ormai mi meravigliava più.

– Sì, – dissi, – certo, visto che era con me in aereo. Sono quattro giorni che è qui.

– Non proprio, direi. L'aereo quando è arrivato?

– L'aereo?... Alle undici, più o meno. Ma era appunto martedì, e oggi...

– È venerdì, lo so, però non sono ancora le nove. In realtà sono passati meno di tre giorni. e tu è solo dall'altro ieri che... da quando... non da quando l'hai visto sull'aereo, voglio dire, ma...

– Di' pure da quando sono la sua amante. Ma dall'altro ieri? Non è possibile. Oggi è...

– Venerdì, – disse Raimondo abbassando pudicamente gli occhi sui suoi fogli. – E l'incontro al caffè, la pensione

Marin, quella vostra specie di viaggio di nozze a Chioggia... sono stati mercoledì. No?

Stavo per rispondere di no, insistere che non era possibile, o che allora oggi non era venerdì, quando finii per rendermi conto che era solo una questione di parole.

Ieri, l'altro ieri, il giorno prima dell'altro ieri... erano misure che non corrispondevano al tempo di Mr. Silvera, né al mio quando ero con lui. Il suo tempo, spiegai, era infinitamente più esteso, quei due giorni erano stati davvero anni, come nel gioco che credevo di avere inventato. Lui stesso del resto me l'aveva detto fino dal principio, che per lui il tempo non contava. Era *immaterial*, aveva detto e ripetuto. E ancora ieri me l'aveva ripetuto in versi, anche se soltanto per scherzo. O per semplice galanteria, dissi a denti stretti, come la poesiola alla cinesina.

– Che versi? – chiese Raimondo.

Glielo dissi, li citai come me li ricordavo, ma lui non si contentò e andò a prendere Shakespeare da uno scaffale, si mise a consultarlo con esasperante lentezza su un ingombro leggìo.

– Ah, ecco, sì... Sonetto CXXIII: *"No, Tempo, non ti potrai vantare che io cambio..."*.

Finito di leggere, lasciò lì il volume e tornò a sedersi davanti a me, con un'aria scura.

– Non era per semplice galanteria, – disse senza guardarmi. – E non scherzava affatto, ho paura.

5.

Qualcuno bussa alla porta e come obbedendo a un comando a distanza il volto placido del mastro di casa Cesarino si contrae in un'espressione sofferente. Dev'essere il giovane Issà, che viene a ritirare il vassoio della colazione.

– Avanti! – dice l'infortunato dalla sua poltrona di dolore.

Ma è invece la padrona di casa, in vestaglia, salita a informarsi su come Cesarino abbia passato la notte, su come vada il piede, se la medicazione sia stata ripetuta, se caffè e "Gazzettino" gli siano stati portati. Niente di strano in tanta sollecitudine, la signora essendo sempre con lui piena di affettuosi riguardi, come con uno di famiglia. Ma strana è l'ora della visita, le dieci e un quarto. Dopo una cena come quella di ieri la signora non riappare mai prima di mezzogiorno e si presenta comunque sempre vestita di tutto punto, truccata, i capelli in ordine.

– Vuole che le mandi Issà a farle la barba?

– No, no, me la posso cavare da solo, grazie, – risponde il patetico invalido.

Cesarino non sopporta il rasoio elettrico, ma sistemando opportunamente uno sgabello e uno specchietto può benissimo radersi in bagno con sapone e lametta. Se ancora non l'ha fatto è soltanto perché quel velo grigio sulle guance si accorda meglio con la sua condizione di recluso, in qualche modo la giustifica.

– E la cena è poi andata bene – chiede ora malinconico, come il campione di salto triplo che non ha potuto partecipare alle olimpiadi – quel ragazzo Luigi non ha poi combinato disastri?

– No, nessun disastro, tutto è filato alla perfezione, Oreste Nava e il suo aiuto si sono dimostrati pienamente all'altezza.

– Bene, mi fa proprio piacere, – dichiara Cesarino con un ipocrita sospiro di sollievo.

In realtà avrebbe preferito sentirsi dire che, senza proprio arrivare al gelato nella schiena e alla salsa nel décolleté, qualche piccolo incidente ha macchiato, in sua assenza, lo svolgimento della cena.

– E col tappeto è andato tutto bene?

– Col tappeto? Quale tappeto?

La signora è davanti a una delle basse finestre ornate di gerani, e gli parla senza voltare la testa: più di là, sotto la pioggia che scroscia, che di qua.

– No, dicevo, il tappeto dove sono inciampato... – le ricorda un po' piccata la vittima.

– Oh, sì, ha ragione, quel terribile tappeto, povero Cesarino! E come va il suo piede, con tutta questa umidità?

Completamente di là, pensa stupito Cesarino. Non sono passati neanche cinque minuti da quando gli ha fatto la stessa domanda. Completamente nelle nuvole. Alla luce grigia che filtra dai vetri striati di pioggia, la signora ha un'aria insolitamente vaga e trasognata, smarrita. Va bene che non è truccata, va bene che avrà dormito poche ore (chissà poi perché), ma ci dev'essere qualcos'altro, ieri sera dev'essere successa qualcosa, per ridurla in questo stato. E la cosa più strana è che non gliene importi niente di farsi vedere così. Bevuta? Non è mai successo, sarebbe la prima volta.

– Eh, cosa vuole signora, diventiamo vecchi...

La signora osserva a lungo la pioggia senza rispondere, poi comincia un lento, distratto giro della stanza, come se non sapesse bene che cosa fare, o aspettasse qualcosa, qualcuno. La pausa si prolunga, comincia a pesare.

– Ha visto che vergogna quei poveri bambini jugoslavi comprati e venduti come noccioline? – tenta Cesarino battendo con l'indice sul giornale che tiene sulle ginocchia. Ma l'argomento, che normalmente non mancherebbe di stimolare la grande benefattrice internazionale, cade stamattina nella più completa indifferenza.

– Già. – Si limita a dire la signora. – Che vergogna.

E il silenzio ricomincia, sempre più pesante, imbarazzante. C'è sotto qualcosa, per forza. Non sarà mica...?

Cesarino inghiotte, inquieto. Non sarà mica che tutto questo imbarazzo riguarda lui? Che la signora non trova il coraggio di dirgli qualcosa di molto spiacevole? Per ipotesi, che vuol fargli fare la convalescenza nella villa di campagna, proprio adesso che qui ci sono tutte le tende da staccare e rivedere, tutti i delicatissimi lampadari da pulire... Sarebbe una grave offesa ai suoi quasi quarant'anni di ininterrotto servizio, e una precauzione inutile, perché lui, a parte la caviglia, si sente benissimo, sta benissimo, meglio di Alvise, il cameriere del signor

Raimondo, che è mezzo sordo e parla sempre del suo enfisema, e meglio anche di Oreste Nava, che parla sempre della sua sesta o settima vertebra.

Ma il suo pur finissimo udito non percepisce il passo leggero della signora che ora è dietro di lui e gli posa improvvisamente una mano sulla spalla.

– Eh, caro Cesarino... – sospira.

Cesarino raddrizza per quanto può la spalla, l'intero busto, e aspetta il colpo, preparandosi a rintuzzarlo.

Ma la signora gira attorno alla poltrona, è ora davanti a lui e lo fissa con aria più svagata che mai.

– Allora mi raccomando, eh? – dice assente. E se ne va pensando a chissà che cosa.

Bisognerà fare una piccola indagine per scoprire come veramente sia andata la cena di ieri sera, cosa sia veramente successo, considera Cesarino. Ma intanto, ad ogni buon conto, si issa sulla stampella e arranca verso lametta e sapone. Meglio togliersela, quella sua aria di povero malato.

6.

Fu Raimondo a dirmi che David non scherzava affatto, con le sue piramidi, o me l'ero detto io stessa già da prima? Adesso che "so tutto", il prima e il dopo si confondono come le due facce dell'annerita moneta che rigiro tra le mani. E quando guardo, sul mio tavolo, il solo altro souvenir che ho riportato da Venezia (la chiave d'una stanza d'albergo, ma non del mio, né della Pensione Marin), mi chiedo quali cose avessi o non avessi già capito o sospettato da me. Non certo, neppure lontanamente, la vera identità o il vero mestiere di Mr. Silvera, anche se due parole sarebbero bastate a rivelarmeli. Ma la vera ragione della gita a Chioggia, per esempio. O che l'Intendenza di Finanza, nel segreto delle piramidi, c'entrasse almeno quanto Shakespeare. E perfino che il rabbino Schmelke non si fosse per niente sbagliato, poveretto, anzi l'avesse azzeccata in pieno.

Tutto questo per dire che il "terzo grado" di quella mattina non si presta a un resoconto rigoroso, controfirmabile dalla Cia o dal Kgb. Alcune delle risposte che detti, poté suggerirmele lo stesso Raimondo con le sue domande; e in altre, forse, si mischiano sprazzi del mio senno del poi. Ecco comunque gli estratti del verbale.

A) *Chioggia*

D – Ma te l'ha detto lui di aver piantato i suoi turisti perché era stanco? Perché non ne poteva più di andarsene continuamente in giro?

R – Sì, certo. Ha detto che anche lui doveva fermarsi da qualche parte, di tanto in tanto. Ma che in ogni modo avrebbe potuto restare pochissimo, in quanto aspettava nuovi ordini da un momento all'altro.

D – Dalla sua agenzia?

R – No, no, da qualcuno molto più... qualche cosa come il Mossad, ho pensato. Più tardi m'ha raccontato che a Chioggia aveva sperato d'incontrare una certa persona che forse avrebbe potuto fargli avere una proroga. Ma sono sicura che mentiva. Non credo che là dovesse incontrare nessuno.

D – E allora perché c'è voluto andare, secondo te?

R – Perché penso, o piuttosto... No, ecco: prima, quando vidi come guardava quella nave ormeggiata agli Schiavoni, pensai che Mossad o non Mossad, agenzia o non agenzia, volesse già riandarsene lui stesso. Partire subito.

D – Ma per dove?

R – Niente, per qualsiasi posto, tanto per partire... Poi però, quando m'ha raccontato di quel tale della proroga, da una parte ho avuto l'impressione che mi mentisse, ma dall'altra no. Vale a dire che quel tale non esisteva, ma che a Chioggia, effettivamente, lui c'era voluto andare proprio per quello.

D – Cioè per cosa?

R – Per poter restare di più a Venezia. E nota che... Cioè,

questo mi torna in mente solo adesso, ma per esempio, guarda: io avevo detto per scherzo che a Venezia, se due andavano a letto per la prima volta, poi dovevano prendere la gondola sennò gli davano la multa; lui allora disse che a noi, invece, ce l'avrebbero forse mandata buona se prendevamo il battello. Capisci? Era come se... non so, è una cosa strana, ma...

D – Dilla lo stesso.

R – Insomma era come se lui, non potendo fermarsi a Venezia più di tanto, avesse pensato che andando via per qualche ora, poi l'avrebbero lasciato restare un po' di più. Magari è per questo che è tornato più tardi con la corriera, invece che con me in motoscafo. Ti sembra un'idea pazzesca?

D – Non da parte tua, se è stato lui a mettertela in testa.

R – Ma niente affatto! Io t'ho detto e ti ripeto che...

B) *Santo Stefano*

D – Lui t'ha detto di averli visti quando, gli affreschi del chiostro?

R – Vent'anni fa, poco prima che li staccassero. Ma non è che me l'abbia detto subito. Prima ha detto che doveva essersi sbagliato, dato che lì non c'era niente. Poi, quando io ho saputo che una volta c'erano, ma li avevano staccati nel 1965, m'ha detto di averli visti verso quell'epoca.

D – Quando aveva una ventina d'anni, cioè?

R – Immagino. Non so adesso quanti ne abbia, esattamente.

D – Secondo i dati del suo passaporto è nato nel 1941.

R – Secondo i dati del... Ma tu come li sai? Non sei mica andato... i tuoi informatori non sono mica... Non mi dirai di aver chiesto di David alla polizia, insomma?

D – Io non ho chiesto niente, ho solo pregato qualcuno di copiarmi le schede della pensione Marin.

R – Ma è impensabile lo stesso ! È...

D – Impensabile, l'hai detto. Ma non sai ancora quanto.

Per cui... No, stammi a sentire, per favore. Lui non t'ha anche detto che a Santo Stefano c'erano gli uffici del Genio Militare?

R – Sì, solo che lì s'è sbagliato davvero, perché invece c'è l'Intendenza di Finanza.

D –.Adesso. Ma una volta c'era il Genio Militare.

R – E l'avrebbero staccato... cioè, hanno tolto anche quello... nel 1965?

D – No, quello non c'è più dal 1936.

C) *Fugger*

D – Lui, secondo te, non avrebbe mai voluto raccontarti niente. Ogni cosa avresti dovuto tirargliela fuori tu con le molle. Ma in un modo o in un altro, non è stato sempre lui a suggerirti le domande? È la tecnica classica del...

R – Del truffatore, del pataccaro, d'accordo. Ci ho pensato anch'io quando ha tirato fuori la moneta. Poi però me l'ha regalata, no? E gli affreschi, non penserai che m'abbia portato lì apposta perché io poi gli chiedessi... O che mi dicesse del Genio Militare proprio perché poi scoprissi... Ma poi, vuoi dirmi che interesse avrebbe avuto?

D – Non è necessariamente questione d'interesse. Prendiamo il fatto del quadro: anche lì, non è stato lui a dirti che gli pareva strano?

R – Sì, ma solo perché me n'ero accorta io!

D – Di che cosa?

R – Della sua sorpresa quando se l'è trovato davanti. Se no non m'avrebbe detto niente: né che era falso, né di come l'aveva capito. Perché è chiaro che di quel Fugger non voleva parlarne.

D – Poi, comunque, t'ha detto di averlo conosciuto a Venezia e che si occupava di contrabbando di cocaina.

R – Di cocaina l'ho detto io, veramente. Lui ha detto di diverse droghe.

D – Ah. E non hai chiesto quali?

R – Ma no, cosa vuoi che gli stessi a chiedere?

D – In ogni modo: lui dice di aver capito che il quadro era falso, cioè nemmeno una crosta del Settecento, ma una vecchia tela grattata e ridipinta, perché è il ritratto di questo Fugger.

R – Sì.

D – Ma se è comunque una crosta, come può essere così sicuro? Una certa somiglianza non vuol dire che...

R – Lui dice che la somiglianza è perfetta. E in più c'erano diversi segni particolari: due verruche sul labbro superiore, un taglio profondo sul mento... Del resto il quadro è sempre lì, se vuoi vederlo.

D – Adesso non c'è più.

R – Come non c'è più? È sparito?

D – No, ma Palmarin ha finito per concludere, e ieri stesso la Federhen ha fatto portar via tutto. Tutta la collezione è già in Sovrintendenza per il visto.

R – Hanno fatto presto! Ma tu come l'hai saputo? Da un'altra delle tue spie?

D – Da una delle tue. Ho telefonato a Chiara stamattina, buttandola praticamente giù dal letto. Ma c'è una cosa che vorrei sapere da te: è possibile che sotto il ritratto falso si nasconda, che ne so, un Guardi o un Tiepolo vero?

R – Per fargli passare la dogana? No, con gli esami che fanno adesso è escluso. E comunque, anche ammettendo, perché ci avrebbero dipinto sopra il ritratto di questo signor Fugger, o Mr. Fugger che sia?

D – Di questo *Herr* Fugger. Secondo il racconto fatto a Cosima, è d'una famiglia tedesca ben nota a Venezia.

R – Ma allora la conosci anche tu!

D – La famiglia? Certo, che la conosco.

*

* *

Interrompo la trascrizione del verbale per notare come l'interrogatorio non si svolgesse a senso unico. Qualche volta ero io a far domande al mio Inquisitore, ricavandone qualche avara informazione o commento. Altre volte era lui stesso a gettarmi qualche briciola per accrescere la mia fame.

Fu per questo che riuscii a resistere lì, in biblioteca con Raimondo, per un tempo che mi sembra ora infinito, invece di precipitarmi da Cosima per sapere direttamente da lei.

Ma fu anche perché, a poco a poco, cominciai a capire due cose che paradossalmente mi rassicurarono.

7.

Al Provveditorato di Porto, Porto Commerciale, Servizio Calate e Magazzini, Marghera, l'aiuto-magazziniere Lomonaco non è risultato immediatamente reperibile. D'altra parte l'accesso è rigorosamente vietato agli estranei e Mr. Silvera non ha potuto raggiungere la Calata G, Magazzino 19, per aspettare lì.

– Provi a tornare tra mezz'ora e lo faremo cercare di nuovo, – gli hanno detto all'ingresso.

Non è una prospettiva incoraggiante, dopo il tempo già perduto allo Studio Grafico e quello impiegato per arrivare a Marghera da Piazzale Roma in tassì, in quest'ora di traffico caotico.

Ma per fortuna non piove più e anche i contrattempi paiono avviati alla fine. Il Lomonaco, probabilmente avvertito dallo studio, sopraggiunge in questo momento e riconosce il cliente senza difficoltà.

– Venga, – gli dice, uscendo con lui e scortandolo lungo la cancellata fino a un altro ingresso, di cui ha la chiave.

All'interno, tra file di vagoni merci e muraglie di casse sovrapposte, banchine sormontate da gru, lo accompagna alla Calata G e lo fa accomodare nell'ufficetto del magazzino in cui lavora.

– Qui staremo tranquilli, – dice. – Di che cosa ha bisogno, precisamente?

Mr. Silvera lo guarda sorpreso.

– Ma questo non me lo deve dire lei? Io so soltanto che dovrò accompagnare un carico, – dice tirando fuori i documenti avuti dal grassone.

Anche il Lomonaco sembra intrigato.

– Non so, – dice, – mi faccia vedere.

Studia i fogli per diversi minuti, passando e ripassando da una lista descrizione-merci a una bolla d'accompagnamento, e finisce per alzarsi e uscire. Torna dopo un quarto d'ora scuotendo la testa.

– Ma il carico, – dice battendo il dito su un registro, – non parte da Venezia-Marghera, parte da Venezia-Marittima. Lei è là che dovevano mandarla.

Bürokratie, pensa Mr. Silvera rimettendosi in tasca i documenti. E pensa che in un altro momento, in altre circostanze, la cosa avrebbe anche potuto divertirlo.

XI
DELLE DUE COSE CHE AVEVO COMINCIATO

1.

Delle due cose che avevo cominciato a capire nel corso dell'"interrogatorio", una era che David, secondo Raimondo, potesse essere matto. L'altra era che lo stesso David (sempre secondo Raimondo) se non era matto dovesse essere un pericoloso truffatore.

Ma siccome (secondo me) non era escluso che fosse ammattito Raimondo, i suoi sospetti non m'impensierivano troppo. Anzi in qualche modo mi rassicuravano, quanto almeno al futuro immediato: potevo sperare, in fondo, che David dipendesse dalla sua misteriosa organizzazione (o che altro) meno di quanto m'avesse detto. E che quindi potesse ancora decidere... chissà...

Capivo comunque che le "rivelazioni fatte a Cosima" durante il colloquio alla finestra, Raimondo non riusciva a mandarle giù. Per cui insisteva a confrontarle sia con versioni di altra fonte, sia con la stessa storia come potevo saperla io.

Una specie d'esame di maturità, insomma, dove Raimondo era l'esaminatore e io la candidata. È così che mi rivedo in questa seconda parte dell'inchiesta.

*
* *

D) *Arti e mestieri*

Esaminatore – Mi parli dei mestieri, arti o professioni esercitati dal Silvera prima di quello, vero o presunto, dell'accompagnatore turistico.

Candidata – Sì. Dunque a quanto ne so... o a quanto posso supporre, perché bisogna distinguere tra...

E – Non si preoccupi di distinguere e, con parole sue, mi tracci brevemente il quadro d'insieme. Eventuali precisazioni gliele chiederò io.

C – D'accordo. Dunque: avviato dalla famiglia agli studi talmudici, il Silvera, temperamento irrequieto e dubitativo, ben presto li abbandona anche per influenza dello Spinoza, che incontra a Rijnsburg. Ma non che l'incontri davvero, beninteso. È solo che passando da Rijnsburg, dove lo Spinoza abitò, egli...

E – Signorina, le ho già detto che eventuali precisazioni gliele chiederò io. Vada avanti, per favore.

C – Avviato agli studi talmudici, come dicevo, egli li abbandona per quelli d'arte drammatica e trova temporaneamente impiego presso un teatrino di Brooklyn che va in giro per l'East Coast, come dice il mio libro di testo a pagina 72.

E – Va bene, ma continui con parole sue, non mi ripeta a pappagallo il libro di testo!

C (*piccata*) – Come vuole. Egli dunque... Cioè, abbandonato anche il mestiere di attore girovago, perché attratto da quello più remunerativo di commesso viaggiatore, egli continua a vagabondare per diversi paesi: ora come rappresentante in gioielli-fantasia, come dice il libro a pagina 16, ed ora come venditore di enciclopedie, a quanto deduco dalle sue vaste conoscenze in ogni campo dello scibile.

E – Bene. Apprezzo questa sua deduzione.

C (*incoraggiata*) – Dal fatto poi che, abbandonando la *Regina dello Jonio*, egli si sia portato via il fondo d'emergenza dell'Imperial Tours, deduco anche che a forza di cambiare mestieri, di vivere di espedienti, il suo senso morale si fosse venuto alterando: sviandolo non dico dal retto cammino, perché il suo cammino non è mai stato "retto", ma da quei principî che dovrebbero pur sempre...

E – Giustissimo. Saprebbe descrivermi le tappe di questo traviamento?

C – Be', potrebbe essere cominciato da quella moneta

falsa che, non essendo mai riuscito ad affibbiare a nessun altro, finì poi per regalare a me.

E – A lei?

C – A una certa signora, diciamo. Sotto la nefasta influenza del Fugger, d'altra parte, eccolo impegnarsi in un'attività ben più losca e pericolosa, come il contrabbando di droghe. Ma i pericoli non l'hanno mai spaventato, come dimostrano le innumerevoli cicatrici di pagina 105.

E – Ferite di guerra, secondo lei?

C – Almeno in parte. Tra i suoi erratici mestieri infatti (prescindendo dalla sua possibile appartenenza ai servizi segreti israeliani) non dev'essere mancato quello del mercenario, del soldato di ventura.

E – E da che cosa lo deduce?

C – Dal fatto che il Silvera, a pagina 127, dice di saper fare una quantità di piccoli lavori domestici – come rammendare calzini, ricucire bottoni, perfino rattoppare scarpe – tipici del soldato e in particolare del mercenario.

E – Ma per quanto riguarda le scarpe, la cosa non le suggerisce altro?... Non potrebbe darsi che il Silvera, oltre che allo studio del Talmud, fosse stato avviato al mestiere del ciabattino, e almeno per qualche tempo lo abbia effettivamente esercitato?

C – Non ci avevo mai pensato.

E – Ci pensi adesso.

E) *Ciabattino e gentiluomo*

C – No, tutto ben considerato, mi sembra impossibile che uno come il Silvera abbia mai fatto il ciabattino. Innanzitutto perché non è uno che stia mai fermo in un posto, e poi...

E – Ma noi stiamo considerando l'ipotesi che quello sia stato il suo primo e vero mestiere, dopodiché...

C – Sì, ma lo escludo lo stesso, in quanto non si addice assolutamente al personaggio.

E – In che senso?

C – Ma nel senso che la figura del Silvera, malgrado ogni possibile traviamento, resta quella di un gentiluomo! E un ciabattino, è inutile, io non posso...

E – Ma perché lei ragiona nei termini snobistici e, se lo lasci dire, provinciali, del suo ristretto ambiente. In ambienti più aperti e spregiudicati, attività artigiane come quella del ciabattino e del maniscalco, del fabbro, del falegname, non solo non hanno e non hanno mai avuto nulla di basso, di disdicevole, ma spesso si accompagnano ad altri studi e alle attività creative più diverse. Lei lo sa che Spinoza, quali che siano stati i suoi rapporti con Silvera, faceva l'occhialaio?

C – Sì, ma altro è l'occhialaio (e del resto lo Spinoza, a quanto ne so, intagliava soprattutto lenti per microscopi e telescopi), e altro è...

E – E allora pensi a Hans Sachs, il celebre poeta-calzolaio, amico di Dürer e di Lutero, che studiò congiuntamente il latino, il flauto e la risuolatura delle scarpe, ispirando a Wagner i suoi *Maestri Cantori di Norimberga*. O al ciabattino di Dresda che ospitò Goethe nel 1767, fornendogli il modello dell'*Ewige Jude* e più tardi dello stesso *Faust*. O a Shi il carpentiere, onorato da tutta l'antichità cinese!... E il figlio del falegname di Nazareth, che apprese ed esercitò anche lui il mestiere paterno? Non mi dirà che per questo non sia stato un gentiluomo?

C – Dio mio, Cristo è una cosa...

E – E il Silvera un'altra? Fino a un certo punto, signorina. Fino a un certo punto. Ma veniamo ora al problema della lingua, o meglio delle *innumerevoli lingue*, che il Silvera avrebbe imparato in vita sua.

F) *Il problema della lingua*

    N.B. – Qui la Candidata, malgrado le esortazioni dell'Esaminatore, ripete spesso a pappagallo le parole del suo libro di testo. Alcune delle sue risposte vengono perciò omesse o abbreviate.

E – Che cosa sa dirmi della sua lingua materna?

C – Niente. Cioè, a pagina 72 lui dice... (*omissis*). D'altra parte il suo cognome indicherebbe un'origine sefardita, vale a dire spagnola o portoghese. Ma questo non ci dice nulla sulla sua lingua, naturalmente, come neppure il fatto che sia nato in Olanda e che di nome si chiami David.

E – David e basta?

C – Sì... Cioè, no. Mi sembra di ricordare che sul suo passaporto, a pagina 48... (*omissis*). Ashver in italiano sarebbe Asvero?

E – Sì, o Assuero, dal babilonese Ahzhuer. È un nome che tra gli ebrei si diffuse in conseguenza della cattività in Babilonia, appunto. Ma a lei non ricorda altro? In Occidente, la sua grafia più comune è Ahsverus, o Ahasverus.

C – Il problema della lingua l'ho studiato bene, ma in onomastica purtroppo sono poco preparata.

E – Peccato, perché la questione del nome e quella del mestiere sono strettamente legate. Lei non ha mai sentito parlare di un ciabattino di nome Ashver, Asvero, o Assuero che sia?

C – Non mi pare. Comunque sul mio libro non c'è.

E (*irritato*) – Ma c'è sul mio!... E adesso mi dica come farebbe il Silvera, secondo lei, a conoscere tutte le lingue che pretende di conoscere.

C (*sbalordita*) – Come sarebbe "pretende"? Ma se in tutto il libro, dal principio alla fine, lui... (*omissis*).

E – Lo so, lo so: tutte le lingue occidentali, praticamente, e le orientali dall'indù al cinese; non poche delle australi a quanto mi dicono; e quanto alle africane, l'ho sentito con le mie orecchie... cioè tale Raimondo, alla famosa *Cena in casa di Cosima*, l'ha sentito con le sue orecchie... scherzare in swahili col moro Issà mentre quest'ultimo gli serviva l'insalata. Le sembra possibile che una sola persona abbia potuto imparare tutto questo?

C – Be', in quarantacinque anni, per uno che ha sempre girato il mondo...

E – In quarantacinque anni? Ma non basterebbe una vita

intera! Non ne basterebbero due! Non ne basterebbero dieci!... Il che ci riporta al problema fondamentale.

C – Che sarebbe... quale?

E – Ma il problema del tempo, signorina!

*
* *

A questo punto l'esame – o interrogatorio che fosse – subì un'interruzione improvvisa, dopo la quale il suo corso s'invertì, la scena cambiò radicalmente. Ma la ragione di questa svolta non fu la telefonata di Chiara. Chiara telefonò più tardi. La ragione fu il brusco richiamo di Raimondo al problema fondamentale del tempo.

Come avevo fatto a non accorgermene, a non capirlo prima da me, che era "fondamentale" nel senso che tutto riportava lì e tutto dipendeva da quello?

Eppure il tempo con le sue minacciose piramidi, il maledetto tempo che ormai urgeva, incalzava, precipitava inarrestabile verso la fine, me l'ero trovato tra i piedi fin dal principio in tutte le sue forme, sotto tutti i suoi ingannevoli aspetti. Avevo inciampato nei suoi fili innumerevoli ad ogni passo, dal campo di S. Bartolomeo a quelli di S. Stefano e S. Giovanni in Bragora, dal ponte delle Guglie alla Sacca della Misericordia e all'incantato campiello dell'Abbazia, al desolato pontile di S. Marcuola... E ne avevo ancora parlato, ragionato fino a un minuto fa a proposito delle cose più diverse: navigazione lagunare e trasporti terrestri, pittura a fresco e architettura egizia, contrabbando di droga o di "droghe" (soltanto ora capivo la differenza!), mestieri ambulanti o no, visita (non turistica! non organizzata!) a una casa nei dintorni di Leida, difficoltà di apprendimento del cinese e dello swahili...

Ma non avevo mai collegato. Non m'ero mai detta: tutti i misteri del tuo "mystery man" si riducono, fondamentalmente, a uno solo.

Ora invece, dopo il minuzioso riepilogo a cui ero stata

costretta, e in base anche agli oscuri, sporadici indizi che lo stesso Raimondo m'aveva fornito con le sue domande, quell'unico richiamo bastò. Fu come se la parola "tempo", nel mio cervello intorpidito, avesse fatto scattare l'interruttore generale della luce.

Dieci, cento lampadine s'accesero simultaneamente, rischiarando sentieri dov'ero già passata e ripassata ma come di notte, senza vedere dove camminavo; frontiere che avevo già traversato ma da cieca, come in un tunnel; stanze che avevo già visitato ma come al buio, senza accorgermi di chi o di che cosa ci fosse dentro. La stessa biblioteca dove eravamo seduti da non so più quanto, mi parve di vederla adesso per la prima volta, benché ricordassi di aver guardato sospettosamente intorno, al principio, con l'idea che i misteriosi informatori di Raimondo potessero essere ancora lì. E solo adesso m'accorsi che c'erano davvero.

Ma a proposito di biblioteche, devo anche dire che non sono poi così smemorata o ignorante come a volte mi giudicano, o mi giudico io stessa, fuori del mio mestiere. Molte cose, più o meno vagamente, le so. Ma spesso, proprio come agli esami, basta che qualcuno me le chieda espressamente per cancellarmele del tutto dalla memoria. Così m'era successo all'"esame" con Raimondo. Che la famiglia Fugger, per esempio, fosse "ben nota a Venezia" lo sapevo, e per ricordarmene non avrei avuto che da collegarla col Fondaco dei Tedeschi. Ma non collegai. Che un certo Asvero avesse fatto il ciabattino, lo sapevo anche quello, e me ne sarei ricordata almeno confusamente, se solo l'avessi associato con un nomignolo, o soprannome, che Raimondo m'aveva citato in tedesco. Ma (anche perché il tedesco lo conosco pochissimo) non avevo associato. Mentre adesso, dopo lo scatto dell'Interruttore Tempo, questi collegamenti o relais difettosi scattavano a loro volta e ogni domanda trovava la sua risposta, ogni tassello del mosaico si collocava al posto giusto, e dettagli anche minimi, piccoli incidenti che avevo trascurato o allusioni cui non avevo dato peso (come lo scherzo di David quando io – a pagina 81 del mio immaginario libro di testo – avevo ammesso di avere "qualche anno più di trenta") acquistavano di colpo un significato abbagliante.

Vidi che Raimondo mi fissava con una specie di pietoso compatimento, e indovinai, riconobbi come se mi fossi guardata in uno specchio, l'espressione dipinta sulla mia faccia: era la stessa che avevo visto ieri sera sulla faccia di Cosima, a un certo punto della sua lunga conversazione alla finestra.

Mi alzai, feci qualche passo per la biblioteca, e anch'io restai per un lungo momento, come istupidita, davanti a una delle grandi finestre, registrando automaticamente un volo di piccioni, il fumo grigio che si spandeva da un comignolo, il fatto che il cielo era schiarito e ormai non pioveva più. Poi andai al leggìo dove Raimondo aveva lasciato i sonetti di Shakespeare, e dove altri dei suoi testimoni occulti, dei suoi misteriosi informatori, ancora s'ammucchiavano confusamente.

Vidi l'autobiografia di Goethe e volumi di altri autori tedeschi, noti e meno noti, accanto a un Vangelo di San Giovanni aperto sull'ultima pagina...

Notai, tra l'"Historia" di un benedettino irlandese e un compendio di folclore spagnolo, delle "Cronache" fiorentine e senesi del XIII secolo, la raccolta delle poesie di Wordsworth, un dramma del novelliere danese Hans Christian Andersen...

Aprii e sfogliai per ultimo un romanzo francese, illustrato dal Doré, il cui titolo correva sulla copertina in grandi e fantasiosi, involuti, quasi illeggibili caratteri romantici. Ma era un titolo che conoscevo, che m'ero aspettata, e non mi fu difficile decifrarvi il presunto soprannome di Mr. Silvera, benché Mr. Silvera avesse negato di aver mai avuto soprannomi.

Tornai a sedermi accanto a Raimondo, che non s'era mosso.

– E adesso che m'hai detto chi è... – articolai.

M'interruppe con un gesto, mi guardò più compassione-vole che mai.

– Non "chi è", – disse. – Io t'ho detto soltanto chi dice di essere.

2.

Le sue ultime ore a Venezia (la sua nave partirà stasera, questo l'ha saputo dal Lomonaco), Mr. Silvera non vorreb-be passarle ai cancelli della Marittima in attesa di Turriti Michele. Ma contro le lentezze e deficienze della burocra-zia, alta o bassa, sa di non poter fare niente.

Sa anche che è colpa sua, del resto. È stato lui a mettersi sotto i piedi il regolamento. Se non avesse ceduto alla sua smania di fermarsi e avesse continuato, come doveva, ad andarsene attorno con l'Imperial Tours, l'Ente da cui di-pende non si sarebbe trovato a dovergli procurare imme-diatamente un'altra identità e un altro lavoro.

E lui stesso, d'altra parte, non avrebbe rincontrato la donna che già sull'aereo gli era parsa così gradevole. Non avrebbe ora tanta fretta di ritrovarsi con lei. Non gl'impor-terebbe di aspettare qui fuori i comodi del magazziniere Turriti, che dovrebbe dargli tutte le istruzioni per l'imbar-co di stasera.

Ma il Turriti – viene finalmente a sapere da un tizio in maglione, che lo accosta chiedendogli se viene da par-te dello Studio – è attualmente in mutua. Le istruzioni per l'imbarco e su tutto il resto dovrà dargliele tale Alba-nese, elettricista al Comando Zona Fari. Il quale peraltro non è libero per il momento e verrà a prenderlo tra una mezz'ora, diciamo, o un'ora al massimo. Ma non qui. Mr. Silvera (ora Mr. Bashevi) dovrà andare ad aspettarlo dall'altra parte della Marittima, in fondo alle Zattere, do-ve c'è un ingresso di servizio: si passa il ponticello sul rio di S. Sebastiano e...

– Sì, – dice Mr. Silvera. – So dov'è.

Ma non era di lì che si passava una volta, pensa mentre s'avvia per le nude fondamenta del canale Scomenzera, dove più niente, salvo la facciata d'una chiesa in disuso, rammenta l'epoca della Ditta Fugger e della sua non sempre legale attività di import-export. Un lavoro molto simile, ricorda, a quello che sta per ricominciare, e che gli fu affidato da quel giovane Hans (o Andreas?) Fugger, quando lui stesso si chiamava... come?

Eliach?... De Pinhas?... Ginzberg?...

Difficile dire, dopo tanto tempo.

3.

Non che lui – mi spiegò Raimondo – ne avesse mai saputo molto più di me su quella storia. Dopo il rapito ed esclamativo, esagitato racconto di Cosima, il suo primo informatore un po' serio era stato un insegnante al Collegio Armeno dei Padri Mechitaristi, vecchio amico di famiglia, che Cosima non aveva esitato a svegliare nel cuore della notte.

Ma quest'ultimo, pur fornendo ampie notizie e indicazioni soprattutto bibliografiche, s'era fermamente rifiutato di pronunciarsi personalmente sul caso. Per la Chiesa, aveva detto, le voci sull'esistenza di un ebreo così e così, maledetto dal Signore sul cammino della croce, non avevano fondamento storico. La leggenda era forse nata dall'applicazione all'ebreo in questione, ma come maledizione, come condanna, di un'ambigua promessa d'immortalità terrena fatta all'apostolo Giovanni, e riferita da Giovanni stesso alla fine del suo evangelo. Su un presunto ciabattino Ahsver che, per aver rifiutato di far riposare Gesù sulla soglia della sua bottega, sarebbe stato condannato a "non poter morire" e andarsene errando fino al Giorno del Giudizio, non c'erano invece testimonianze scritturali di sorta.

Ma la Chiesa, era intervenuta febbrilmente Cosima, non poteva tuttavia escludere...

La Chiesa non escludeva nulla, aveva detto il padre mechitarista al telefono. Ma la sua regola era oggi la più estrema prudenza. Non s'era più nell'alto medioevo (quando la leggenda aveva cominciato a diffondersi in Europa) e nemmeno ai tempi di Paulus von Eilzen, vescovo dello Schleswig, che incontrato ad Amburgo un vagabondo ebreo di nome Ahasverus, aveva prestato cieca fede al suo racconto e diffuso nuovi particolari su di lui, assegnandogli quel soprannome di Ewige Jude ("l'Ebreo Eterno") che in Italia e altri paesi era diventato "l'Ebreo Errante".

La storia era poi stata ripresa da Goethe, von Chamisso, Lenau, Hamerling e numerosi altri, fino al popolare romanzo di Eugène Sue. Ma con progressive aggiunte e aggiornate interpretazioni: come se, via via, l'ex ciabattino avesse variato il racconto per renderlo comprensibile, accettabile, ai suoi ascoltatori moderni.

Il francese Edgar Quinet (quello stesso dell'omonimo Boulevard e stazione di metrò dietro la Gare Montparnasse) ne aveva addirittura ricavato una specie di diario, dei "Taccuini Autobiografici" in cui l'errante giudeo appariva come un simbolo non solo della sua razza nomade e inquieta, ma di tutta l'umanità nel suo incessante, incerto cammino.

Ma con Cristo – aveva voluto sapere Cosima dal mechitarista al telefono – com'erano andate veramente le cose? Possibile che Mr. Silvera, la gentilezza e la tolleranza in persona (anche se a volte di una caparbietà inaudita, come dimostrava l'episodio del consommé), avesse sbattuto la porta in faccia al Nazareno stremato, vacillante sotto il peso della croce, che gli chiedeva solo di riposare un istante sulla sua soglia?

Qui – e cosa non avrei dato per essere al posto di Cosima in quel momento! – David, durante il colloquio alla finestra, s'era limitato a rispondere con uno dei suoi vaghi, inimitabili:

– Ah...

Ma il padre del Collegio Armeno chiarì che quel rozzo,

primitivo aspetto della leggenda era presto caduto in discredito. Già per Goethe le cose erano andate in tutt'altro modo, come più tardi avrebbe accertato nella sua biblioteca lo stesso Raimondo (per il quale tuttavia, Ashver o no che si chiamasse sul passaporto, Mr. Silvera non poteva essere che un esaltato, un pazzo pericoloso o un non meno pericoloso truffatore, capace di ridurre sul lastrico o me o Cosima, e possibilmente entrambe).

Non c'era stata nessuna porta in faccia, secondo Goethe. La sola colpa di Ahasver nel vedere Cristo in mano alla soldataglia, trascinato al supplizio tra gli scherni della folla, era stata di mormorare con rabbia, con pietà, con impotente disperazione:

– *Ach! Er hat mich nie hören wollen...* ("Gliel'avevo detto, maledizione! Ma non ha mai voluto starmi a sentire").

E in realtà gliel'aveva detto mille volte, al figlio del falegname di Nazareth, che non si trattava di porgere l'altra guancia. La strada non era quella, le parabole non servivano, la mansuetudine, la rassegnazione alla volontà di Dio, non portavano da nessuna parte. Lui, il figlio del ciabattino di Gerusalemme, parteggiava per la stessa verità e la stessa giustizia, ma aveva scelto un'altra strada. Le cicatrici di cui era coperto ne testimoniavano. E se anche non credeva che la vittoria potesse essere per domani, non avrebbe mai mollato, avrebbe sempre continuato a...

– *A errare senza scopo*, – aveva decretato allora Qualcuno (non il povero cristo che andava a morire, certo, ma Qualcun altro che era già subentrato o stava per subentrare Lassù: una specie di nuovo Presidente, aveva capito Cosima).

Perché ormai la vittoria era in pugno. Era il Golgotha, la vittoria. Anche se un figlio di ciabattino si rifiutava di ammetterlo.

Fin qui il padre mechitarista e i muti informatori radunati sul leggìo. Quanto al racconto di Cosima, era (e resta) difficile distinguere tra realtà e fantasia.

Il fatto è che neppure Raimondo era riuscito a stabilire, esattamente, che cosa David le avesse detto e che cosa lei avesse capito, se non addirittura immaginato per conto suo. Con una come Cosima è quasi impossibile dire. E per questo, ne sono sicura, David aveva scelto lei come confidente: non perché pensasse che io non gli avrei mai creduto, ma perché certi particolari, riferiti da lei, potessero essere interpretati diversamente o almeno accolti con riserva, presi con beneficio d'inventario.

Per Raimondo del resto non si trattava di distinguere tra fantasia e realtà, ma tra quelle che giudicava le dementi – o calcolate – invenzioni del sedicente Ewige Jude, e le aggiuntive immaginazioni di sua cugina. La quale poi non s'era limitata ad ascoltarlo, l'Ewige Jude. L'aveva invece continuamente interrotto come fa lei (e come a volte faccio anche io, va bene, ma non fino a quel punto) con le domande più idiote e fuori di proposito, o chiedendogli le precisazioni più incongrue.

Quando lui le aveva raccontato, per esempio, che col Nazareno (più giovane di lui di qualche anno) e coi suoi discepoli, specialmente con l'ex pubblicano Matteo, si conoscevano da molto tempo, lei gli aveva chiesto se avesse conosciuto anche la Maddalena quand'era ancora peccatrice, e di com'era questa Maddalena, e se per caso tra di loro non ci fosse stata "un po' una storia"... Al che lui, ovviamente, le aveva risposto con un altro dei suoi "ah".

C'erano tuttavia aspetti della leggenda, rimasti sempre tra i più oscuri, sui quali Cosima aveva fatto domande più o meno ragionevoli, qualche volta perfino intelligenti.

Se Mr. Silvera, p.es., nel 33 d.C. era già sui quarant'anni, come mai oggi non ne dimostrava di più?

"Ma perché io non cambio mai", aveva risposto David pur senza citare (e gliene rendo merito, a parte che con Cosima non sarebbe valsa la pena) il Sonetto CXXIII e le sue piramidi.

Ma allora era una cosa così strana che... Cioè: avrebbe dovuto diventare famosissimo, no?

Be', veramente era già abbastanza famoso.

Sì, ma no... Cioè lei voleva dire: se gente che l'aveva già incontrato lo rincontrava per caso dopo dieci o vent'anni e lo ritrovava tale e quale identico, avrebbe dovuto essere una cosa... Cioè: avrebbe dovuto venire sui giornali, no? Sarebbero corsi da tutte le parti a...

Già, ma le cose, appunto, stavano messe in modo che questo non potesse mai succedere. Lui non si doveva mai fermare, e quelli che aveva conosciuto non lo potevano mai rincontrare. Potevano magari incrociarlo, passargli vicino, ma senza accorgersi.

E quindi lei tra dieci anni, mettiamo, avrebbe potuto passare per caso per campo San Fantin o per la calle della Màndola mentre anche lui per qualche ragione passava di lì, ma proprio in quel momento le sarebbe venuto da soffiarsi il naso o da fermarsi davanti a una vetrina, per cui non l'avrebbe visto?

Proprio così. Le cose stavano messe in modo che lei non avrebbe potuto vederlo.

– Pare che la povera Cosima, – disse sarcastico Raimondo – a questo punto si sia praticamente messa a piangere.

– La povera Cosima?... Ah, sì?... E allora io?... – dissi mettendomi a piangere io.

*
* *

Fu una vera crisi, non la smettevo più, Raimondo non sapeva più come calmarmi e arrivò al punto da portarmi un bicchier d'acqua, da propormi una mezza aspirina, da chiamarmi paternamente figlia mia.

– Ma figlia mia, – ripeteva, – ragiona un momento, no?... Non penserai che lui sia veramente... non crederai mica sul serio a...

– Ma io non lo so che cosa credo! – continuavo a singhiozzare io. – So solo che io... che lui... E tu stai zitto,

219

per favore, non starmi intorno, stai zitto... Perché tu, io lo so che cosa credi! Lui per te è un pazzo oppure un truffatore, un delinquente, ecco! Mentre io ti dico che ti sbagli. Che non può essere. Perché lui...

– Ma io non ho affatto detto...

– Ma lo pensi! Invece di chiederti dov'è adesso e perché non torna, perché non telefona, perché almeno il Nava non si fa vivo!... Che ore sono? Io non so più nemmeno...

– Quasi l'una. Vuoi che telefoni al Nava? Che senta io?

– Sì, chiama tu, per favore... Grazie... E scusami. Io è proprio che...

Stetti a sentire che telefonava, e dalla voce del Nava, benché fosse appena udibile, capii subito che non c'erano notizie. Lo stesso Nava tuttavia, in caso di novità, avrebbe immediatamente... si sarebbe personalmente premurato... eccetera.

– Non è rientrato né ha telefonato, – mi confermò compunto Raimondo. – E nessun altro ha chiesto di te salvo Chiara, poco fa, che ha lasciato detto di richiamarla.

– Al diavolo anche Chiara, – dissi asciugandomi gli occhi.

Restammo un po' senza parlare. Io mi rifeci un filo di trucco e finii per bere la mia acqua, prendere la mia aspirina.

– Forse ha saputo qualche cosa sulla villa di Padova, – disse Raimondo con disinvoltura stentata, nel pietoso tentativo di distrarmi.

– Chi?

– Chiara. Forse il De Bei dopotutto...

Ma io non ci stavo, rialzavo la testa.

– No, guarda, Raimondo, – lo aggredii prendendolo seccamente per il suo nome, – tu pensa pure che io sono la scema della laguna, e che David...

– Ma io non mi sogno lontanamente...

– Senti, Raimondo, ragiona un momento anche tu e dimmi solo questo: spiegami solo come avrebbe fatto, David, a riconoscere quel Fugger se non l'avesse conosciuto davvero. Perché non è questo che ha detto anche a Cosima? Non è per questo che m'hai fatto tutte quelle domande?

– Sì, certo. Solo che a Cosima ha detto di averlo conosciuto nel 1508.

– Mentre io pensavo a una persona di adesso, e quindi non avevo minimamente collegato. Il nome non mi diceva niente, sentito così. Cosa vuoi che stessi a pensare a Fugger il Ricco, al Fondaco dei Tedeschi, e all'epoca in cui i Fugger del Giglio, a Venezia...

– Ma Chiara m'ha confermato che sullo stemma del ritratto ci sono delle spighe, non dei gigli! È stata la prima cosa che le ho chiesto stamattina.

– D'accordo, quella è una cosa che non capisco, e non capisco come c'entrasse nella collezione Zuanich quell'"infilato" falso. Ma resta il fatto che la falsità è venuta fuori proprio perché il personaggio era vero. Senza contare l'altro fatto che a Venezia, ai tempi di Jakob Fugger detto il Ricco...

– Ma di Jakob il Ricco non c'è un celebre ritratto di Dürer?

– Sì. Ce n'è uno a tempera, a Monaco, e un disegno ancora più celebre a Berlino.

– E allora lui può averlo riconosciuto da quelli.

– Con quelli non c'è la minima somiglianza. Il ritratto Zuanich dev'essere di un altro membro della famiglia, molto più giovane del resto. Ma io stavo dicendo che allora a Venezia, al Fondaco dei Tedeschi, i Fugger facevano non solo i banchieri e i mercanti, ma all'occasione i contrabbandieri: soprattutto di zafferano, pepe e altre spezie. Ecco cos'erano le "droghe"! Ma io anche questo l'ho capito solo un momento fa, me ne sono ricordata per via degli affreschi del...

L'ultima lampadina si accese.

Restai con la bocca aperta, gli occhi sgranati, e dovevo sembrare davvero la scema della laguna, da come vidi che mi guardava Raimondo.

– Che affreschi? – chiese quasi impaurito, continuando a guardarmi mentre io cercavo ancora di raccapezzarmi, di connettere.

– Aspetta un momento... lasciami pensare...

– Quelli del Pordenone a Santo Stefano? – insisté. – Per via dell'Intendenza di Finanza? Ma lì, a quell'epoca, la Finanza non c'era ancora e non c'era nemmeno il Genio Militare. C'era un convento di...

Lo misi a tacere con un gesto e andai al telefono, feci il numero di Chiara.

– Chiara?... Senti: ho pensato che quel ritratto falso...

Ma lei m'interruppe per dirmi che, poco fa, m'aveva chiamato all'albergo proprio per quello: il ritratto, almeno quello presentato in Sovrintendenza per il visto, non era affatto...

– Ah, lo sapevo! – dissi. – Me l'ero immaginato! Ma lì come se ne sono accorti?

Il mio tono di trionfo fece drizzare le orecchie a Raimondo, che nella sua innata indiscrezione s'alzò e mi venne accanto per cercare di sentire. Ma Chiara parlava così agitata e in fretta che io stessa avevo difficoltà a seguirla.

– E le spighe? – chiesi. – Come mai sullo stemma c'erano due spighe, invece di... Ah, ecco!

Raimondo fremeva, m'avrebbe quasi strappato di mano il ricevitore, nella sua curiosità maniacale. Ma io adesso mi vendicavo, godevo a farlo soffrire io, riducendo al minimo la mia parte di conversazione.

– Certo... Capisco... Nel 1509?... Sì, ma *more veneto* nel 1508: perché secondo i "Diarî" del Sanudo... Un altro membro della famiglia, comunque. E poi... Ma appunto! Il ritratto menzionato dal Vasari! Che dunque *non è* quello del *Giovane in pelliccia* dell'Alte Pinakothek!... E la Federhen dove l'aveva trovato? E Palmarin?... Ma c'entravano anche i nipoti?... Ah, te l'avevo detto che non mi pareva tanto rimbambita!... In ogni modo bisogna riconoscere che la Federhen... Come?... Come ho fatto, io, a capire che il giovane del ritratto...? Ma Raimondo questo non te l'ha spiegato?... Sì, ti spiegherò ma non adesso. Comunque non sono stata io, a capirlo... No: è stato un mio amico che nel 1508 ha lavorato per i Fugger.

Riagganciai. Raimondo era in uno stato che faceva pena a vederlo, ma non mi lasciai commuovere.

– Non mi daresti qualche cosa da bere? – dissi. – Un "mimosa", uno screwdriver, non so.

4.

– Niente insomma di fuori dell'ordinario, di veramente irregolare, spiega l'elettricista del Comando Zona Fari. La *Marie-Jeanne*, proveniente da Freetown, è d'una Compagnia di navigazione canadese. Il comandante è al di sopra di ogni sospetto. E il carico imbarcato qui a Venezia (magari un po' in fretta, saltando qualche formalità) corrisponde in sostanza alla descrizione sulle liste.

Per cui non ci sarebbe nemmeno bisogno di un accompagnatore, in realtà.

Solo che in qualcuno dei porti di destinazione potrebbero nascere problemi, si potrebbero avere grane, per cui si tratterà soprattutto di trovare accomodamenti e aggirare difficoltà, ungere ruote... Ma questo non si poteva chiederlo alla Compagnia, naturalmente. E neppure al comandante, il quale anzi è all'oscuro di tutto. Il "contatto" di Mr. Bashevi sarà invece il secondo ufficiale, uno molto più alla mano, col quale dovranno incontrarsi tra poco.

Mr. Bashevi guarda l'ora.

– Tra poco quanto? – chiede.

Il tempo di andare di qui, dal Comando Zona Fari, al canale Scomenzera dov'è attraccata la *Marie-Jeanne*. Stasera però, alle nove, sarà meglio che lui si ripresenti all'ingresso delle Zattere, dove ci sarà qualcuno ad aspettarlo. La *Marie-Jeanne* parte alle undici.

5.

Dunque al principio del 1509, e cioè del 1508 secondo il calendario veneto, gli affreschi del ricostruito Fondaco dei Tedeschi erano terminati, si decise a spiegare l'ex Scema della Laguna (la quale era un'agente di Fowke's, dopotutto, e certi segreti di Venezia li sapeva meglio del pretenzioso, arrogante, insoffribile Raimondo). Ma quegli affreschi lì, continuò, non c'entravano niente col Pordenone. Erano invece di Giorgione, cui li aveva commissionati lo stesso Fugger il Ricco; il quale poi per quanto ricco gli fece delle storie per il pagamento, come risulta dai famosi "Diarî" del Sanudo. Ecco perché Giorgione fece il ritratto a uno dei nipoti (Hans, forse, o Andreas: uno comunque di quelli che lavoravano al Fondaco) ma non al taccagno zio Jakob...

– Mi segui? – chiesi con un sorrisetto.

Raimondo non era riuscito a mandar giù neppure una goccia del suo screwdriver, talmente fremeva.

– Sì, ma stringi un po', vieni al punto per favore... – supplicò.

Dunque: gli affreschi, com'è noto, col tempo si deteriorarono e oggi non ne rimaneva che un frammento quasi illeggibile (*L'Ignuda*) all'Accademia. Il ritratto, su tela, andò invece a finire nelle mani del Vasari, che racconta di averlo conservato nel suo "libro dei disegni". Dopodiché se ne perse ogni traccia finché qualcuno, verso la metà del sec. XIX, pretese di identificarlo con un ritratto di giovane in pelliccia, vagamente giorgionesco, dell'Alte Pinakothek.

– Solo che il ritratto in questione misura cm 70 per 53. E ti pare possibile che una tela di quelle dimensioni possa essere la stessa che il Vasari dice di aver conservato nel suo "libro", misurante al massimo cm 45 per 30?

– No, – si rassegnò il poveretto, – non mi sembra possibile.

Ecco. Per cui, già nel 1871, il Cavalcaselle nega l'identificazione e attribuisce la tela di Monaco a Palma il Vecchio... Lo segue, nel 1926, il Berenson, mentre altri studiosi pensano al Mancini o al Cariani... Le ricerche del ritratto perduto riprendono... Finché un'antiquaria italo-tedesca di pochi scrupoli, ma di occhio acuto, nota presso una famiglia patrizia di Vimercate (MI) un piccolo *Ritratto di giovane* malamente restaurato, ma sotto le ridipinture del quale le sembra di riconoscere la mano del maestro di Castelfranco. Sullo stemma del giovane, d'altra parte, ci sono due gigli che Anita Federhen – così si chiama l'antiquaria – non tarda a riconoscere per quelli dei Fugger, mentre i rozzi, incolti proprietari li avevano sempre presi per quelli dei Medici. E una volta identificati i gigli, come non decidersi per l'acquisto immediato? La Federhen...

– Ma le spighe, allora? Come c'entrano le spighe? Da dove sono venute fuori?

Un po' di pazienza. E anzi un passo indietro. Ricordiamoci che Jakob Fugger non sdegnava di arrotondare i suoi già ingentissimi guadagni col contrabbando di pepe, zafferano eccetera: su cui Venezia imponeva dazi enormi non solo nei propri porti, ma in tutti quelli da lei controllati sulla Via delle Spezie. Questo discutibile ramo della sua attività, il ricco Fugger non lo gestiva tuttavia personalmente. Se ne occupava uno dei nipoti, reclutando operatori clandestini e cosmopoliti per accompagnare i carichi e sbrogliare grane, appianare difficoltà, trovare accomodamenti. Non sorprende perciò che un cosmopolita di razza, l'Ebreo Errante, trovandosi a passare per Venezia nel 1509 e cioè...

– ...nel 1508 *more veneto*.

... nel 1508 *come riferì poi a Cosima*, s'incontrasse col giovane Fugger per ragioni di lavoro: nell'anno stesso in cui quello si faceva fare il ritratto da Giorgione. E si capisce che non stentasse a riconoscerlo nella collezione Zuanich cinque secoli dopo, benché il ritratto Zuanich fosse falso. Capisci?

– No!

– Perché non vuoi capire. Perché ti ostini a pensare che la storia di David sia un cumulo di bugie.

– Io non mi ostino a pensare questo. Penso che lui creda sul serio di essere quello che dice. Ma allora, per forza, devo pensare che sia del tutto...

225

– E allora aspetta ancora un momento. Pensa alla Federhen che si trova tra le mani, per pochi milioni, un Giorgione vendibile all'estero per miliardi. Che cosa fa? Portarlo fuori in valigia sarebbe facilissimo ma non servirebbe, perché una volta scoppiato il caso del Giorgione ritrovato, venute fuori le fotografie sui giornali, gli ex proprietari lo riconoscerebbero e le autorità italiane lo chiederebbero indietro. Bisognerebbe esportarlo con tanto di visto ufficiale, invece. Allora hai voglia a richiederlo indietro! È qui che entrano in ballo la collezione Zuanich e il complice Palmarin. Guarda però che se queste digressioni non t'interessano, se credi che la stia facendo troppo lunga, io...

– Dài, non infierire!

– Dunque, sai come si fa o almeno come si faceva, perché adesso ci stanno molto più attenti, a esportare con tanto di visto un disegno di valore? Lo s'infila in un mucchio di disegni di scarto, si presenta il tutto in Sovrintendenza, e quelli dopo un'occhiata frettolosa, bim, bum, bam, mettono un visto dopo l'altro. Ma col Giorgione ritrovato, questo non si poteva fare: un Giorgione è un Giorgione, e come l'aveva riconosciuto la Federhen avrebbero potuto riconoscerlo anche quelli.

– Già. Immagino.

– Si trattava dunque di sviarla, quell'occhiata sia pure frettolosa. Bisognava che un infilato di quel genere non potessero sospettarlo mai. Oppure: *che non potessero sospettarlo più.* Come se l'avessero già visto e rivisto e...

– Dio santo! – gridò Raimondo che dopotutto non è un idiota, – vuoi dire che l'infilato della collezione Zuanich era una copia fatta apposta? Messa lì apposta, prima di presentare il quadro vero in Sovrintendenza?

– Certo. Il personaggio, a parte lo stemma, era lo stesso. Ma l'impronta giorgionesca dell'originale, già semicancellata dai restauri, era stata così alterata nella copia, da non far pensare che a una rozza, grottesca contraffazione settecentesca, perfettamente in tono col resto della collezione. E così non solo collezionisti, conoscitori, professionisti come la sottoscritta, ma i funzionari della Sovrintendenza e il sovrintendente in persona sono passati e ripassati lì davanti, senz'altra reazione che di delusione e di noia. Dopodiché, quando il ritratto autentico è stato presentato per il visto insieme al resto della collezione, cosa vuoi che stessero a ricontrollare? Il solo pericolo era che notando i gigli dei Fugger, pensassero anche loro al ritratto perduto di Giorgione.

– E allora?

– Allora niente, perché i gigli dell'originale erano stati camuffati da spighe: e ridipintura più, ridipintura meno... Insomma il visto avrebbero potuto darglielo anche stamattina, se non fosse stato...

– Per me? Perché ho telefonato a Chiara stamattina?

– Sì, in definitiva sì... Perché Chiara quando le hai detto del ritratto s'è messa in curiosità, è andata in Sovrintendenza per guardare meglio, e allora si sono incuriositi anche loro. Hanno radiografato il quadro, visto i gigli sotto le spighe dipinte di fresco, e convocato d'urgenza la Federhen e Palmarin.

– Che hanno raccontato tutto?

– Per forza. Anche che la copia, nella collezione Zuanich, ce l'avevano infilata d'accordo con la vecchia. Ma io ti chiedevo: com'è che tutto l'imbroglio è venuto fuori? Chi è stato a riconoscere un giovane ignoto in un ritratto falso e dove i gigli non c'erano nemmeno, né sopra né sotto? E come avrebbe fatto a riconoscerlo oggi, se non l'avesse conosciuto allora? Se cioè lui stesso non fosse veramente...?

Raimondo non disse niente per un lungo momento. Poi fummo interrotti da una telefonata (del suo riccioluto coreografo, a quanto capii) che lo tenne all'apparecchio per un quarto d'ora.

Ma intanto il mio senso di trionfo m'aveva abbandonata. Perché immagino che neanch'io ci avessi creduto davvero, fin lì, alla "rivelazione fatta a Cosima": mentre l'ipotesi del matto o del truffatore m'aveva lasciato una specie di alternativa, di speranza... Adesso invece, col mio impeccabile ragionamento, avevo finito per darmi la zappa sui piedi. Mr. Silvera *era* l'Ewige Jude, e la sola cosa che potessi sperare, ormai, era di rivederlo per l'ultima volta.

6.

La pur breve telefonata ha impedito a Oreste Nava di intervenire subito, e nessuno dei suoi aiutanti – tanto meno quell'imbecille di Luigi – è più in grado di controllare la situazione.

Al seguito del famoso artista lirico, infatti, è già entrato un codazzo di intervistatori e di fotografi, mentre dalla porta rimasta indifesa comincia a penetrare la folla degli ammiratori e dei cacciatori d'autografi, dei *fans*: una razza di cui Nava detesta anche il solo nome, e che è comunque suo stretto dovere tener fuori dall'albergo.

Riagganciato il ricevitore, s'affretta dunque a uscire dal suo banco, dà imperiosamente segno a impiegati e fattorini di occuparsi solo della porta, e accorre verso il panciuto personaggio con l'aria di volerlo difendere. Vede bene che quello non chiederebbe di meglio che lasciarsi fare, improvvisare, già che c'è, una conferenza stampa (dev'essere qui per un recital a spese di qualche ricca fondazione, una celebrità di questo calibro la semplice *Fenice* non se la potrebbe permettere), e come finale (benché qualche cliente seduto nell'atrio dia aperti segni di fastidio, mentre altri, tra cui la culona del 104 e la coppia pseudo inglese del 421, s'avvicinano con larghi sorrisi) esibirsi magari nella cavatina dell'*Ernani*. Ma quei dinieghi fiocamente insistiti gli offrono il pretesto necessario.

La sua manica gallonata cinge con premura le spalle del ciccione, mentre l'altra allontana autorevole gl'intervistatori più pressanti, e un momento dopo eccoli entrambi in salvo nell'ascensore di servizio, diretti alla prenotata suite 212.

Solo che adesso dovrò occuparmene io, di questo stron-
zo, pensa Oreste Nava. Che dopo la telefonata avrebbe voluto premurarsi, invece, di avvertire personalmente l'angu-
stiata principessa del 346.

7.

Si sentì bussare, ma non teatralmente, alla porta, e Alvise
entrò di mezzo passo in biblioteca senza staccare la mano
dalla maniglia. Con la sua testa pelata, la sua giubba a righine rosse e nere, la sua sordità e il suo accento veneziano,
nessuno l'avrebbe preso per un messaggero da tragedia
classica. Non era il frate di Giulietta, il soldato di Cleopatra, o il *kerux* che annuncia allarmato l'arrivo di Agamen-
none. Era semmai un Menegheto da bottega del caffè o da
smanie per la villeggiatura.

– C'è il sior Basegio, – annunciò infatti.
– Chi? – chiese Raimondo. – Che cosa vuole?
Alvise si strinse nelle spalle.
– Il sior Basegio, – ripeté.
– Ma chi è, lo manda qualcuno? È quello dei materas-
si?
Lo sguardo di Alvise restò vuoto e innocente, senza che
si capisse se non sapeva o non sentiva.
Raimondo lasciò spazientito la stanza e dopo un minuto
sentii la voce del signor Basegio che spiegava di aver chia-
mato l'albergo e saputo che io ero qui. Ma qui il telefono
era sempre occupato e allora...
Non era quello dei materassi, era David.
– Ma certo, naturale, – diceva Raimondo, – ha fatto
benissimo a venire.
Convenevoli. Buone maniere. Grazie. Prego. Ma non
vuol darmi l'impermeabile. Non c'è di che. S'immagini.
S'accomodi. Le faccio strada. Ci mancava solo il "servo
suo, Sior".
Questo, in luogo di voli d'uccelli e altri segni o fenomeni

premonitori, tuoni e fulmini, oscuramenti del sole, urli profetici di Cassandra. Durante quegli attimi d'insopportabile tensione in attesa del responso, non ebbi altro, per indovinare la mia sorte, se non le frasi comuni, i toni affabili delle due voci che s'avvicinavano. Come interpretarle? Cosa promettevano?

Per trarne auspici favorevoli mi aggrappai proprio alla loro educata ordinarietà. Non traspariva urgenza né concitazione, da quello scambio, e dunque c'era stato un rinvio, la partenza non era imminente, David avrebbe potuto restare fino a domani, o fino a lunedì addirittura.

Ma intanto mi dicevo che anche il nostro incontro in aereo era avvenuto sotto il segno dell'ordinarietà. Pensai che allo stesso modo, senza che la terra tremasse o il cielo conflagrasse, ci eravamo rincontrati in campo San Bartolomeo. E mi tornò in mente di avere incongruamente pensato, proprio qui da Raimondo la sera del mio arrivo, mentre tutti ci mettevamo a tavola chiacchierando, che anche l'Ultima Cena potesse essere cominciata così: con gli Apostoli che si sedevano scambiando frasi comuni e informazioni quotidiane, sta meglio tua zia Ruth, cos'ha detto poi quel fariseo, ma davvero il vecchio Ezra vuole sposare la giovane Abigail...

Mi ritrovai a mia insaputa in piedi e quando David comparve un po' di sbieco nel riquadro della porta, avevo io stessa, chissà come, un atteggiamento ordinario, un sorriso ordinario, e una voce assurdamente ordinaria che se ne uscì a chiedere:

– E allora?

– Stasera, – disse lui. – Devo partire stasera alle nove.

– In aereo.

– No, per mare. Una nave da carico.

– Ma dalle Zattere, – disse Raimondo, preso anche lui dal dèmone precisatorio, – non da Marghera.

– Dalle Zattere, – confermò David. E aggiunse come se ci fosse un nesso: – Ho un passaporto nuovo, adesso mi chiamo Bashevi.

– Capisco, – disse Raimondo volendo dire, forse, che capiva perché Alvise avesse capito Basegio.

Tutti e tre avevamo parlato come giocattoli caricati a molla, e nell'esaurito silenzio che seguì non percepii neppure un'eco delle grida di Circe, dei lamenti disperati di Didone. Che altro potevamo, sapevamo fare, nel quasi XXI secolo?

Fummo costretti a sederci, e con mano di ferro il secolo ci impose le sue sdrammatizzanti formalità, le sigarette, l'offerta di un caffè, ah, il posacenere, e, da parte di David, il sommario resoconto delle complicazioni burocratiche che l'avevano ritardato. Un'attutita, edulcorata conversazione, quasi un talk-show televisivo con un Ospite di particolare riguardo, accolto dalla Valletta con qualche trepidazione e intervistato dal Presentatore con le dovute cautele.

Seduto nella sua poltroncina a pozzetto, con le lunghe gambe accavallate, i risvolti dei pantaloni e le scarpe (sdrucite ma solide scarpe inglesi, da camminatore) ancora umidi di pioggia, l'ex Mr. Silvera rispondeva a qualsiasi domanda.

– E le capita spesso di cambiare identità – chiedeva con rispettoso interesse Raimondo il Presentatore.

Secondo le circostanze, rispondeva pacatamente l'Ospite. Una certa identità poteva magari "tenere" per anni, o invece le cose si mettevano in modo che bisognava modificarla. E poi a un certo punto, ovviamente, era la data di nascita a non reggere più.

– Ma già, è naturale... – sorvolava il Presentatore mentre la Valletta rivolgeva al pubblico imbarazzati sorrisi. – E il problema del lavoro? Della sopravvivenza, diciamo così, economica?

Anche lì era lo stesso, spiegava il grande viaggiatore. A volte ti capitava un lavoro abbastanza regolare, come quello per l'Imperial Tours; altre volte dovevi accettare incarichi più dubbi, più movimentati, o allora tirare avanti alla giornata, vivendo di piccoli espedienti. Le cose, comunque stavano messe in modo che lui potesse... dovesse sempre... continuare il suo viaggio senza fermarsi.

– Qui a Venezia però lei s'è fermato più di tre giorni, – interveniva con vivacità la Valletta.

Ah, ma abusivamente, diceva l'Ospite, abusivamente! E adesso, benché non rimpiangesse niente, la stava pagando un po' cara.

*
* *

Un po' *tanto* cara, ripete a se stesso l'Ospite abusivo. Ma questo non lo esenta da rimorsi, non gl'impedisce di sentirsi in colpa verso la donna che siede sul divanetto di fronte a lui, e sulla quale – mentre fornisce le sue disinvolte ammissioni, chiarimenti, precisazioni – evita di posare gli occhi.

Vorrebbe dirle e spiegarle di più, giustificarsi di più. Vorrebbe, insomma, chiederle perlomeno scusa. Ma è grato intanto per la riduttiva, distaccata allusività in cui l'affettuoso amico di lei mantiene la conversazione. E ne approfitta per ritardare il momento in cui si ritroveranno soli, di fronte al loro ultimo pomeriggio, alle loro ultime ore insieme, uscendo di qui.

XII
USCIMMO ESCONO USCIAMO SIAMO USCITI

1.

Uscimmo escono usciamo siamo usciti erano usciti nel più assoluto novembre. I tempi di quelle ultime ore s'intrecciano, si confondono, i soggetti si disarticolano, sfumano impersonalmente nei grigiori dell'autunno, tornano a combaciare, a staccarsi, a percorrere ognuno per conto suo la sintassi scolorita della città.

Della gran pioggia della mattina restano dovunque le umide stagnazioni, e gli stessi canali avevano un'aria gonfia, recente, come se anche loro fossero scrosciati dalle grondaie. C'era in giro pochissima gente.

Io non so, lui non sapeva, noi non sapevamo dove andare, nessun progetto era più possibile, nessun minuto valeva più niente, c'era anzi un'avversione a risparmiarli, i minuti, un ritorno alla mia vecchia ripugnanza a sfruttare le pause, gl'interstizi, come se al tempo, odioso tassista, una avesse detto con alterigia, tenga pure il resto, non so cosa farmene degli spiccioli.

Ma quale alterigia, figlia mia, quale tassista, se il Tempo aveva ripreso le sue dimensioni colossali, piramidali, e tu là sotto, microscopica, indistinguibile figura, a camminare tra opzioni tutte ugualmente futili: togliersi infine la curiosità (ma la Ca' d'Oro era aperta, al pomeriggio?) di dare un'occhiata agli affreschi del Pordenone; o tornarsene in albergo a tentare i madidi addii della carne; o rivisitare luoghi già catapultati nel passato remoto come campo San Bartolomeo, la calle della Màndola; o magari (mi venne in mente perfino questo) andarsene al cinema, consumare all'ombra d'una storia qualsiasi la fine della nostra.

Ma sebbene non entrassimo poi in quello spopolato locale, dove la cassiera stava leggendo un libro e un uomo vestito di marrone attendeva in piedi che qualcuno, porgendogli un biglietto da strappare a metà, lo togliesse un istante dal suo piedistallo di noia, sebbene quell'immagine momentanea fosse già dieci o venti passi dietro di noi, io, che non avevo niente da opporle, me ne lasciavo invadere passivamente, le concedevo sviluppi futilmente dettagliati: sì, ecco la cassiera distolta dal suo libro, ecco l'uomo che controlla i biglietti, la tenda verde scostata, le vuote file di poltrone nel buio (non sarò mai andata al cinema con Mr. Silvera!) e laggiù sullo schermo, look, look, ecco succedersi vaporetti e calli, isole e campielli e corpi nudi e avvinghiati, tre giorni a Venezia, passione nella laguna, un amore impossibile: il nostro film.

Sospiri rimbombanti, sussurri amplificati:

"Non potrò mai dimenticarti."

"Non ho mai conosciuto una donna come te."

"Stringimi."

"Baciami".

Tutto poteva ridursi a questo?

Ma mettiamo che mentre lui si avviava verso la sua nave in fondo alle Zattere, qualcuno, dall'ombra, l'avesse abbattuto con una raffica di mitra.

O che dal sottoportico caliginoso a cui ci stavamo avvicinando, fossero sbucati due agenti dell'Interpol, sventolando un poster con la scritta "wanted".

"Mr. David Ashver Silvera, alias Daniel Ahsver Bashevi, alias Ahasver il ciabattino?"

"Sì, sono io."

"Lei è ricercato in trentaquattro paesi. La dichiariamo in arresto."

Ma nessuno sbucò dal sottoportico, la città era come abbandonata, i piccioni sembravano corvi, tutti i gatti sembravano diventati neri, e l'ultima, sconsolata passeggiata dei due amanti sembrava la sistematica cancellazione della prima, di quel loro svagato itinerario in cui luoghi e monumenti e palazzi gli venivano incontro, gli si offrivano appena inventati, mentre ora s'andavano spegnendo uno dopo l'altro, si negavano, rientravano nell'anonimato, nell'invisibilità.

Venezia sembrava diventata Mestre.

E soltanto in un cinema parrocchiale di Mestre, in un logoro film americano degli anni Cinquanta, lei avrebbe potuto chiedere a lui, prendendogli una mano, fissandolo con occhi velati:

"Ma dimmi, John, tu sei davvero l'Ebreo Errante?"

"Sì, cara, sono Ahasverus, sbarcato dalla Basilissa, e ti dirò tutto, ti racconterò tutto."

Una leggenda, un mito. E "tutto" poi cosa, eventualmente?

Dopo la porta sbarrata d'una bottega di ciabattino, dopo la porta di nord-ovest della città, una strada polverosa, sassosa. Una folla di curiosi con degli scalmanati che gridano, qualcuno che piange, dei soldati che mugugnano per questa corvée alle tre del pomeriggio, che maledicono la Palestina e gli ebrei e i loro intricati casini mentre aprono un varco all'uomo con la croce, via, via, indietro, fate passare, fate passare. Erbacce e cardi tra le rade casupole, un cane bastardo che rincorre abbaiando una lucertola, e tutto che succede molto in fretta, passa, perde subito un gran numero di particolari, il colore di una tunica, lo strillo di una bambina, una folata profumata di timo, e stasera alle nove sarà già un ricordo dai contorni confusi, approssimativi, per chi era lì e ha visto "tutto".

Futile come il resto, pensai.

Così andavamo in silenzio, pesantemente, alle tre circa del pomeriggio, e davanti a noi c'erano gli scalini di ancora un altro ponte da salire e ridiscendere. Ero a terra, stavo male. Così male, anzi, che spazzai via anche queste formule eufemistiche, mi dissi con la mia vecchia lucidità, da tre giorni perduta: sto soffrendo, soffro, questo è puro soffrire. E per che cosa? Per chi?

Vedevo tutt'a un tratto una sproporzione immensa tra tanto soffrire e la sua causa, un uomo che conoscevo da tre giorni, che non avrei mai conosciuto se fossi salita su un altro aereo, o se fossi passata mezz'ora più tardi per quel dannato campo San Bartolomeo. Non era ammissibile, non aveva senso ridursi in questo stato (stravolta, spettinata, conciata peggio della *Derelitta* di Sandro Filipepi) per qualcuno che errante o non errante avrei voluto, potuto, lasciare andare avanti da solo, senza salutarlo: e non vederlo più, non pensarci più, come se non l'avessi mai incontrato.

Uno scrupoloso cronista avrebbe potuto riferire, insomma, che ai piedi di quel ponte, per un breve momento e con tutte le attenuanti del caso, io rinnegai Mr. Silvera.

2.

Mr. Silvera non ha finora pronunciato una sola parola ma sa che toccherebbe a lui rompere questo sempre più smorto silenzio. È lui l'abbandonatore, è lui che tra meno di cinque ore s'imbarcherà su una nuova nave verso nuovi volti, nuove terre, mentre lei dovrà rannicchiarsi nella parte dell'abbandonata, che resta e riprende penosamente le sue occupazioni abituali.

E tuttavia Mr. Silvera tace senza rimedio, tutti i vocaboli di tutte le sue lingue sembrano averlo disertato. Anche lui cammina in una specie di strascicata passività, anche lui non ha niente da opporre alle immagini che irrompono via via dall'esterno, la vetrina di un negozio di ferramenta, un vecchio che porta un pacco malamente legato, il fradicio manifesto di un concerto per clarinetto alla Fenice, un ragazzo che guida una grossa barca da carico stando seduto sul timone. Inerme, appiattito, Mr. Silvera si è lasciato a poco a poco invadere da un vasto e terribile intenerimento: quel negozio costato anni di fatiche, risparmi, debiti, quel ragazzo che domenica si precipiterà in terraferma per correre sulla sua Kawasaki, quel vecchio che la nuora maltratta, quel clarinettista che non sarà mai abbastanza bravo per suonare a Vienna o a New York, tutto, assolutamente tutto, gli stringe il cuore. Anzi, pensa Mr. Silvera ricuperando una parola inglese, glielo spezza.

Ma si può interrompere questo lungo silenzio per dire che tutto nella vita è heartbreaking?

Mr. Silvera trascina un piede, poi l'altro, su per gli scalini di un ponte, l'ennesimo. Sa che toccherebbe a lui aiutare la sua compagna a superarlo, che toccherebbe a lui trovare le parole per confortarla, per farle sentire che tutta questa generica e debordante tenerezza è causata da lei, è in realtà per lei. Ma si limita a trascinare un piede, poi l'altro, muto e umiliato. Si rende conto che una simile impotenza viene dalla sua lunga abitudine a scorrere tra elusività e reticenza, dalla sua eterna deriva tra l'indiretto e il superficiale. Ma non è una ragione per non provarne rimorso. Al momento buono non sa dare aiuto a chi ne ha bisogno, questa è la verità cui perviene alla sommità del ponte.

Un gommone grigio con a bordo un uomo e un bambino sta sfilando nel canale e Mr. Silvera lo segue con lo sguardo, travolto dalla sua universale e vacua commozione: il bambino a fare i compiti per domani, il padre a finire una mensoletta per la cucina...

– Senti...

Mr. Silvera si volta sorpreso, vede che lei si è fermata, gli rivolge un fermo sorriso.

– Io sono un po' stanca, – gli dice, – non potremmo fermarci un momento in quel bar?

Dall'altra parte del ponte, proprio sull'angolo, c'è un bar uguale a mille altri bar.

– Sì, certo, benissimo, – dice Mr. Silvera con tardiva premurosità. – Anch'io comincio a essere stanco.

Vorrebbe aggiungere "grazie", ma non ci riesce.

È invece lei che aggiunge, con una voce che ha una certa brusca indulgenza:

– Lì non ci sarà nessun ciabattino che ci caccia via.

3.

Quel bar non aveva insegna, non aveva nome, e io lo battezzai, tanto per cominciare, il bar della praticità femminile. Non si può camminare all'infinito, rimuginando all'infinito, neppure a Venezia. I piedi ti fanno male, i muscoli delle gambe ti ricordano umilmente che esistono anche loro, ogni passo rintrona nel cavo della testa. Avevo ben visto che David, per abituato che fosse ai vagabondaggi, era stanchissimo, forse più di me, e infatti si lasciò cadere con vero sollievo sulla sedia di legno.

C'erano altri tre tavolini oltre al nostro, tutti vuoti, e la volenterosa ragazzina che uscì da dietro il banco per venire da noi, si fermò prima a ripulirli sommariamente uno dopo l'altro con uno straccio, facendone cadere delle briciole. Ripeté con più cura il gesto al nostro tavolo, e se ne andò a prepararci il tè.

Ci guardammo per così dire fisicamente, facendo funzionare pupille, retine, nervi ottici per quello che erano, strumenti della vista. E il silenzio tra noi era già tutto diverso, il rinnegamento rientrato, l'emotività scesa al livello di quel locale prosaico, ancorato alle sue tendine a righe (piuttosto sfilacciate), alle scatole di biscotti e cioccolatini nella vetrinetta, allo sgocciolio d'un rubinetto, alle briciole per terra. A partire da questo, vidi prosaicamente davanti a me un marito stanco che doveva partire, e che poteva ammalarsi anche domani.

– E se ti ammali, – dissi, – come fai? Come ti rimetti in piedi, se devi startene sempre in giro?

– Mah, in piedi io ci resto sempre, più o meno. Non può succedermi mai niente di grave, per come stanno messe le cose.

– Ma questo viaggio non è rischioso, oltre a tutto? Hai detto che la tua nave...

Riaffiorò uno di quei suoi sorrisi.

– No, le cose stanno messe in modo che per me un vero rischio non c'è mai. Penso piuttosto che m'annoierò a morte per tutto il viaggio. Leggerò qualche vecchio giornale, guarderò le onde, finirò per giocare a carte col terzo ufficiale.

Sapevo già la risposta ma dissi ugualmente:

– E non potrei esserci anch'io, su quella nave? O andare ad aspettarti in uno di quei porti? Una specie di Ebrea Errante non è proprio concepibile?

Lui mi disse che qualcuno l'aveva concepita, veramente, ma era solo uno scherzo, l'invenzione di un romanziere da quattro soldi. Al suo fianco non c'era mai stata un'ebrea e tanto meno una *shikse* errante. Perché...

– Che cos'è una shikse? – chiesi.

Una donna, una ragazza non ebrea. Ma non era per quello, comunque. Era perché le cose stavano sempre messe in modo...

– Uh, – mi misi a strillare, – la barba di queste cose messe in modo!

La ragazzina mi guardò con aria stupita ma di approvazione, da dietro il suo banco, e io finii per scoppiare a ridere. L'assenza di rivali, sia shikse che ebree, era già una consolazione. Anche David si mise a ridere. Ci prendemmo una mano. Ed eravamo quasi allegri quando lasciammo quello che per me, forse anche per lui, è rimasto il bar della shikse che strillava.

4.

Ma la loro è un'allegrezza apocrifa. Per un po' li sorregge, li sospinge, agisce come un anestetico, suscitando parvenze di mobilità, spasmi di vitalità in qualcosa che non c'è più, che è stata amputata. E anche se il funesto bruciore appare attutito, sospeso ai margini della ferita, ciò che portano in giro per Venezia è pur sempre un moncherino d'amore.

Apocrifo è dunque il loro comportamento di coppia tradizionale che se ne va strettamente allacciata, scambiandosi sguardi di dolce intensità, sostando più volte, secondo l'uso, in angoli appartati per ondeggiare in un bacio, fermandosi a guardare una vetrina qualsiasi, a leggere una lapide murata in un palazzo, a osservare uno stemma insolito, una statua bizzarramente corrosa dentro la sua nicchia.

Per non parlare del più parlano del meno, e le loro infrequenti parole potrebbero al massimo essere ammesse in un apocrifo vangelo.

– A quel tempo viveva a Fiesole una cugina di mia madre...

– Viveva nel quartiere polacco di Chicago, a quel tempo, un esoso bookmaker...

– E giunta al sedicesimo anno, svolgendosi un torneo di tennis, accadde che mi ruppi...

– E sulla riva francese del lago Lemano mi venne incontro una vedova, che faceva l'estetista...

Neanche davanti alle porte di un tempio di solenne aspetto, dove mercanti d'ambo i sessi vendono i loro souvenir sacri e profani, avviene nulla di memorabile. La coppia si avvicina a una bancarella, ma la giovane mercantessa sta parlando fitto con un garzone di macelleria, e non si cura dei due clienti novembrini, i quali dal canto loro, data appena un'occhiata ai falsi pizzi, ai falsi ori, alle false sete, ai falsi marmi accatastati sul trabiccolo, se ne allontanano senza rovesciarlo in terra con sdegno, limitandosi a mormorare:

– Volevo darti qualcosa da tenere per mio ricordo, come io ho la tua moneta, ma non c'è uno solo di questi oggettini che non sia assolutamente orrendo.

– E io ti dico in verità, che a me ricorderebbe piuttosto le mie comitive.

Esitano sulla soglia del tempio e il piccolo episodio che segue non si può accettabilmente definire il miracolo del fanciullo di Betania, in primo luogo perché il fanciullo stesso è apocrifo, proviene da Portogruaro e deve tornarci con un treno locale che teme di perdere. Se lo trovano davanti all'improvviso: avrà una decina d'anni, indossa una giacca a vento celeste e gli cola il naso.

– Che ora è? – chiede spiccio, inquieto.

I due sembrano urtati, quasi addolorati dall'innocente domanda, e guardano il fanciullo senza rispondergli. Lui, che li crede incapaci d'intendere la sua lingua, ripete sillabando "che ora è?" ma picchiandosi ripetutamente con l'indice sul polso sinistro, in una urgente, enfatica pantomima.

I due lenti stranieri infine capiscono e insieme guardano i rispettivi orologi, insieme gli dicono:

– Le cinque meno venti.

L'informazione allarma evidentemente il fanciullo, che corre via verso Portogruaro gettandosi alle spalle un inaudibile "grazie". Ma sono i due a provare per lui una gratitudine di miracolati. Perché durante tutto l'apocrifo abbandono dell'ultima ora non hanno in verità mai smesso di pensare alle lancette dell'orologio, pur senza guardarle mai. E nella loro contabilità segreta, spaurita, le supponevano di gran lunga più vicine all'ora del distacco.

Non è poi così tardi, si dicono, sorridendosi per l'improvvisa, apocrifa ricchezza. Ed è con un'aria da tempo libero, da turismo svagato e occasionale, che entrano nel vasto tempio.

5.

L'idea era stata la solita, puerile e annaspante: aggiungere anche quella chiesa ai ponti e ai canali, alle inferriate e alle cantonate, al gruzzolo di cose "viste insieme a David" sulle quali avrei poi avuto agio di tornare con la malinconica cupidigia della memoria. Ma appena passata la soglia mi sembrò un'idea infelice.

L'interno era grandioso, fastoso, illuminato senza risparmio da imponenti lampadari, da una quantità di candele votive, ma ricco inoltre di zone oscure, di spicchi tenebrosi, di recessi sfumati. Era il tipo di chiesa da me sempre preferito (salvo che per una breve parentesi "francescana" verso i quattordici anni) che però adesso, con David, mi faceva tutto un altro effetto.

Di rimpicciolimento, pensai dapprima, guardando la gente intorno a me. Ce n'era abbastanza: di inginocchiata nei banchi a pregare, di semplicemente seduta, di uscente, di entrante, di ferma a contemplare un quadro, una statua. E tutti sembravano alti così, misurati contro quei pilastri monumentali, quelle volte remote. Insomma, di nuovo il deprimente effetto piramidi. Di nuovo lì, m'ero andata a cacciare.

Ma poi invece (sebbene il "poi" sia un modo di dire: tutto mi si presentava, o mi si metteva a girare in testa, simultaneamente) la chiesa mi faceva un traumatico effetto di allontanamento, nel senso che David, qui dentro, ridiventava Mr. Silvera, o Mr. Bashevi, o come altro si chiamasse, si fosse chiamato, si sarebbe chiamato vertiginosamente in futuro. Ridiventava il ciabattino maledetto della leggenda. E per quanto gli "informatori" di Raimondo avessero riveduto e corretto certi particolari, per quanto all'origine potesse esserci stato un contrasto solo di metodi, una qualche divergenza tra "compagni di strada", restava che all'uomo accanto a me la "leggenda" imponeva di continuare a camminare, senza riposo, fino al Giorno del giudizio.

Così mi fermai in un banco, feci sedere anche lui.

Lungo i maestosi pilastri si succedevano le scene dell'altro, tanto più breve, itinerario. La cattura. La corona. La croce. Le pie donne. Mediocri tele settecentesche, degne quasi della collezione Zuanich, avrei pensato fino a ieri. Ma adesso le vedevo per la prima volta con occhi... come dire? interessati? coevi? coinvolti?... e mi chiedevo come le vedesse David. Non ci faceva più caso, dopo tanto tempo? O ancora tutta la storia gli bruciava, lo tormentava? E chissà come gli appariva, l'Altro? Come il vincitore, forse. Come quello che lasciandosi fermare, condannare, aveva avuto ragione e meritato il suo trionfo, con i suoi innumerevoli templi e altari, le sue statue, le sue eccelse raffigurazioni pittoriche... Mentre lui, poveretto, nemmeno un tetto sopra la testa.

Ma le cose stavano forse messe in modo che lui di questo non potesse parlarne.

Così gli dissi:

– E tu una casa tua non l'hai più avuta.

– Ah, – disse col suo sorriso a filo d'erba, – e a che mi servirebbe?

– Ma nei posti ci torni. Potresti avere una casa per esempio qui, e tornarci di tanto in tanto, come fanno tanti forestieri... Potrei benissimo occuparmene io, anche senza rivederti, no?

– Sarebbe troppo complicato, – disse lui, – non varrebbe la pena, per uno che è sempre di passaggio.

Ma io lo vidi arrivare in una Venezia primitiva, mille anni fa, e tirar fuori dalla bisaccia una grossa chiave rugginosa, entrare in una bassa catapecchia incolore, tra palizzate, rudimentali ponticelli gettati sui canali, nugoli di zanzare, un orizzonte di canneti e isolotti deserti. E dentro, una rozza tavola, del pesce affumicato appeso al camino, un letto semplice ma pulito, e un bigliettino che diceva...

– Ma sarebbe solo una specie di rifugio, – insistetti, – un po' come un ospizio, in fondo.

– No, – disse lui, – tanto andrebbe a fuoco, o ci sarebbe un'inondazione, o sarebbe raso al suolo dagli unni, da una cannonata, dai francesi. Le cose...

– Ah, già, le cose che si mettono...

Mi chiesi se avesse conosciuto quell'ospizio, una specie di dormitorio per marinai e pellegrini, che c'era una volta dove adesso ci sono i giardini della Biennale, e demolito dal solito Napoleone insieme al vicino convento. Si chiamava l'Ospizio di Messer Gesù Cristo, e mi chiesi se gli fosse mai toccato, per ironia, di doversi riposare per una notte proprio lì, ammesso che quelle "cose" che si mettevano in un certo modo conoscessero l'ironia.

– Ma deve fare una tristezza terribile veder finire tante

cose, vederle sparire da una volta all'altra, bruciate, demolite, crollate...

– Sì, ma se ne vedono anche molte che cominciano, che vengono su piano piano da un anno all'altro...

Già, doveva anche averla vista crescere, questa città, questa stessa chiesa: il cantiere brulicante di muratori, e poi via via le grandi navate che si delineavano, si chiudevano, si coprivano, si riempivano a poco a poco di marmi preziosi, mosaici, ornatissimi altari, e di tabernacoli, pulpiti, balaustre, stalli lavorati da supremi artigiani, che si paludavano secolo dopo secolo di nobili sculture, tele e affreschi dipinti da sublimi pennelli, lapidi che ricordavano uomini e donne eminenti, sepolcri grandiosi che celebravano impavidi guerrieri, dame esemplari, patriarchi, dogi, capitani di mare, ambasciatori, mercanti. Che effetto poteva fare a uno come David questa fantastica accumulazione, questo prodigioso concentrato di storia? Di una cosa che non lo riguardava più, che non c'entrava più niente con lui, con la sua vita marginale? O che invece stava lì a ricordargli tutti i suoi viaggi insensati, i suoi giri viziosi, lo riconduceva alle eterne piramidi?

E io tornavo a sentirmi schiacciata da quella smisuratezza di muri e colonne, piccolissima e lontanissima da Mr. Silvera o Bashevi che fosse, e tornavo alla sua leggenda, tornavo alle due strade divergenti e alle due opposte condanne, al povero pellegrino senza una meta, lo guardavo senza sapere cosa dire, cosa fare, tranne alzarmi dal banco e attaccarmi al suo braccio e camminare con lui nella vastità della chiesa che non era stata un'idea felice, dopotutto.

6.

Il tepore della mano di lei si comunica al braccio di Mr. Silvera, attraverso la lisa manica di tweed, e lui lo ricambia con piccoli segnali di accettazione, di gratitudine, mentre di stazione in dolorosa stazione procedono verso il fondo glorioso del tempio. Ma c'è anche, in quel calore affettuoso, una specie di compassione che gli è meno facile accettare.

Non per fierezza, certo. Un'uguale insofferenza Mr. Silvera la prova per i simboli del coraggio, dell'infaticabilità, dell'eroica perseveranza, che altri hanno preteso di attribuirgli. Non è così che lui vede il suo nomadismo e la sua solitudine.

Lui non pretende di simboleggiare vittorie né sconfitte, glorie né umiliazioni, pensa mentre continuano lungo la navata, verso la prodigiosa, rifulgente apoteosi in rosso e oro che domina sullo sfondo. E gli sembra di riudire la voce senza enfasi, distaccata, sommessa, dell'uomo di cui fu ospite una sera, a Rijnsburg...

Ma formidabili note d'organo emergono ora alle loro spalle, rotolano tempestosamente tra le scure colonne, cozzano inarcandosi contro i massicci muri, riprecipitano a blocchi imperiosi dalle volte. Sembra la voce stessa della grande chiesa, capace di sommergerne ogni altra, e la pia donna che è con lui gli stringe più forte il braccio come per rassicurarlo, proteggerlo.

Ah, le sorride gentile Mr. Silvera. Ma come dirle che, tra tutte le voci tonanti dal fondo dei secoli e dei millenni, la sola che a lui arrivi più è quella del Predicatore Senza Nome?

"Vanità delle vanità", – dice il Predicatore, – "vanità delle vanità... Io il Predicatore, figlio di David, fui re a Gerusalemme, e vidi tutte le opere che si compiono sotto il sole. Ed ecco: tutto è vanità e delusione."

*

* *

È lui a stringerle il braccio quando passano dallo sfolgorio della chiesa all'oscurità della sera che intanto è scesa, dall'odore di cera a quello greve dell'acqua che stagna nei canali. Il sentimento che tutto quello che fanno lo stanno facendo per l'ultima volta li accompagna ormai come un alone che niente riesce a dissipare, li unisce in una specie di complicità rassegnata e quasi cerimoniale.

È come un rito appiattirsi contro il muro per non essere travolti da una repentina comitiva di turisti che passa muggente e ansante con un trotto di mandria.

È come un rito entrare in una tabaccheria a comprare dei rasoi gettabili ("Altro?" "No, grazie") per il viaggiatore.

È come un rito imboccare una calletta misteriosa e strettissima dove è impossibile camminare a fianco a fianco.

È come un rito il traghetto sul Canal Grande.

Al piccolo imbarcadero altra gente aspetta che la gondola si stacchi dall'imbarcadero della riva opposta, segnalato, come questo, da lumini dall'aria festosamente natalizia. E in un minuto la gondola è già in mezzo all'oscurità del canale, appena distinguibile sull'acqua, e già accosta, si svuota dei suoi passeggeri, carica, fra gli altri, anche Mr. Silvera e la sua principessa.

È un breve rito, questa loro prima e ultima gondola. Precariamente in piedi, stretti l'uno all'altro, guardano il traffico delle luci bianche, rosse, verdi nelle due direzioni, i riflessi dorati e mobili dei palazzi, sentono le onde frangersi contro lo scafo che il gondoliere fa scivolare col suo lungo remo lungo un'esatta diagonale. E di là, Mr. Silvera scende per primo a terra, porge ritualmente la mano alla passeggera del volo Z 114, l'aiuta a salire i gradini scricchiolanti, traballanti, della scaletta di legno. E dopo che le ha lasciato la mano, mentre la guarda avviarsi contro lo sfondo increspato e gemmato del Canal Grande, contro gl'indistinti profili di tetti e campanili e cupole che emergono dalla notte veneziana, ripete quel suo inchino e le recita con rituale galanteria:

– Cammini in bellezza, come la Notte.

7.

She walks in beauty, like the night... Ah, Mr. Silvera anche Byron! Come se già non avessi, per sentirmi morire, le tue piramidi e l'obliosa signora, il rabbino Schmelke e la vecchia casa di Rijnsburg... Mai più, in qualsiasi punto della terra mi capiterà di trovarmi quando il cielo si oscura e lo strascico delle costellazioni comincia il suo giro, mai più potrò vedere la notte diversamente da una magica figura che cammina, o liricamente incede, nella sua bellezza; e mai più potrò avviarmi ingioiellata a una festa, uscire con uno scialle su una terrazza, passeggiare lungo una spiaggia con la luna piena, senza risentire la voce appena malinconica, appena ironica di Mr. Silvera che a quella bellezza mi accosta. *She walks in beauty...*

*
* *

Ma dall'imbarcadero la via obbligata li portò a camminare in ansiosa riluttanza, la bellezza già dietro di loro, verso l'albergo, troppo vicino e problematico.

– Dobbiamo salire? – disse lei, rallentando. – Non devi salire a prepararti la valigia?

– No, l'avevo già fatta stamattina, a quest'ora è già a bordo, l'ho mandata a ritirare da qualcuno della nave, – spiegò lui.

– Allora lo sapevi...

– Lo immaginavo... Ma se vuoi che saliamo...

Ma quello – combaciare nudi per l'ultima volta, disporsi insieme per l'ultima volta alla vertiginosa fusione – era un rito che li spaventava tutti e due, un rischio che non si sentivano di correre. Avrebbe aggiunto o tolto qualcosa a ciò che già avevano avuto? Si sarebbe spento in amaro sgocciolio di piombo o tramutato nell'oro dell'alchimista?

Meglio rinunciare, proseguire fino a una meno scoraggiante bottega di souvenir dove lei, rivolta alla fitta esposizione una di quelle occhiate femminili capaci in un secondo di inventariare l'universo, gli disse in fretta:

– Ecco, ho trovato, aspettami qui, ho trovato il piccolo ricordo per te.

Lui restò fuori obbediente, la vide, di spalle, parlare con

la commessa, una ragazza che rispondeva muovendo grandi labbra color ciclamino e che si curvò a prendere qualcosa nei piani bassi di una vetrina. Lei si girò di scatto, lo vide sbirciare dentro e gli fece segno di andarsene, di non guardare. Lui si trasferì a sbirciare qualche metro più in là un negozio di passamanerie.

Quando lei uscì le dondolava dall'indice un minuscolo pacchetto legato con un nastro dorato.

– Ecco il tuo souvenir veneziano. In cambio della moneta.

– Grazie, che cos'è?

– Non devi aprirlo adesso, aprilo quando sarai solo.

E senza dare il tempo a quest'ultima parola di diffondere il suo rintocco luttuoso, aggiunse in fretta:

– Senti, qualcosa bisognerà pur mangiare, io sono praticamente digiuna dal pavone di ieri sera.

– Hai ragione. Anch'io.

– Non è che muoia precisamente di fame, ma se troviamo un altro bar...

– Un panino con l'ombra?

– Ecco, sì, – gli sorrise lei, – un panino con l'ombra.

Ma il primo bar che si presentò era poco più di un corridoio, che una parete di specchio tentava di raddoppiare, moltiplicare. Non c'erano sedili, la giacchetta del barista appariva sudicia anche a distanza e sotto una cupola di plastica pochi panini se ne stavano in fila, come mogi pensionati ormai estromessi dalla vita.

– No, non è possibile, – decise lei. – Andiamo a un altro.

Il secondo che si presentò era uno sgargiante locale all'americana, con violente luci, violente musiche, lunghe mangiatoie d'un giallo acceso cui era approdata una comitiva di turisti. Tutti stavano coi gomiti piantati sul piano di plastica e con le cannucce infilate tra le labbra sembravano qualche nuova specie di insetti succhiatori.

– Senti, c'è l'Harry's Bar a due passi, dopotutto. E a quest'ora non dovrebbe esserci nemmeno troppa gente.

– Certo, certo, va bene.

8.

Mr. Silvera si chiede se in questa pur ragionevole scelta, cui comunque egli non saprebbe proporre alternative, non ci sia in piccola e inconsapevole parte la speranza, anch'essa ragionevole, che l'Harry's Bar possa distrarla, procurare un diversivo, una tregua, in questa agonizzante giornata. E di fatti, passata la porta, quando dalla saletta in realtà già per tre quarti gremita, una mano femminile si leva sbandierando a richiamare la loro attenzione e un paio di teste si voltano e accennano a un saluto, Mr. Silvera non scorge nei sorrisi distribuiti in risposta dalla sua compagna alcuna traccia di sforzo o tremito di fastidio. E comprende che si tratta di una specie di ricognizione, come se lei volesse saggiare la consistenza di questo mondo al quale dovrà tornare quando lui sarà partito, accertarsi che esiste ancora, che domani, qui, potrà contare su un certo conviviale aiuto, su un po' di pettegolo stordimento.

– Aspettami un attimo, – gli dice briosa, – ordina qualcosa tu, intanto.

E se ne va tra i tavolini.

Il proprietario si avvicina a Mr. Silvera e gli basta un battito di ciglia per riconoscere uno di quei "qualcuno" travestiti da "nessuno" che ogni tanto vengono a galla nel suo famoso locale. Fa strada, sceglie lui il tavolo, e presa lui stesso l'ordinazione si allontana per provvedere.

Rimasto solo, Mr. Silvera accende una sigaretta e si guarda in giro. Adocchia su una sedia vuota, più in là, un malconcio giornale, si allunga a prenderlo, constata che si tratta di un quotidiano svedese di tre giorni fa, lo ripiega con cura e se lo mette in tasca.

Domani, pensa..

Lei è laggiù in piedi e come tutti nel locale sta parlando animata, toccandosi i capelli, ridendo con quei suoi conoscenti, ed è ora Mr. Silvera a rimpiangere di non aver inciso la sua voce.

O almeno una fotografia, pensa.

Ma anche una fotografia (in altri tempi sarebbe stata una miniatura, un cammeo, una ciocca di capelli in un medaglione) presto illanguidisce, non irradia più vita di un vecchio giornale di Stoccolma, di Hong Kong, di Caracas.

Un cameriere arriva con una varietà di piccole invenzioni sia fredde sia fumanti, oltre alla teiera che Mr. Silvera ha saggiamente ordinato. Ma lei, che ora sopraggiunge gettando la borsa sulla sedia vuota e dicendo "scusami per quei noiosi", lei scruta il contenuto dell'incombente vassoio e commenta vivace, mmm, che bellezza, però forse non il tè, per oggi forse basta, è troppo... – cerca la parola, gli sorride – fa un po' troppo convalescenza, non trovi?

– Cosa meglio di un martini? Qui li fanno divinamente, – dice, più al cameriere che a lui, accentuando il suo tono di vaporosità mondana, le sue inflessioni effervescenti.

Ma dura poco, il tempo di pochi bocconi, di pochi sorsi della divina bevanda.

– Niente male questi affari, – sillaba con stentato interesse.

– Ottimi, – concorda Mr. Silvera.

Piluccano in silenzio gli stuzzichini di polenta, le raffinate polpettine, fino a che la loro simmetrica svogliatezza non è più occultabile.

– Prendine ancora uno di questi.

– No, grazie, davvero.

– Ma dopo ti verrà fame.

– Non credo. E semmai troverò qualche biscotto.

– Hai mai avuto fame? Fame fame, voglio dire, tipo gettarsi sulla rapa cruda, sul topo ai ferri?

– Sì, mi è capitato.

Non mangiano più, non bevono. Non parlano. Lei si appoggia allo schienale della sedia, sospira profondamente.

– David, non sei niente di aiuto, sei l'ebreo tacente.

– Facciamo, – mormora Mr. Silvera, – l'amore.

Ora tace lei, a lungo.

– Dici?

C'era meno incertezza, meno timidezza la prima volta,

quando il gesto spiccava leggero, invitante, in un diverso ordine emotivo da cui ora non si sa più se possa venire spostato senza che si sbricioli.

– Ma sì, hai ragione, dopotutto sì. Solo, non nel nostro albergo, cerchiamo un altro posto, un albergo qualsiasi.

Perché sia un'altra cosa, pensa Mr. Silvera, perché sia ricordabile o dimenticabile secondo quello che darà.

Così tornano a pellegrinare nell'ora più formicolante e sembrerebbe facile unirsi a questa folla di veneziani che finito il lavoro si spargono frettolosi per la loro città, sembrerebbe possibile condividere i loro scopi di breve, caldo respiro, il chilo di zucchero, la gonna di velluto, la visita alla cognata, l'incontro colla ragazza, l'ombra con gli amici.

Mr. Silvera è ripreso dalla sua lancinante nostalgia serale, da quel doloroso nodo di tenerezza universale che nella "Locanda Gorizia" – trancia sottile tra un ristorante e un negozio di giocattoli – tenterà di sciogliere per trasmetterlo, per offrirlo tutto alla sua principessa dal cuore spezzato.

*

* *

Si riemerge dal vortice, dalla rovente implosione, e solo allora si comincia a distinguere attraverso gli steli semiabbassati delle ciglia il bianco di un guanciale e poi perfino un rammendo di forma irregolare; e dopo un po', risulta che quel bianco tende al grigio e che il rammendo è male eseguito. Inoltre, che la visibilità è fornita da una fonte luminosa sulla sinistra, piuttosto fioca, nelle cui immediate vicinanze è però riconoscibile una conchiglia vuota ma butterata da segni di sigarette. Poco più sopra, nel muro intonacato di un incerto colore, tra la buccia di patata e il pane abbrustolito, affiora anche un chiodo cui non è appeso niente.

Si constata ora che la fonte luminosa è costituita da un piccolo paralume tenuto in piedi da un supporto cromato, a sua volta sorretto da una mensola trapezoidale di plastica nera. In basso, una scarpa femminile è presto identificata, ma acquattata più in là, una ambigua serpentina che luccica nell'ombra rivela tardivamente la sua natura di copriletto di satin giallo strappato di slancio dalla sua sede e lasciato ricadere sul linoleum dove capitava.

Lentamente, voluttuosamente si cominciano a formare pigre volute di pensiero, morbide, intime perplessità su chi sia chi, su dove finisca l'io e dove cominci il tu in questo ancora strettissimo abbraccio. Una lunga cicatrice torna a farsi sentire non appena una mano la sfiora delicatamente. Un dorso, un tronco intero giace inerte, spento, per non dire esausto, e induce a una beata e un po' colpevole ricapitolazione, considerando che in due giorni e mezzo il malcapitato, sia di pomeriggio che di notte, e poi ancora, e di nuovo adesso, ha dovuto, e anche voluto, d'accordo...

Le prime parole si aggregano, giungono a una coerente emissione:

– Sei stanco?

– Mmm...

L'impulso a carezzare con gratitudine una nuca s'impone insieme alla certezza che una sia pur ridotta conversazione sarebbe al momento impraticabile, e l'occhio, ormai del tutto aperto, porta a termine la ricognizione dei luoghi, dall'armadio in fondo al letto a un altro letto, in realtà una brandina incastrata sotto l'unica finestra. La stanza, già di dimensioni anguste, si trova così a non poter concedere ai suoi inquilini che minimi margini di movimento. Ma si tratta di una locanda, suggerisce ora la memoria, della Locanda Gorizia, dove la clientela dev'essere in buona parte formata da giovani coppie con bambino, viandanti di magre risorse economiche, poveri addirittura, che sostano qui a riposare col frutto del loro amore... ed ecco appendersi spontaneamente al chiodo *La tempesta* di Giorgione, misteriosa tela nella quale c'è chi ritiene sia rappresentata la Fuga in Egitto, o meglio, data la fresca, gentile amenità del paesaggio, del Riposo durante la Fuga in Egitto, una pausa dopo giornate di deserto... e Giorgione si dissolve, sulla tela appare una preesistente, accidentata distesa di sabbie e pietrami, non un albero, pochi arbusti avari, e sulla destra, in primo piano, una formazione rocciosa con magari Maria di Magdala in preghiera davanti a una grotta...

La concentrazione totale su di lui, la dedizione assoluta al ricordo di lui, in perfetta solitudine. Una via estrema, certo, ma bella. Una possibilità realizzabile forse in Sardegna, in Canada. Bacche, radici, miele, eventualmente locuste. E addosso rozze pelli, una lacera tunica, o anche niente, solo i capelli, i lunghi meravigliosi capelli mai più lavati nè usati per asciugare i piedi di nessuno...

Una mano si stacca da una spalla, risale macchinalmente a controllare capelli sì meravigliosi, ma tagliati l'ultima volta decisamente troppo corti dal caparbio Michele e che converrà comunque lasciar crescere. Una domanda che occulta un'altra domanda freme, lascia la sua crisalide, aleggia timida ma insistente e trova infine modo di uscire.

– Ma come può esserle venuto in mente, a quella scema di Cosima, di chiederti certe cose?

– Quali cose?

– Ma se per esempio c'è stata un po' una storia, tra te e la Maddalena, quando lei era ancora peccatrice.

Alle Zattere si avviarono a piedi. Lei disse che avrebbe preferito camminare, se Mr. Silvera non era troppo stanco. Anche lei, certo, era stanca, ma di tutte le cose che aveva fatto insieme a lui, camminare le sembrava in fondo la più importante, quella che avrebbe ricordato meglio di ogni altra. E le sarebbe piaciuto che anche di lei Mr. Silvera si ricordasse poi sempre così, mentre lo accompagnava per un tratto sia pure brevissimo del suo itinerario.

Lui disse di sì, che proprio questo voleva.

– Dove siamo? – chiese lei sulla porta della Locanda Gorizia, guardando a destra e a sinistra.

– Dietro la Fenice, più o meno.

La città, che avevano fatto via via evaporare in architetture disordinatamente emotive, si ricondensava adesso intorno a loro sotto forma di piantina turistica, coi suoi luoghi notevoli, i suoi percorsi obbligati, le sue fermate di vaporetto, le sue scorciatoie, la sua precisa toponomastica. Di lì, del resto, erano partiti: non da un magico catasto delle fate ma dal piuttosto qualunque campo S. Bartolomeo, dove una specie di signora in vacanza e una specie di guida turistica s'erano alzati dalle sedie di un caffè per fare un innocuo giro nella mappa pieghevole di Venezia.

– Allora ci conviene il ponte dell'Accademia, no?

– Sì, pare anche a me.

Eppure questa sobrietà improvvisa aveva i suoi vantaggi. Era un po' come piantarsi le unghie nel palmo della mano, mordersi un labbro per non lasciarsi andare. C'era un duro lavoro – un addio – da sbrigare, suggeriva questa Venezia pragmatica, e conveniva portarlo fino in fondo senza allungare la strada.

La calle del Caffetier sbucava in campo S. Angelo, ma davanti all'ingresso del chiostro, ora chiuso, passarono senza fermarsi, senza guardarsi; e non li fermò la calle dei Frati, né il portale di S. Stefano. Sapevano che queste cose erano riposte al sicuro nel fondo delle loro valige e tirarle fuori adesso sarebbe stato troppo complicato, avrebbero dovuto buttare all'aria tutto.

Camminavano in silenzio, attenti a non mettere i piedi fuori dalla cronaca spicciola, del colore locale. Ragazzi seduti sullo zoccolo del monumento al Tommaseo. La bianca facciata di palazzo Loredan. Campo S. Vidal. Il ponte. Gente che scendeva dal ponte. Altra gente che sostava sul ponte a guardare dall'alto il Canal Grande. Erratiche luci a sinistra. Luci galleggianti a destra. Cupole. E poi per il Rio-terrà Carità, per la Calle Larga Nani, fino alle Fondamenta delle Maravegie. Un ubriaco che cantava seduto sulla spalletta. Mazzi di barchini appuntiti che dondolavano nel sonno.

Alzavano gli occhi alle cantonate e prendevano nota dei

nomi (forse li avrebbero ricordati, forse no) che si succedevano come gli elenchi di nomi nella Bibbia. Le Fondamenta delle Maravegie generavano le Fondamenta Nani, che generavano il Ponte Lungo, che generava le Zattere al Ponte Lungo. Là di fronte c'era la lunga, sottile isola della Giudecca, fila di luci nel buio.

Il canale li colse di sorpresa: una vasta, cupa distesa d'acqua a disagio tra i suoi limiti terrestri, già in contatto con l'alto mare, indifferente al minuto incrociare di motoscafi e vaporetti, pronta per le grandi eliche, le chiglie profonde e incrostate.

– Dov'è la tua nave? – disse lei.

– Di qui non si può vedere. È laggiù, dopo i magazzini.

– Come si chiama?

– La *Marie-Jeanne*.

– Com'è, grande, piccola? Bianca come quella che andava a Corfù?

– È una nave da carico. Media. Nera con due strisce gialle.

– E partite a che ora?

– Alle undici, mi hanno detto.

Ma il fondo delle Zattere s'avvicinava. Restava da ricordare, sulla destra, la calle Trevisan. Poi l'edificio dell'antica Stazione Marittima, con qualche finestra illuminata. Poi la calle dei Cartellotti. Poi la calle della Màsena. Neri, spenti, vuoti spiragli da cui nessun imprevisto poteva uscire, nessun miracolo. Lungo la riva c'erano alberi quasi spogli, panchine, un cane sgangherato che trottava con la testa rivolta verso il canale, fiutando l'aria.

Restava, ancora, la calle dei Morti.

Si sentivano sirene lontane, vicine, e ormai non si poteva più non vedere il terrapieno che oltre il rio di S. Sebastiano sbarrava le fondamenta, che metteva fine alla passeggiata delle Zattere, agli alberi, alle panchine. Due rimorchiatori, uno grande e uno piccolo, discendevano affiancati il canale con quella loro aria di anatre testarde, pettorute.

Restava, ultima, la calle del Vento.

– Vediamo se è vero, – disse lei.

Lo prese per mano e lo tirò di pochi passi dentro la calle del Vento. Restarono lì, uno davanti all'altra, aspettando. Umido, neghittoso, un po' di vento tuttavia arrivò.

Restava l'ultimo bacio, nel vento.

Poi, sotto un cartello poco meno severo di quello del Ghetto, che vietava l'ingresso del Porto agli estranei, si separarono, e Mr. Silvera salì adagio il ponte a scaletta che portava al terrapieno.

In cima, un po' discosto, si vedeva un casotto illuminato, una barriera, un uomo con una calotta di lana che fumava vicino a un albero e che si mosse per venire incontro a Mr. Silvera.

Allora Mr. Silvera si fermò, si girò, le mani affondate nelle tasche dell'impermeabile. Guardava in basso, dove c'ero io, dov'ero rimasta io.

Gli feci un cenno con la mano, come all'aeroporto, e lui questa volta rispose al mio saluto, ma senza che si potesse vedere se faceva il suo sorriso, se mormorava il suo "ah". E un momento dopo, look look, aveva passato la barriera, era andato via, Mr. Silvera non c'era più.

1.

Io un rinunciatario, io un vigliacco, si chiede Oreste Nava mentre siede meditativo nell'atrio dell'albergo fumando il suo sigaro di fine giornata. Perché questo, in pratica, è quanto gli ha rinfacciato il suo ex collega Landucci, che ha rivisto per caso oggi pomeriggio. Non altro volevano dire tutti quei suoi già, ti capisco, tu non vuoi grane, a te non piacciono le responsabilità, tu fai benissimo a voler stare lontano dai rischi, e via insinuando. Come se fosse una colpa non essersi sposato, aver sempre felicemente abitato negli alberghi dove lavorava, essersi sempre rifiutato di entrare in affari come quello che il Landucci gli aveva proposto anni fa.

Nel globo rosa applicato al muro dietro la sua poltrona, la lampadina è fulminata, ma Oreste Nava è fuori servizio, "in borghese" (un sobrio completo grigio), e non si preoccupa di avvertire l'addetto alla manutenzione, ammesso che si trovi ancora in albergo. Ci penserà domattina, quando ridiscenderà in uniforme dalla sua confortevole stanza all'ultimo piano. Questa è vera libertà, vera indipendenza, pensa tenendo eretto il sigaro per non far cadere il già lunghissimo cono di cenere. Altro che l'"affare" di Landucci.

Capirai. Rilevare quello schifo di "Gran Pizzeria Tropical" al Lido e ingrandirla ancora, trasformarla in moderno, fastoso Fast-Food, annettendovi magari un Old-Pub. Ecco il grande "affare". Loro due, Landucci e Nava, in società, accoppiati in quell'*usine à bouffer* del Lungomare Marconi, a sgobbare per una clientela da baraccone e vivendo magari nel soprastante alloggio per essere sempre sulla breccia, col Landucci circondato dalla sua operosa, emergente famigliola. E lui, l'affarista, smagrito, stanco, gli occhi rossi per l'insonnia e le cambiali... Dove sta la colpa a non voler avere niente a che fare con una vita simile? Cosa c'entra la vigliaccheria, dov'è la rinuncia?

Pochi clienti silenziosi sono sparsi per il vasto salone a leggicchiare riviste, aspettare, bere. Dall'ampia arcata del bar sono visibili, di tre quarti, Piero il barista, indaffarato a riporre i suoi bicchieri, e il cliente americano ubriaco che se ne sta impietrito su uno sgabello da un'ora. È un ometto con folti baffi biondi, che tace a lungo, tracanna, e ricomincia ogni volta a informarsi da Piero su dove e come si possa comprare una casa a Venezia. Ricorre ogni volta la parola "agency", scivolosamente balbettata dall'ubriaco, pronunciata da Piero con perfetto accento americano.

Quanti ne ha visti Oreste Nava nella sua carriera, di barmen bravissimi come Piero, di camerieri di razza, di chefs eccezionali, di maîtres di gran classe, fare la fine del povero Landucci. Ragazzi in gamba quanto lo era lo stesso Landucci ai suoi tempi, che a Montecarlo, a Londra, a Nassau, a Francoforte, a Crans, avevano una sola idea in testa: racimolare abbastanza palanche per tornare in Italia e aprire una gelateria a Foggia, metter su una piola a Tronzano. Rintanati, sepolti vivi per sempre. E che poi, dal loro buco, avevano la faccia di darti a te della vecchia talpa fifona. E la vecchia talpa, zitta, incassava le insinuazioni, invece di rispondergli a tono, di trovare le parole per spiegargli, educatamente, che il coraggio... che il rischio... che la vita...

Confusi argomenti s'inanellano nella mente di Oreste Nava, azzurri e imprendibili come il fumo del sigaro, e i suoi occhi non mettono subito a fuoco la donna che entra ora nell'albergo.

Ma poi il fumo si dirada: è la principessa del 346. Sola.

Né lei né il suo amico sono più rientrati per tutto il giorno, gli ha detto poco fa il suo sostituto al banco. E nel pomeriggio qualcuno è passato a ritirare la valigia di lui, che dunque se ne dev'essere davvero andato per conto suo. Del resto, basta guardare la principessa per capirlo: chiaramente a pezzi, come si dice; sotto controllo, ma per un pelo.

Va ora legnosa a farsi dare la chiave, poi resta lì in mezzo all'atrio, le spalle sempre orgogliosamente dritte, sì, ma con le braccia abbandonate lungo i fianchi. Nota il bar ancora aperto, ma non si decide subito. Guarda l'ora, si accende una sigaretta e si avvia. Solo che l'ubriaco con le sue frasi biascicate la scoraggia, e prima ancora di arrivare all'arcata fa dietro front, torna indietro e il suo sguardo incrocia quello di Oreste Nava, lì pronto per ogni evenienza, ben lieto di poter essere d'aiuto anche fuori servizio, che si alza bruscamente a metà, senza più curarsi del cono di cenere che infatti si stacca dal sigaro e si sfalda sul bracciolo della poltrona.

Ma non c'è riconoscimento. Lo sguardo sorvola, prosegue, erra desolato per il salone, si posa infine sulla porta dell'ascensore. E un minuto dopo la principessa è risalita al 346, e Oreste Nava soffia via il pulviscolo grigio dalla poltrona chiedendosi cosa sia successo. È solo un litigio o una rottura definitiva? O non starà mica per arrivare il marito? O magari, al contrario, lei è così sconvolta perché ha deciso di dire tutto al marito e lasciarlo. A meno che non ci sia invece di mezzo una moglie, che è lui a non voler lasciare. Senza contare che potrebbero aver scoperto che non si amavano più, o aver rinunciato perché il loro amore non aveva un domani...

Ipotesi turbinose, drammatici dilemmi. E tormenti, patemi, gelosie, rimpianti, rimorsi... Fumando il suo sigaro, gli occhi socchiusi, Oreste Nava insegue tra lontani precipizi l'eco di ansie e vergogne clandestine, di gelide o profumate attese presso l'angolo dei bastioni, e confusamente intuisce che pure ne valeva la pena, che quelli erano veri sentimenti, vere avventure, veri rischi. Che quella era vera vita.

Dal bar l'americano slitta ancora una volta sulla parola "agency" e Oreste Nava si lascia andare sulla sua poltrona, contento di non aver perso i suoi sonni per l'eden-roc di Sarzana, per il motel alla periferia di Campobasso.

2.

Più tardi, dopo aver aperto e regolato due rubinetti da cui sembravano sgorgare fiotti di lacrime, dopo aver dissolto nella vasca un'ambrata bustina che trasformava le lacrime in un sospiro di spuma bianca, dopo aver lungamente soggiornato, più come *gisante* che come *baigneuse* in quel tepore da lento dissanguamento, una poteva, offuscata, sorgere dall'acqua, più come *noyée de la Seine* che come Venere Anadiomene, e debolmente avvolgersi in un sudario di spugna, sedere rattrappita sul bordo di marmo per un tempo incalcolabile, e infine riscuotersi per la davvero ultima cosa che restava da fare.

Una doveva rivestirsi, tener conto della notte, dell'umidità, infilare una gonna più pesante, un golf, e tornare in bagno a ritrovare nello specchio un volto postumo. Una doveva pettinarsi molto molto adagio, ripetendo lo stesso gesto con ottusa pervicacia di macchina, come se i capelli fossero lunghissimi, la biondissima chioma fino a terra di Maria del Deserto.

Una poteva poi, controllata l'ora, rannicchiarsi in una poltrona e tentare di andar oltre la pagina 16 di *Corinne ou l'Italie*, della baronne Anne-Louise-Germaine de Staël. E poteva non riuscirci, e restare lì, restare lì a guardarsi le mani. Una poteva andare alla finestra, aprire, guardare fuori. E poteva richiudere, rannicchiarsi su un'altra poltrona. Poteva dire, gemere sottovoce, "diomìo". Quello che assolutamente non poteva fare, era di passare nel salotto contiguo e aprire un'altra porta.

Finché una doveva rimettersi in piedi, prendere un impermeabile, seguire diligente i corridoi porta dopo porta, numero dopo numero, infilarsi nell'ascensore, sprofondare nell'atrio silenzioso, uscire. Una doveva, ancora, camminare, utilizzare il proprio automatico passo per lasciarsi indietro gatti, inferriate, portoni, piccoli ponti, per misurare arcata dopo arcata l'intera piazza San Marco e, in tutta la sua candida lunghezza, il palazzo Ducale, fino a trovarsi sull'incurvatura della riva degli Schiavoni.

Da lampione a lampione una doveva percorrerla fino in fondo nell'aria qui nettamente marina, e poteva contare le funebri gondole ricoperte dai loro teli, contare i pettoruti rimorchiatori all'attracco, i gabbiani addormentati, gli alberghi, i ristoranti, i dondolanti pontili dove gli ultimi vaporetti caricavano e scaricavano gli ultimi passeggeri. Una doveva perseverare lungo un aliscafo jugoslavo accostato alla riva dei Martiri, insistere lungo una breve, grigia nave da guerra cui l'accesso era vietato agli estranei da un marinaio armato che andava su e giù, tener duro fino ai Giardini, fino a un sedile dei Giardini nel punto da cui doveva essere salpata la *Regina dello Jonio* con un passeggero in meno. E qui sedersi, qui aspettare, con gli occhi fissi laggiù, verso destra, verso la punta della Dogana, dove sboccava il canale della Giudecca.

Una poteva appena accorgersi di qualche passante che rallentava per curiosità o altro, di tre ragazzi dalle esitanti intenzioni che si ritraevano dopo un'occhiata, di un cane, l'eterno cane sbilenco e solitario che fiutava l'aria. Una poteva restare abbagliata dalla terza o quarta fiammella dell'accendino e tornare a guardare verso la punta della Dogana senza vedere niente per un momento, e dopo un altro momento poteva cominciare a distinguere, a immaginare di distinguere, e poi proprio, certissimamente, definitivamente a vedere la sagoma di una nave che alle 11,25 sfilava davanti a Venezia, scivolava nera con le sue strisce gialle, con un suo sordo, segreto battito, davanti ai Giardini e si perdeva con le sue poche luci dietro la punta di S. Elena.

Una poteva anche piangere, ma stringeva nel pugno una moneta falsa e non piangeva.

3.

Dal ponte della *Marie-Jeanne* Mr. Silvera vede passare Venezia, profilarsi i Giardini, e tra i recessi di quell'ingombra, confusa, labirintica soffitta che è la sua memoria, ritrova e ricostruisce per un istante l'Ospizio di Messer Gesù Cristo: tetri, freddi cameroni per pellegrini e mendicanti, dove sotto chissà più quale nome gli è capitato una volta di dover dormire, in chissà più quali anni.

Sorgeva lì, dietro i Giardini, presso un "paludo" ora interrato, e Mr. Silvera ne ritrova con una certa precisione la paglia, l'unico lume a olio, l'odore umano, la voce – ma non le parole – di un greco sbarcato dalla sua stessa galera e sdraiato accanto a lui. Ritrova e scosta altre navi, un veliero inglese disalberato, una schiera di triremi bizantine cui si sovrappone nel ricordo una fila di vagoni merci. Scalcia via un otre, un elmo arrugginito, allontana una carovana di cammelli, rimuove una ciminiera, un camion Dodge, un mercato da qualche parte in Ucraina. Scosta gli occhi intensi, luminosissimi, di una prostituta indiana. Scosta veli colorati, lunghe collane sonore, e i riottosi bottoni di un sottile, morbido stivaletto rosso.

Cerca, nell'oscura soffitta della sua memoria, un angolo meno oscuro per riporvi questo ultimo souvenir: due minuscoli zoccoli di legno e di broccato, dalla suola altissima, come quelli che mettevano le antiche dame veneziane per scendere in strada.

Ah, pensa.

Ah, mormora Mr. Silvera guardando sfilare i lampioni dei Giardini e poi allontanarsi, spegnersi, le ultime luci di Sant'Elena, di Sant'Erasmo, del Lido. Mentre anche s'allontanano, laggiù sulla riva, gli zoccoli della *shikse* che avrebbe voluto, se avesse potuto, venire con lui, camminare con lui fino al Giorno del giudizio.

INDICI

INDICE SENTIMENTALE
DEI NOMI, DEI LUOGHI E DELLE COSE NOTEVOLI *

---

* Non è un indice completo, ovviamente. Mancano luoghi anche notevoli come S. Marco, il Palazzo Ducale, l'Accademia, trascurati in favore del campiello dell'Abbazia, dell'umile calle del Doge, o della sconsolata calle del Vento. E tra i nomi m'accorgo p. es. di aver dimenticato Ida, la nipote di Raimondo, che in fondo non dev'essermi simpatica, mentre con quella scema di Cosima ci rivediamo sempre volentieri. [*Nota della Protagonista*]

Nikolsburg (v. Rabbino Schmelke)

Obliosa signora (v. Ch'ing nü)
Oreste Nava VI/2, ecc.
Ospizio di Messer Gesù Cristo XII/5, XIII/3

Palmarin II/3, ecc.
Passeggera del Volo Z 114 I/1, ecc.
Pensione Marin III/2, IV/4, V/5, V/6, VI/1
Piazzale Roma X/7
Piramidi (v. Sonetto CXXIII)
Ponte delle Guglie VII/4, XI/1
Ponte di Rialto I/3, X/1
Ponte dei Sospiri II/2
Ponte-scaletta di S. Sebastiano XI/2, XII/8
Pordenone (v. Studioso del Pordenone)
Porto commerciale – Marghera X/3, X/7
Porto commerciale – Venezia XI/2, XI/4
Predicatore Senza Nome XII/6
Presidente del Cucchiaio VIII/2, VIII/4, VIII/5
Problema delle lingue XI/1
Problema del tempo IV/4, VII/2, X/4, X/6, XI/1, XI/3

Rabbino Schmelke VI/3, X/6, XII/7
Raimondo I/2, ecc.
Regina dello Jonio II/4, II/6, ecc.
Rio dell'Arsenale II/4, IV/4
Rio di S. Martino IV/4, V/5
Rio di S. Sebastiano XII/8
Rio-terrà Carità XII/8
Riva del Carbon X/2
Riva della Salute IV/4

Riva degli Schiavoni I/3, II/4, XIII/2
Riva del Vin I/3
Rijnsburg VI/4, XI/1, XII/6, XII/7
Ruga Giuffa I/2, X/4

Sacca della Misericordia VIII/5, XI/1
Scema della Laguna XI/3, XI/5
S. Giovanni in Bragora IV/4, V/1, XI/1
S. Maria Gloriosa dei Frari XII/5, XII/6
Shih Ching VIII/5, VIII/6
Signori Bustos I/3, II/4
Signori Wang VIII/2, VIII/5, VIII/6
Sior Basegio XI/7
Sixtine Chapel I/1
Sonetto CXXIII VII/2, X/4, XI/1, XI/3
"South China Morning Post" (di Hong Kong) III/6
Souvenirs II/2, II/6, IV/1, X/6, XII/7, XIII/3
SS. Giovanni e Paolo II/2
Studio Grafico X/3
Studioso del Pordenone III/3, V/3

Thrifteria-Strazzeria VII/5
Tina I/1, I/3, II/2, II/4, II/6
Torre di Pisa (v. Tour de Pise)
Tour de Pise I/1
Traghetto sul Canal Grande XII/6
Traghetto Chioggia-Pellestrina V/1, V/4
Trattoria Due Ponti III/2, III/4
Trattoria-Pizzeria Triglia d'Oro I/3

Volo BA 054/AZ 281 III/7
Volo Z 114 I/1, XII/6

INDICE

«L'amante senza fissa dimora»
di Carlo Fruttero e Franco Lucentini
Oscar bestsellers
Arnoldo Mondadori Editore

Questo volume è stato stampato
presso Mondadori Printing S.p.A.
Stabilimento NSM - Cles (TN)
Stampato in Italia. Printed in Italy